MIRAŻE

prawolubni

Książka, którą nabyłeś, jest dziełem twórcy i wydawcy.
Prosimy, abyś przestrzegał praw, jakie im przysługują. Jej zawartość
możesz udostępnić nieodpłatnie osobom bliskim lub osobiście znanym.
Ale nie publikuj jej w internecie. Jeśli cytujesz jej fragmenty,
nie zmieniaj ich treści i koniecznie zaznacz, czyje to dzieło.
A kopiując jej część, rób to jedynie na użytek osobisty.

Szanujmy cudzą własność i prawo.
Więcej na www.legalnakultura.pl
Polska Izba Książki

MAR 2016

Sylwia Zientek

MIRAŻE

Wydawnictwo Czarna Owca
Warszawa 2015

Redakcja
Marta Orzeszyna

Projekt okładki
Agata Kowalska

Zdjęcie na okładce
© Everett Collection

DTP
Maria Kowalewska

Korekta
Ewa Jastrun
Małgorzata Denys

Redaktor prowadzący
Anna Brzezińska

Text copyright © by Sylwia Zientek 2015
Copyright © for the Polish edition by Wydawnictwo Czarna Owca, 2015

Wydanie I

Druk i oprawa
OPOLGRAF S.A.

Książka została wydrukowana na papierze Creamy 70g/m^2, vol 2,0
dystrybuowanym przez: ZiNG

ISBN 978-83-8015-070-6

Wydawnictwo

ul. Alzacka 15a, 03-972 Warszawa
www.czarnaowca.pl
Redakcja: tel. 22 616 29 20; e-mail: redakcja@czarnaowca.pl
Dział handlowy: tel. 22 616 29 36; e-mail: handel@czarnaowca.pl
Księgarnia i sklep internetowy: tel. 22 616 12 72; e-mail: sklep@czarnaowca.pl

R06048 57502

Mojemu mężowi

And you need only say the word
I'll kiss you like a humming bird

I've been walking for a long time
I never did commit no crime

And all my dreams, they all came true
The day I lay my head on you

The day that you cracked open and died
Ten black boys flew free from inside

I don't know where I'm going so
I'm gonna lay down in the snow

tekst piosenki *I'm In Love*
Antony and the Johnsons z albumu *Swanlights* (2010)

(...) Poza płcią żeńską i męską
śród enigm nowego porządku,
śród rysujących się ledwo
Form nieznanego nam bytu.

fragment wiersza *Wielkanoc*
Marii Komornickiej/Piotra Własta

Rozdział I

Maj 1935
Wspomnienie Warszawy

Po kilku godzinach spędzonych na stercie siana Julian obudził się zziębnięty, jeszcze na pograniczu jawy i snu, słysząc melodię jakiejś piosenki. Jego umysł przetwarzał wyśpiewywane wysokim głosem słowa: *Tyś niemal przekonała mnie, że jestem naprawdę*. Ostatnio ciągle słyszał we śnie muzykę. Tym razem śpiewał mężczyzna, ale – był tego pewien – akompaniowała mu Lilianna. Przyglądał się jej swobodnie, nie mogąc nasycić wzroku widokiem jej karku, który tak doskonale się prezentował, gdy pochylała głowę nad klawiszami. Wiele razy marzył o tym, aby zobaczyć Lili przy fortepianie, ale jak dotąd nie miał okazji. Może ten wysoki, ale zdecydowanie męski głos należał do niego i to on sam wyśpiewywał słowa piosenki?

Słoneczny, choć bardzo jeszcze chłodny majowy poranek zapowiadał pełen niezrozumiałej nadziei dzień. Julian czułby się wręcz podbudowany, gdyby nie niosący poczucie obcości ostry zapach dymu z kominów miasteczka, złowieszczo unoszący się nad kaskadą dachów. Gdzieś tam, w tych przytulonych do siebie drewnianych domkach, był ktoś, kto miał przynieść mu ratunek. Julian musiał tylko dotrzeć do felczera, przejść przez to, przez co trzeba było przejść, i ruszać naprzód, w drogę. Czym prędzej uciekać i wydostać się wreszcie z kraju.

Trzęsąc się z zimna, mógł tylko marzyć o lepszym świecie, do którego dostęp w tak tragicznych okolicznościach utracił. Mdłości sprawiały, że miał ochotę wyć, wykrzyczeć swoją wściekłość i rozgoryczenie. Największy żal mógł mieć do samego siebie. Od wielu lat, właściwie od czasów gdy miał już świadomość swojego „ja", wiedział, jak to jest czuć się zdradzonym przez swoje własne ciało. Jak mógł pozwolić uśpić swoją czujność? Wiedział, że przed demaskacją chroniło go niewiele, bo jedynie strój, zatem jego mistyfikacja musiała zostać odkryta wcześniej czy później.

Gdyby tylko w taki dzień mógł znaleźć się w Warszawie. Drzewa wzdłuż Alei Jerozolimskich zapewne już wybuchły zielenią. Można byłoby usiąść na ławeczce pod rozłożystymi koronami na placu Napoleona, najpiękniejszym z placów miasta, podziwiając otaczające go kamienice o finezyjnie zdobionych fasadach i dachach najeżonych licznymi wieżyczkami. Z tą klasyczną zabudową kontrastowała nowoczesna architektura sięgającego nieba najwyższego budynku w mieście. Był to niebotyk z prawdziwego zdarzenia, po którego ścianie ślizgało się miedziane słońce.

Gdyby nie potworne grudniowe wydarzenia, może teraz czekałoby go spotkanie w jednej z ulubionych kawiarni, może obiad U Wróbla. Potem wizyta w teatrze czy w filharmonii, a wieczorem jak zwykle w piątki w Zodiaku, aby pokazać kolegom poetom nowy wiersz i podyskutować o literaturze przy partyjce bilardu. Przypomniał sobie wnętrze kawiarni Mała Ziemiańska, gdzie siedziało się w ścisku i gwarze po to tylko, aby wymienić spojrzenie z przechodzącymi przez lokal znanymi osobistościami, poczuć ekscytację spotkaniem kogoś z kręgu skamandrytów, zjeść kilka ciasteczek, zapalić papierosa, po prostu być w tym miejscu i przez opary dymu rozglądać się po sali, patrzeć na ludzi siedzących przy okrągłych stoliczkach.

Albo gdyby tak sobie usiąść w Barze pod Słońcem, na tarasie domu towarowego braci Jabłkowskich przy Brackiej, gdzie z górnych pięter roztaczał się imponujący widok na dachy kamienic, wieże kościołów i górujący nad centrum miasta modernistyczny drapacz chmur. Ach, wygodnie umościć się w wiklinowym fotelu, nalewać sobie do woli wody z syfonu i trwać tak, wystawiając twarz ku słońcu, swobodnie marząc o tym, że świat kiedyś stanie przed nim otworem i razem z Lili będą żyć bez obaw przed zdemaskowaniem, może w takim właśnie wieżowcu jak ten przy placu Napoleona.

Tysiące razy przechodził ulicami, placami Warszawy, patrząc na elewacje, szyldy, neony, nowoczesne samochody i chłopskie furmanki, całą tkankę miasta, jednocześnie jakby wcale tego wszystkiego nie zauważając. W jego myślach fasady budowli traciły swoją indywidualność, tworząc jednolity ciąg kamienic. Nie dostrzegał, że każda z nich była inna, inaczej zdobiona, z detalami architektonicznymi i sklepami na poziomie ulicy, neonem, płócienną markizą, odmiennie urządzonymi witrynami. Teraz, gdy po kilkumiesięcznej nieobecności odtwarzał w wyobraźni wygląd poszczególnych miejsc, irytowało go, iż nie mógł wszystkiego przywołać z pamięci. Gdyby dane mu było dzisiaj przejść Nowym Światem czy Marszałkowską, spojrzałby zupełnie inaczej na to, co dotąd stanowiło niezauważalną scenerię dla toczącego się zwyczajnie życia. Może było już na to za późno?

Przypominał sobie, jak wielokrotnie żegnał się z Lilianną u wylotu ulicy Moniuszki, przy której mieszkała, i oboje spoglądali wysoko w górę na sześćdziesięciosześciometrową siedzibę Towarzystwa Ubezpieczeniowego „Prudential", nieustannie marząc o zamieszkaniu w tych najwyżej usytuowanych apartamentach z balkonem, skąd jak na dłoni widać całe miasto. W najbardziej śmiałych pragnieniach Julian zawsze widział się tam, na górze, z ukochaną kobietą u boku. *Och, niech pan sobie wyobrazi przez moment, że mógłby pan tam mieszkać i patrzeć z szesnastego piętra na całą Warszawę!* – mówiła Lili swoim słodkim, nieco dziecinnym głosem.

Chłód i odgłos ujadających psów przypomniał mu o podłej rzeczywistości. Plecy bolały go po nocy spędzonej w cuchnącej obornikiem szopie, ścierpł mu kark, a niemyte od ponad tygodnia ciało wydawało mu się odrażające. Gdyby mógł chociaż liczyć na kawę... Marzył mu się czarny, mocny napar, jaki podawano w warszawskich cukierniach, tutaj zapewne nieosiągalny. *Co to za życie bez kawy*, westchnął Julian, z żalem wspominając sklepy palarni ziaren Pluton, w których kupował różne gatunki i mieszanki. Lubił raczyć nimi ciotkę, gdy ta po powrocie z rautów i zebrań partyjnych siadała zmęczona w fotelu, uprzednio nastawiając odbiornik radiowy stojący na komodzie w salonie w jej mieszkaniu przy Koszykowej.

Przy dźwiękach nadawanych na żywo koncertów albo przy słuchowiskach wypijali po kilka filiżanek tych cudownych naparów, ignorując zrzędliwe komentarze służącej Andzi. *A jak jutro wstaniecie po takim pobudzeniu? Rano dobudzić nie będę mogła, w pośpiechu potem śniadanie jedzone, wszystko na wariata... Mnie to się nie podoba!* – dogadywała, po czym naburmuszona szła szykować dolewkę w pięknym, porcelanowym dzbanku.

Nie było teraz czasu na wspomnienia. Kto wie, kiedy znowu siądzie obok ciotki i napije się dobrej kawy... Kiedy zobaczy Liliannę? Czy w ogóle będzie mógł się z nią jeszcze spotkać? Czy jeszcze kiedyś zobaczy Warszawę?

Julian otrzepał się z resztek siana, które przyczepiły się do jego garnituru, wygładził nieco zmięty, brązowy materiał. Bacznie obserwując otoczenie, schował się za szopą i wysikał się, po czym wytarł nos w znalezioną w kieszeni chustkę. Uzmysławiając sobie, że trzymany kwadracik białego lnu ma wyhaftowane na rogach kwiaty, cisnął chusteczkę w krzaki. Poprawił krawat, dłonią zaczesał włosy, włożył całkiem jeszcze porządny kapelusz (Lili uwielbiała ten gest, gdy trzymając kapelusz jedną dłonią, nakładał go sobie na głowę, zawadiacko przechylając go na bok, jednocześnie drugą ręką naciągając nakrycie na tył głowy), po czym ruszył przed siebie ku przecinającej pola drodze, która – pokryta błotem i kałużami – przypomniała mu o tym, że cywilizacja jest bardzo daleko stąd.

A jeszcze kilka miesięcy temu w swoich marzeniach sięgał gwiazd. Było niemal pewne, iż wiosna przyniesie tak długo oczekiwane szczęście bycia razem z ukochaną...

Jego obecna sytuacja była beznadziejna, ale wciąż miał przed sobą realny cel i wierzył, że zdoła uniknąć kary, spotka się z Lili w Paryżu i wszystko się ułoży. Zapewne nigdy nie będzie już mógł spotkać się z ciotką i matką. Ta druga do końca życia nie pogodzi się z upadkiem swojego dziecka. Co do ciotki, Julian nie wiedział, czy choć trochę go rozumiała, czy obwiniała samą siebie za próby skojarzenia małżeństwa, które skończyły się tak dramatycznie? Ciotka nie znała przecież całej prawdy. Mogła tylko snuć domysły na temat tego, co wydarzyło się w mieszkaniu nad sklepem jubilerskim przy Targowej. Zajęta swoimi ochronkami i tajnymi zebraniami, pewnie nie odnotowała nawet różnicy po nagłym zniknięciu z jej mieszkania dodatkowego lokatora. Sąsiadom wmówiła zapewne, że Julian wyjechał na Wołyń, do pracy w jakiejś szkole.

Obraz idącej ulicą, ubranej w jasny wiosenny strój Lilianny znowu wypełniał mu myśli. Zastanawiał się, co robiła teraz, w piękny, majowy dzień? Czy tęskniła za towarzystwem niewidzianego od sześciu miesięcy przyjaciela, towarzysza w wędrówce po Warszawie śladami poetów, pisarzy i ludzi pióra? Czy brakowało jej ich żarliwych dyskusji odbywanych w kawiarniach, cukierniach czy restauracjach stolicy? Tak bardzo chciał być dla niej mężczyzną, który urzeczywistni jej marzenia o życiu na modłę artystycznej bohemy. Widząc blask w jej oczach, podekscytowanie barwiące na różowo policzki, zachwyt wywołany nastrojem wieczoru albo spotkaniem kogoś sławnego, wiedział, że zrobi absolutnie wszystko, przekroczy każdą granicę, aby wywołać w niej to poczucie upojenia.

Zapamiętał dobrze jej piękną twarz o łagodnych rysach, dużych szarych oczach patrzących zawsze z ufnością. Uśmiechała się nieśmiało, prawie nie otwierając ust, co zawsze go wzruszało. Sprawiała wtedy wrażenie nieco smutnej i melancholicznej. Niemal czuł pod palcami miękkość jej włosów opadających na szczupłe ramiona złotymi falami wbrew modzie na krótkie fryzury. Chciała być nowoczesną chłopczycą, ale jej delikatna uroda sprawiała, że wydawała się taka niedzisiejsza.

Mimo to wciąż próbowała być modna i nowoczesna.

Tlenione włosy, malowane czerwoną szminką usta, kreski w miejsce wyskubanych brwi, perły ciasno oplatające krótką szyję, wąskie fasony sukienek niekorzystnie opinające się na jej szerokich biodrach, całe to opakowanie zgodne z aktualnymi trendami nie pasowało do jej typu urody. Byłaby zachwycająca w kwiecistych sukienkach z delikatnego jedwabiu, z długimi, rozpuszczonymi włosami, bez makijażu. Jednak jej pęd ku nowoczesności oznaczał naśladowanie sławnych przebojowych kobiet dyktujących modę. Kazała mówić do siebie Lili. Starała się upodobnić do Mae West albo Ireny Krzywickiej, marząc o życiu wolnym od zasad mieszczańskiej moralności, jakie wiodły wyzwolone artystki. To właśnie stanowiło o jej uroku, za to była kochana. Za tę naiwną zachłanność, za wiarę, że świat oferuje tak dużo i wystarczy tylko schylić się, by zaznać szczęścia nielimitowanego żadnymi normami ani zasadami.

Idąc pustą, błotnistą drogą, Julian dotarł na szczyt wzniesienia, z którego rozpościerał się przed nim widok na całe miasteczko, z widocznymi jak na dłoni ruinami szesnastowiecznej fortecy na wzgórzu, zalesionymi górami o łagodnych wzniesieniach na linii horyzontu i dywanem przytulonych do siebie drewnianych domostw okalających nieduży rynek. Gdy stał tak, patrząc na to senne miejsce, nawiedziło go oślizgłe niczym wąż złe przeczucie. Szybko jednak odgonił od siebie złe myśli.

Czekało go coś nieprzyjemnego i trudnego, co chciał jak najszybciej mieć już za sobą.

Minął chłopaka, który na krótkim odcinku drogi, gdzie wyschło już błoto, bawił się fajerką. Obserwował spode łba mijającego go nieznajomego w prążkowanym garniturze i eleganckim kapeluszu.

– Chłopcze, szukam miejscowego medyka, możesz mi pomóc? – zapytał łagodnie Julian.

Dzieciak odpowiedział mu wrogim spojrzeniem i niechętnie wskazał ręką ulicę biegnącą po prawej stronie.

– Medyka u nas ni ma, jeno felczer. Tamtędy prosto, potem w lewo i znowu w lewo, taka chałupa obrośnięta żółtymi kwiatkami – odparł, spluwając.

Julian podziękował i poszedł dalej. Było to już kolejne miasteczko, w którym zabiegał – jak dotąd bezskutecznie – o pomoc. W poprzednim miejscu, gdy powiedział, z czym przychodzi, poszczuto go psami. W mieście N., usłyszawszy jego prośbę, felczer zwyzywał go i straszył piekłem. Jak długo jeszcze będzie czekał? Każdy upływający dzień komplikował jego i tak już beznadziejną sytuację. Jaka szkoda, że nie zdawał sobie sprawy, co się z nim dzieje, wcześniej, kiedy ukrywał się w Krakowie.

Niespodziewanie poczuł, jak serce podchodzi mu do gardła i ściska je potworny spazm lęku. A jeśli już nigdy, przenigdy nie zobaczy Lilianny? Jeśli ta wymknie mu się na zawsze, znajdzie innego przyjaciela, może w końcu weźmie kochanka? Na co mógł liczyć? Czy mógł wymagać, aby na niego czekała?

Teraz, gdy przyszła wreszcie prawdziwa wiosna, mogliby wyruszyć dobrze znanym szlakiem. Po wyjściu z Ziemiańskiej, wystawiając twarz do słońca, skierowaliby swoje kroki ku Krakowskiemu Przedmieściu. Potem, krocząc obok bramy Uniwersytetu, mijając ich ulubiony kościół Wizytek, przeszliby obok Bristolu, gdzie Lilianna lubiła wstąpić na obiad, zwłaszcza gdy przy ulicy zaparkowany był jakiejś lepszej klasy wóz. Przeszliby Karową w dół, na nadwiślańskie bulwary, albo cały czas górą ku rynkowi Starego Miasta, gdzie na jednym ze straganów kupiłby jej bukiet kwiatów. Potem ku Miodowej albo Karmelickiej, przez zawsze pełną furmanek ulicę Freta doszliby do Dominikanów, aby posiedzieć tam spokojnie w chłodnym wnętrzu i powdychać zmurszały zapach starego kościoła.

Poszliby na lody do Lourse'a, do pobliskiego Ogrodu Saskiego, podziwiać rozkwitającą przyrodę, która tak mocno oddziaływała na zmysły Lili. Tak upajająco muszą kwitnąć bzy, owocowe drzewa…

Lilianna zapewne byłaby ubrana już w nowe modele, miałaby na głowie jakiś fikuśny kapelusz (zawsze nosiła fantazyjne nakrycia głowy, przekrzywione filuternie na bok małe kapelusiki z czerwonym czy zielonym piórkiem), od bliskości i kwiatowego zapachu jej perfum Glamour de Chanel kręciłoby mu się w głowie i zapierało dech w piersiach. Z noszonego w teczce tomu poezji Staffa czy Leśmiana czytałby jej jakieś błogie, brzmiące jak muzyka jej ulubionego Debussy'ego strofy w trakcie odpoczynku na ławeczce w parku czy gdzieś nad Wisłą. Wiatr niosący nadzieję owiewałby ich twarze i psuł Lili fryzurę, tak skrupulatnie i zawzięcie układaną przed wyjściem.

Delektowanie się własną tęsknotą zostawił sobie jednak na później, wiedząc, iż przed nim wiele, wiele dni rozgrzebywania wspomnień. Szybko nie będzie mógł wrócić do domu, do ciotki, do Lili. Zapewne rozesłano już za nim list gończy.

To, co miał na zawsze i czego nikt nigdy mu nie odbierze, to była właśnie tęsknota. W tym zamykała się dawka miłości, jaką w życiu mu przyznano. Teraz trzeba było tylko skupić się na przetrwaniu, zatarciu śladów, aby móc w spokoju tęsknić za kobietą, która mogłaby w pełni należeć do niego wyłącznie w sferze marzeń. W zaklinanej nieustannie rzeczywistości prawda pozostawała nieujawniona.

Westchnął tylko ciężko i otrząsnął się z tych sentymentalnych myśli, gdyż jego oczom ukazał się za zakrętem niewielki, bielony budynek o wyglądzie dużo schludniejszym niż inne zabudowania. Drzwi domu lekarza pozostawały jednak zamknięte, nikt nie odpowiadał na pukanie.

– Jeszcze za wcześnie. Pan do kogo? – zapytał starszy człowiek, który pojawił się na dziedzińcu z miotłą w dłoniach.

– Jestem tu przejazdem. Potrzebuję pilnie widzieć się z felczerem. Poczekam sobie w takim razie… – odparł Julian, po czym odszedł parę kroków i przysiadł na lichej ławeczce pod płotem, za którym rosły kwitnące z oszałamiającą siłą bzy. Patrząc na gałązki uginające się pod ciężarem kiści fioletowych i białych kwiatów, przypomniał sobie, jaką Lili okazywała egzaltację na widok piękna przyrody.

Nieoczekiwanie poczuł nadchodzącą jak co dzień od jakiegoś czasu poranną falę mdłości. W kieszeni marynarki miał kawałek suchara z poprzedniego dnia, którego ze wstrętem wziął do ust, wiedząc, że po kilkunastu minutach ta słabość i chęć wymiotów minie. Przymknął oczy, powtarzając sobie w myślach, że dłużej tego nie zniesie, musi działać jak najszybciej, żeby tylko udało mu się spotkać z Lilianną, która może już zupełnie o nim zapomniała, porwana przez wir życia, o jakim zawsze marzyła.

Mijał właśnie rok od momentu, w którym zaczęli się spotykać.

Ich pierwszy spacer miał miejsce w maju trzydziestego czwartego. Rok temu wiosna przyszła dużo wcześniej. Kwitły właśnie bzy, a ich słodki zapach niósł się z trzymanych w jej dłoniach gałęzi, które urwał dla niej, gdy zapuścili się na dzikie, niemal jeszcze niezabudowane tereny Pragi. Lilianna sama wskazała kierunek, chcąc wstąpić na kawę w Bristolu (co kosztowało go dwie dniówki, potem poszli Karową w dół nadwiślańskimi bulwarami i w końcu mostem Poniatowskiego na prawy brzeg Wisły.

Z powodu wiatru oboje musieli przytrzymywać swoje kapelusze, a Lilianna wciąż rozglądała się wkoło, mówiąc:

– Może spotkamy Irenę Krzywicką i Boya-Żeleńskiego? Oni bardzo lubią spacerować tą trasą. Może to tamci? – Z nadzieją wskazywała jakiegoś mężczyznę i kobietę idących kilkadziesiąt metrów przed nimi. Przyśpieszali wówczas kroku, aby sprawdzić i stwierdzić, że mijani ludzie na pewno nie są tymi osobistościami warszawskimi.

Hałas powodowany przez przejeżdżające obok nich pojazdy, stukot kopyt końskich, szum wiatru, wszystko to sprawiało, iż trudno im było swobodnie rozmawiać. Dopiero w parku Paderewskiego, który zachwycił Lili nowoczesną aranżacją przestrzeni, siedząc nad stawem otoczonym płaczącymi wierzbami, zaczęli wymieniać nazwiska swoich ulubionych poetów i pisarzy.

– Czy nigdy nie próbowała pani pisać? – zapytał ją wtedy.

– Kilka lat temu, po przeczytaniu *Pierwszej krwi* Krzywickiej, próbowałam napisać coś podobnego, o wchodzeniu w dorosłość. Bohaterka była uczennicą konserwatorium, jak ja, bardzo przywiązaną do swojej koleżanki Róży, ale zarzuciłam ten projekt. Szkoła była ważniejsza, później małżeństwo, macierzyństwo. Chociaż marzę niekiedy o takim życiu, jakie prowadzi Krzywicka, ona ma wszystko: jest znana, pisze, jest rozpoznawana, wspaniale wygląda, ma dom poza miastem, męża, dziecko, rodzinę, ma swoje życie, wieczorne wyjścia, no i ma Boya...

– Tak, mieć aż tyle, któż by nie chciał, pani Lilianno...

Julian nie był znanym literatem, a takich właśnie ona pragnęła poznać. Ale tamtego dnia prezentował się w oczach mężatki z dwuletnim stażem dosyć atrakcyjnie: przedstawił się jako dziennikarz i dwudziestodziewięcioletni poeta awangardowy. Towarzystwo kogoś takiego najwyraźniej jej wystarczało. Tkwiła wtedy całe dnie w domu, uziemiona w nudnym małżeństwie, nie mając jak spożytkować swojej energii oraz pasji dla poezji i literatury.

Julian był zdumiony zainteresowaniem, jakie mu okazywała ta piękna i elegancka kobieta. Pochlebiała mu świadomość, że jego towarzystwo było dla niej miłe. Lilianna nie chciała na razie niczego więcej poza przyjaźnią. Pragnęła mieć w swoim otoczeniu kogoś inspirującego, ale niesprawiającego kłopotów, wrażliwego towarzysza swych marzeń o ciekawym życiu. Uznała, że Julian ze swymi poetyckimi próbami jest dla niej przepustką do hermetycznego środowiska warszawskich literatów. Skamandryci wydawali się niedostępni dla zwykłego śmiertelnika, ale może udałoby mu się chociaż zaistnieć w „Wiadomościach Literackich", opublikować tomik wierszy czy pisać do poważnej prasy. A ona byłaby postrzegana jako jego muza. Cała Warszawa szeptałaby o niespełnionej miłości Juliana do Lili i o tych wierszach, które tylko dla niej tworzył.

– Panie Julianie, żeby tak udało się panu znaleźć w kręgu znajomych Zofii Nałkowskiej, ona tak wielu ludziom już pomogła! Gdyby nie jej poparcie, ten Schulz, o którym teraz jest tak głośno, nie miałby nawet szans na publikację. Gdyby ktoś tak wpływowy mógł zająć się panem, na pewno zyskałby pan rozgłos!

– Niestety, nie znam nikogo sławnego...

– Jaka szkoda, że Iwaszkiewicza nie ma w kraju, on też jest bardzo pomocny w stosunku do swoich wyznawców. Wielu młodych przecież dzięki niemu zaistniało. Może kiedy wróci z tej placówki w Kopenhadze... – mówiła, gdy pokazał jej swoje przepisane na maszynie wiersze z tomu roboczo zatytułowanego *Neony Hadesu*, gdzie połączył awangardową formę z klasyczną tematyką mitologii greckiej. Motywem przewodnim opracowywanego zbioru poezji była historia Orfeusza i Eurydyki, umiejscowiona we współczesnych realiach wielkiego miasta. Lilianna, wielbicielka poezji, z młodych poetów ceniąca najbardziej Jarosława Iwaszkiewicza, natrafiła wreszcie na nowoczesność, jakiej poszukiwała w każdym aspekcie życia.

Gdy Julian opowiedział jej o grupie poetów, z którymi przesiadywał w Zodiaku, koniecznie chciała ich poznać.

– Pani Lilianno, nie wiem, czy to wypada, by kobieta z pani pozycją, tak elegancka, przebywała w takim towarzystwie jak nasze.

– Co też pan wygaduje! Krzywickiej nikt nie wypomina, że jest zbyt elegancka na obcowanie z artystami! – odparła.

Była bardzo dziecinna w tym swoim zapatrzeniu w Krzywicką, z tym uwielbieniem dla skamandrytów, których Julian wcale nie cenił tak bardzo. Sam unikał w swojej poezji walorów stricte estetycznych i odcinał się od tematyki związanej bezpośrednio z otaczającą go rzeczywistością. Tak interesujący dla Lili Iwaszkiewicz wydawał mu się dużo bardziej interesujący w prozie. Juliana zachwyciła wydana rok wcześniej *Brzezina*.

Wiersze surrealistów i fowistów, manifesty Bretona to były utwory wyrażające tendencje, które z fascynacją omawiali w swoim kółku w Zodiaku, ekscytując się książkami przywiezionymi z Francji przez jednego z ich towarzyszy. Tam, w artystycznej stolicy świata, rozwijały się surrealizm i awangarda poetycka, w kraju zaś ledwo kopiowano trendy. Ale wystarczyło nadać temu, co Julian cenił, etykietę nowoczesności i modernizmu, aby Lilianna wyraziła entuzjazm dla nieznanych sobie form sztuki.

Jak większość kobiet szukała w poezji liryczności, egzaltacji, uczuć – wszystkiego, czego Julian unikał za wszelką cenę, stroniąc od tego, co określić można było jako kobiece czy też sentymentalne.

Jej zmysłowa uroda oczarowała go od pierwszego spotkania, ale wzruszało go też jej marzenie o życiu wśród artystów, jej pragnienie zmiany, ucieczki od codzienności. Szybko zorientował się, że ta piękna kobieta, która z pozoru miała wszystko, żeby być szczęśliwą, tak naprawdę czuła się więźniem własnego życia. Wydawała się bardzo zagubiona. On także zaczął dzięki niej marzyć. Inspirowała go do zmian, nagle zapragnął stać się godnym jej uwagi, a kto wie, może z czasem i miłości. Może to on miał się okazać jej wyzwolicielem, otworzyć przed nią drzwi do świata spełnionych marzeń.

Wspomnienia Juliana przerwały dziwne odgłosy. Rozpoznał w przybliżających się ku niemu dźwiękach modlitewne śpiewy. Zerwał się z ławeczki i zbliżył do błotnistej drogi, wzdłuż której kręciło się kilka gęsi. W jego kierunku szła, zawodząc religijną pieśń, grupa miejscowej ludności. Na czele kolumny kroczył ksiądz ubrany w żałobne szaty, niosąc w dłoniach obraz Matki Boskiej w złoconej ramie.

– Coś się stało? – Julian zapytał starszego człowieka, który klęknął na trawie, po czym zwrócony ku nadchodzącej kolumnie zaczął się modlić.

– Nie wie pan? Wczoraj, dwunastego maja roku Pańskiego 1935, zmarł marszałek Piłsudski! Odprawiane są modły w intencji jego duszy. Procesja złoży wieńce na rynku, gdzie pięć lat temu w naszym mieście gościliśmy marszałka!

Julian stał w miejscu, mocno przejęty usłyszaną wiadomością. Patrzył na ludzi kroczących w procesji, biednie ubranych, o zmęczonych twarzach, na których malowała się jakaś potworna zgryzota. Szokująca była świadomość, że Józef Piłsudski zmarł.

A więc marszałek nie żyje – powtarzał w myślach, starając się nadaremnie wykrzesać uczucie żalu i pustki. Czuł co prawda tę nagłą obcość i pustkę, dotykającą człowieka wraz ze świadomością, iż właśnie stało się coś ważnego i bolesnego. *Co teraz będzie? Co się stanie z tą Polską, takim młodym, niepewnym państwem?* – myślał, jednocześnie czując, że niepewność co do przyszłości kraju jest tożsama z obawą o jego własny los.

Przed oczami stanęła mu matka. Zapewne teraz płakała. Modliła się. Roniła łzy w trakcie mszy w kaplicy przynależnej do majątku jej drugiego męża. W skupieniu odprawiała żałobne rytuały przed portretem Marszałka, który wisiał w głównej izbie dworku w Gałkowie – siedzibie rodu Karowiczów, do którego pełnoprawnie należała po tym, jak odczekawszy przepisowy rok żałoby po ojcu Juliana, wyszła ponownie za mąż za posiadacza ziemskiego. Wtedy wreszcie dołączyła do grupy społecznej, która żyła w umiłowaniu Boga, zawsze wierna Piłsudskiemu i Polskiemu Wojsku.

Pomyślał, że jej obecne łzy, którym mogła pofolgować, opłakiwały nie tylko Wodza Narodu, ale i jej własne dziecko – tak nieudane, tak wypaczone, które przysporzyło jej nieoczekiwanych cierpień. Lata temu, nie radząc sobie z nadmierną wrażliwością tego dziwnego dziecka, wolała oddać je na wychowanie swojej siostrze mieszkającej w stolicy. Miał wtedy dwanaście lat i najbardziej na świecie potrzebował matczynej miłości i zrozumienia. Teraz pewnie odczuwała ulgę na myśl, że zniknął całkowicie z jej życia. Julian nie wątpił, że bardziej przeżywała śmierć Piłsudskiego niż utratę syna.

On za to przeczuwał, że ta śmierć była zapowiedzią końca świata, w którym dotychczas żyli. Polska bez Piłsudskiego na pewno nie będzie już taka sama. Niestety nie potrafił wydobyć z siebie żalu, bo jego własna sytuacja była tak tragiczna, że wszystko, co działo się wokół, wydawało mu się nierealne. Głód i zmęczenie dawały mu się we znaki i tłumiły wszelkie duchowe rozterki.

Postanowił, że spróbuje najpierw coś zjeść i za jakiś czas wróci pod dom wciąż nieobecnego felczera. Odwrócił się na pięcie i poszedł w przeciwnym kierunku niż kolumna śpiewająca przesycone trwogą pieśni.

Jego żołądek domagał się natychmiastowej strawy. Pieniądze, które wywiózł, uciekając z Warszawy, dawno się już skończyły, To, co zostało, klejnoty Cyryla w uszczuplonej ilości, musiało wystarczyć na przedostanie się do Paryża. Na bieżące wydatki nie miał niemal nic. Zegarek sprzedany w lombardzie w miasteczku, w którym ostatnio przebywał, nie zapewnił mu wystarczających środków. Wydał prawie wszystko, co uzyskał ze sprzedaży złotych kolczyków ze szmaragdami, zabranych jeszcze w grudniu ze szkatułki ciotki. A wtedy marzył o tym, że podaruje te klejnoty Liliannie na jej powitanie w Paryżu.

Kradzież pewnie nigdy już nie będzie mu wybaczona, podobnie jak to, co zrobił, całe to szaleństwo... Były chwile, gdy nie wierzył już, by udało mu się ziścić jego pragnienia. Mimo wszystko nadal próbował je zrealizować, pogrążając się coraz bardziej w kłamstwie.

Tyś niemal przekonała mnie, że jestem naprawdę – znowu zabrzmiało mu w myślach. Te słowa były boleśnie trafne. To dzięki Lili uwierzył, że był tym, kim chciał być. Przekonał samego siebie. To była piękna iluzja i jak w przypadku każdego kłamstwa, w końcu musiała nastąpić katastrofa. Przeczuwał to przecież nieraz.

Rozdział 2

Styczeń 1934
Wyjątkowy gość na fajfie

Na fajfie u mecenasowej Korczyńskiej podawano zawsze wyśmienite ptifurki oraz mocną, koniecznie angielską herbatę z aromatem bergamotki.

Z uwagi na pozycję zawodową męża Lili bardzo dbała, aby spotkania organizowane przez nią co najmniej raz w tygodniu w jej mieszkaniu przy ulicy Moniuszki cieszyły się jak najlepszą opinią. Oprócz żon kilku adwokatów, z którymi pracował jej mąż, do grona gości dołączały niekiedy jej siostry albo koleżanki z konserwatorium, które skończyła przed zamążpójściem. Spotkania te były zwykle nudne i męczące, ale w opinii Tadeusza konieczne dla podtrzymania należytych stosunków towarzyskich.

Panie siedziały w salonie wokół okrągłego stołu, wystrojone często w specjalnie nabyte na tego typu okazje nowe kapelusze, i pijąc herbatę, omawiały najnowsze plotki oraz sensacyjne informacje, najczęściej zasłyszane podczas rozmów przy brydżu. Jedna przez drugą ścigały się w pochwałach i opisywaniu sukcesów swoich mężów, nie mając nic do powiedzenia o własnym życiu. Lili z gracją pełniła honory pani domu, w duchu złorzecząc na puste rozmowy o niczym i zmarnowany czas. Kiedyś miała plany, aby prowadzić skromny salon literacki, zapraszać w określony dzień tygodnia poetów i pisarzy, jednak Tadeusz stanowczo sprzeciwił się temu pomysłowi. „Nie będę tracił pieniędzy na zapijaczonych obiboków, którzy żyją z pisania dla kabaretów i rewii i od czasu do czasu dla sławy i pozy skrobną jakiś obrazoburczy wierszyk" – mówił z przekąsem. Ani kino, ani nowoczesna muzyka, nic, czym interesowała się żona, nie znajdywało jego uznania. Nic poza prawem polityką i historią nie było warte cennego czasu mecenasa Korczyńskiego „Czemu właściwie się ze mną ożeniłeś?" – zapytała kiedyś Lili, poirytowana negatywną opinią, jaką wygłosił Tadeusz na temat jakiegoś filmu, na który udało się jej go zabrać. „Ależ kochanie, jesteś taka piękna, twoje krągłości doprowadzają mnie do szału! A przy tym błyszczysz na salonach i masz doskonałe maniery!" – odparł, wprawiając ją w przygnębienie. Z goryczą tłumiła w sobie potrzebę działania. Chciała znaleźć w sobie jakiś talent, pasjonować się czymś na tyle mocno, aby nie czuć ciężaru monotonnego życia. Czuła, że musi mieć w sobie jakieś możliwości i talenty, których na razie jeszcze nie umie rozpoznać, a które kiedyś ujawnią się i uczynią jej los wyjątkowym.

Z każdym kolejnym rokiem ich małżeństwa rozczarowanie wspólnym pożyciem powoli zamieniało się w znużenie i coraz częstszą ucieczkę w szalone marzenia, które Lilianna opierała na przeczytanych książkach i obejrzanych filmach. Ale w towarzystwie niemiłosiernie nudnych pań rozprawiających o skandalu w teatrzyku rewiowym, w którym zazdrosny fordanser zasztyletował związaną z nim tancerkę, marzenia o podróży do odległego Maroka czy wspomnienie zawadiackiego wyrazu twarzy Clarka Gable'a niewiele pomagały. Jak bardzo się nudziła!

Nie licząc balu sylwestrowego w adwokaturze, gdzie witała nowy 1934 rok w przebraniu markizy de Pompadour oraz nudnego przyjęcia u rejenta Goździka w jego mieszkaniu przy Brackiej, tegoroczny karnawał jak dotąd nie przyniósł Liliannie wielu atrakcji i nie naruszył rutyny jej dnia, wypełnionego zarządzaniem domem, wychowaniem dziecka, korespondencją, wizytami u sióstr i matki, czekaniem na powrót Tadeusza z kancelarii, a w końcu kolacją jedzoną w towarzystwie z reguły milczącego męża.

Ucieszyła ją więc niespodziewana depesza od kuzyna Jerzego (zwanego w rodzinie Żorżykiem), który oświadczył, iż pojawi się w Warszawie dwudziestego stycznia 1934 roku. Planowany w tym dniu fajf został więc szczególnie wystawnie przygotowany. Na stół wystawiono kupiony niedawno modernistyczny w swojej formie serwis z porcelany ćmielowskiej oraz zamówiono tort marcepanowy z Ziemiańskiej, który posłaniec przyniósł dokładnie o godzinie szesnastej.

Niewidziany od co najmniej kilku lat Żorżyk przebywał na stałe w Paryżu. Mieszkając ze swoją francuską rodziną ze strony matki, skończył tam jakieś bliżej nieokreślone szkoły handlowe i zajmował się obecnie interesami, które chciał rozszerzyć na Polskę. Zamierzał otworzyć w Warszawie przedstawicielstwa kilku paryskich firm.

Kiedy zjawił się w progu jej domu, zrobił na Lili ogromne wrażenie swoją aparycją, eleganckim ubiorem, fularem i butonierką z jedwabiu od Hermèsa, a także wypomadowanymi włosami zaczesanymi do tyłu i wypielęgnowanymi dłońmi. Wykwintny i szarmancki, jednocześnie wydawał się nieco przygnębiony, pozbawiony energii i witalności. Bladość, nadmierną potliwość i worki pod oczami Lili złożyła na karb trudów długiej podróży koleją.

– Jak kuzyn zniósł podróż, męcząca? Warszawa bardzo się zmieniła, prawda? – zapytała.

– Jako tako... Miasto barrrdzo, barrrdzo się zmieniło. Ale gdy wysiadłem na Dworcu Wiedeńskim, pierwsze, co mnie uderzyło, to ten potworrrny smrrród urrryny! – mówił egzaltowanym tonem, wypowiadając „r" z francuska i nadając zdaniom francuską intonację, jakby kilkuletni pobyt poza krajem oduczył go naturalnej polszczyzny.

– Tych dorożek i wozów jest tu chyba więcej niż samochodów! Ulice czystsze, więcej szyldów, neonów, nowe, okazałe budynki, ale takie to wszystko jednak prowincjonalne, ci ludzie wchodzący watahą na ulicę, prowincjonalne damulki w niemodnych fasonach kapeluszy... Naprawdę niektóre panie ubrane są wprrrost śmiesznie, elegancja rrrodem z prowincjonalnego miasteczka. Brakuje szyku, brakuje elegancji i stylu, jaki widzi się na ulicach Paryża. Ale co tu porównywać! *Quoi dire*... I tak jest jakoś czyściej, mniej bieda razi w oczy...

I tak śnieg przykrywa teraz to, co najgorsze, głównie śmieci, całe tony śmieci, i te zaniedbane pobocza jezdni, obskurne chodniki, teraz jeszcze mało widać bezdomnych i żebraków, pomyślała Lilianna, ale nie odezwała się, chcąc, by kuzyn jednak docenił zmiany, jakie zaszły w Warszawie od czasu, gdy był tu ostatni raz trzy czy cztery lata temu. Myśląc, jaki temat podjąć, aby Żorżykowi wizyta u niej nie wydała się nudna, nalewała swojego najlepszego earl greya.

– Herbata! Całe wieki jej nie piłem, u nas we Francji trzeba być chorrrym, naprawdę chorym, aby częstowano go herbatą... Z przyjemnością się napiję! – mówił. – Kuzynko droga, nie oszukujmy się, Warszawa to prowincjonalne miasto. Teatr ciężki do strawienia, za dużo treści narodowych, za dużo tego patriotyzmu. Ani opera, ani koncerty nie są na poziomie, no może balet coś wart?

– Ale mamy bogate życie nocne, dancingi, teatrzyki rewiowe, kina – przekonywała Lili.

– Kino to konieczność naszych czasów! Ale te polskie filmy... Takie to wszystko nienaturalne, sztuczne, porównać krajowe gwiazdy z taką Gretą Garbo, z Carym Grantem! Byłem w kinie raptem wczoraj! Ta wasza gwiazda, nie wiem już jak się nazywa, gąska bez talentu, nieprawdziwa, zmanierowana...

– Mamy wiele gwiazd. – Lili wzruszyła ramionami. – A Mae West? Uwielbiam Mae West, widział ją kuzyn na ekranie?

– Oczywiście! Choć w Paryżu jest taka ilość rozrywek do wyboru, że do kina chodzi się rzadko. Tyle jest kabaretów, występów rewiowych, opera najwspanialsza na świecie, a przede wszystkim balet! A jazz? Lubi kuzynka swing? To obecnie moja największa namiętność, wcześniej to były czarnoskóre tancerki.

– Ja też uwielbiam jazz! To coś zupełnie elektryzującego! W Adrii i w Oazie grają orkiestry jazzowe do tańca, ogromnie to lubię, choć Tadeusz mówi, że ten nowoczesny jazgot go ogłupia... – dodała nieco speszona.

– W Paryżu chodzi się do klubów, żeby słuchać jazzbandów, nie żeby tańczyć przy tej muzyce. Przyjeżdżają sławni amerykańscy muzycy, wspaniale grający Murzyni. Jest też jeden francuski Cygan, który gra tak niewiarygodnie na gitarze... Och, gdyby kuzynka mogła tego posłuchać! To jest skrajne szaleństwo, prawdziwy swing!

– Boże mój, Paryż... Jak ja bym chciała... – rozmarzyła się Lili, nie mogąc nawet wysłowić swojej tęsknoty za tym miastem, które widziała przeszło dwa lata temu, w trakcie podróży poślubnej.

W marzeniach nieustannie kroczyła mostami nad Sekwaną, spacerowała bulwarami, alejkami ogrodu Tuileries o zmierzchu. Życie tam musiało wprost upajać swoją intensywnością!

– A gra kuzynka coś Gershwina? Bardzo mi się podoba! – zapytał Żorżyk, wskazując zajmujący znaczną część salonu fortepian, jaki Lili dostała od rodziców w wianie.

– Niestety Tadeusz tego nie lubi, każe sobie grać Chopina, zgadza się czasami na Debussy'ego.

Kuzyn zachowywał się nieco dziwnie. Niespokojnie wiercił się na nowoczesnym, białym fotelu o oparciach z metalowych rurek. Czasem wstawał, jakby tknięty jakimś nagłym impulsem, podchodził do okna, spoglądał na ulicę, aby zaraz zacząć chodzić po salonie, rozglądając się wokół z nieodgadnioną miną.

– Urządziłam ten salon, jak widzisz, w nowoczesnym stylu: przestrzeń, jasne kolory, wygodna kanapa, nowoczesny stolik, fotele. Kazałam zainstalować te proste lampy pasujące do pozbawionych ozdobników plafonów, oczywiście wszystko w miarę możliwości. W końcu kamienica jest, jaka jest, typowa jak na Warszawę, ze studnią w środku, ciemną jadalnią. Marzę o większych jeszcze przestrzeniach, o budowie willi w modernistycznym stylu, z płaskim dachem, wielkimi przeszkleniami, takiej, jakie się teraz buduje na przedmieściach, na Mokotowie czy Saskiej Kępie – opowiadała z wielką przyjemnością o swoich marzeniach, których nawet nie śmiała jeszcze wyjawić mężowi.

Jej kaprys związany z remontem ich pięciopokojowego mieszkania w kamienicy z początku wieku Tadeusz uznał za potrzebę zaznaczenia swojej pozycji w nowym domu przez jego młodą panią, dlatego przystał na kosztowne, acz bezsensowne w jego opinii zmiany. Ale o willi nie marzył nawet w najśmielszych snach. Lili czekała na jego awans i rozwój kariery. Na razie zarabiał zbyt mało, ale może, gdy kryzys się skończy...

Kuzyn nie tknął tymczasem ani jednej ptifurki, ani też kawałka tortu z Ziemiańskiej. Z rękoma w kieszeniach spodni znowu zaczął wyglądać na wąską i cichą ulicę Moniuszki, na którą wychodziły okna salonu. Dopiero wieczorem zaczynał się pod ich oknami ruch samochodów, dorożek i taksówek wiozących gości do oddalonej kilkaset metrów Adrii.

Lili podeszła do Żorżyka, mówiąc:

– Nic tutaj poza poczerniałymi zwałami śniegu kuzyn nie zobaczy, ale proszę wychylić się i spojrzeć w górę, na prawo, ponad dach kamienicy z naprzeciwka. Widzisz? Ten pnący się do chmur niebotyk? To najwyższy budynek Warszawy! Mówi się, że to będzie wizytówka miasta! Taki nowoczesny, geometryczny gmach niczym nowojorskie wieżowce! Już go kończą, w tym roku będzie oddany do użytku! Od dwóch lat, od kiedy się tu sprowadziliśmy po ślubie, patrzyłam, jak go budowali. Obserwowałam, jak rósł, często myśląc sobie, że kiedy już będzie gotowy, moje życie też wkroczy na jakiś inny tor, odmieni się jakoś. – Zaśmiała się, nieco zakłopotana swoimi wynurzeniami.

– Ależ kuzynka marzycielska! Ach, zapomniałbym! Mam przecież podarrrki dla ciebie, dziecka i wyśmienite cygara dla Tadeusza!

– Serdecznie dziękuję! Zaraz poproszę nianię, żeby przyprowadziła tu Tosię! – wykrzyknęła Lili podekscytowana wizją prezentów prosto z Paryża.

– Tadeusz zaraz powinien wrócić z kancelarii, bardzo pragnął spotkać się z tobą! – zawołała już z korytarza, idąc do pokoju dziecka, którym zajmowała się niania Katarzyna.

Wróciła, prowadząc za rączkę koślawo i niepewnie kroczącą dziewczynkę w wieku trzynastu miesięcy, wystrojoną w zrobioną na szydełku sukieneczkę, z wielką kokardą przypiętą na czubku pokrytej jasnym puchem głowy. Córeczka wspaniale się chowała, była radosna i zdrowa. Lili uważała, iż działo się tak za sprawą jej nowoczesnych metod wychowawczych, o których czytała w fachowej prasie i podręczniku pisanym przez jakiegoś sławnego doktora. Co prawda nieraz musiała toczyć dysputy z własną matką, która zamęczała ją radami i instrukcjami co do wychowywania dzieci, ale Lili trwała przy swoim i to przynosiło efekty. Pozwalała małej na dużo swobody, karmiła ją, kiedy dziecko było głodne, sama wychodziła na spacer lub wysyłała na dwór córkę z nianią właściwie codziennie, nawet przy minusowej temperaturze, o co kiedyś miała awanturę z matką, która przez telefon wykrzyczała jej, że doprowadzi do zgonu własnego dziecka.

Tosia, gaworząc, podeszła tymczasem do stolika, gotowa dorwać się do biało-złotych filiżanek z gorącą herbatą. Żorżyk wręczył małej opakowane w piękne wstążki pudełko, w którym była delikatna lalka o porcelanowej twarzyczce.

– Piękna, jaka cudna! – zachwycała się Lili, chowając szybko paryski prezent w obawie przez rzuceniem przez Tosię tym cudem o ziemię. – Niedługo mama pokaże lalę, pokaże... – powtarzała, siląc się na wesołość, ale dziewczynka już zdążyła uderzyć w płacz. Czym prędzej wezwana Katarzyna wyprowadziła łkające dziecko, obiecując zabawę w teatrzyk.

– Słodka mała – od niechcenia powiedział Żorżyk, dając Liliannie książkę. – To dla ciebie, wspominałaś w liście, że chciałabyś przeczytać Prousta...

– Ach! *À la recherche du temps perdu*! – wykrzyknęła Lili, odczytując tytuł, aby po chwili poczuć wstyd z powodu zapewne żenującego według kuzyna akcentu, z jakim mówiła po francusku. Wymowa angielskiego przychodziła jej z większą łatwością. – Tyle czytałam o tej książce, Boy o niej pisał, Krzywicka! Wiele sobie obiecuję po tej lekturze, bo muszę powiedzieć kuzynowi, że bardzo mnie interesuje psychologizm. Miałam sobie sprowadzić egzemplarz z Paryża, ale jakoś tak...

– W Paryżu moda na Prousta nieco przycichła. W końcu minęło już ładnych parę lat. A u was nawet nie ma tłumaczenia! Przywiozłem ci jedynie pierwszy tom, dla spróbowania. Jest najlepszy. Ostrzegam, że łatwo nie będzie przez to przebrnąć... Nie wiem, czy kuzynka sobie poradzi – dodał złośliwie.

– Spróbuję... To prawda, nie ma wciąż polskiego tłumaczenia, podobno dopiero powstaje. Dziękuję, kuzynie! Wielką mi sprawiłeś przyjemność!

Żorżyk otarł pot z czoła, po czym westchnął ciężko i powiedział:

– Zapomniałem już, czwarta godzina i robi się ciemno!

– Mamy przecież początek roku, jest zima! – zaśmiała się Lilianna, zapalając lampę stojącą o płaskim kloszu przypominającym talerz, której Tadeusz wprost nie znosił, mówiąc, że źle się czuje w tym nowym salonie, gdzie są same prostokąty i kwadraty.

Żorżyk tymczasem poderwał się do wyjścia, tłumacząc, że nie może już dłużej czekać na Tadeusza.

– A gdzie się kuzyn zatrzymał?

– W Hotelu Europejskim.

– Och, to świetnie, lubię tam jadać śniadania, o ile oczywiście mam sposobność spotkać się ze znajomymi. Może umówimy się któregoś dnia?

– Rzecz jasna, nawet jutro, kuzynko!

Ledwie kilka minut po tym, jak Żorżyk wyszedł i Lili poszła do pokoju dziecka, aby przytulić wesołą już i szczebioczącą coś w swoim języku córeczkę, do domu wrócił mocno spóźniony Tadeusz. Udając, że nie widzi wyrzutu w oczach żony, starannie odwiesił płaszcz, strzepując z rękawa niewidzialne zabrudzenia. W przelocie pocałował ją w czoło i powiedział, że zobaczą się wkrótce na kolacji, po czym jak zwykle zniknął w swoim gabinecie. Byli młodym małżeństwem, a czuła się, jakby przeżyła z nim co najmniej dwadzieścia nudnych lat. Wielokrotnie nachodziła ją ochota, by wybiec mu naprzeciw, rzucić mu się na szyję i namiętnie pocałować, ale przechodziła natychmiast, gdy widziała surowy wyraz jego twarzy. Czuła, jak jednym spojrzeniem zimnych oczu podcina jej skrzydła.

Zrezygnowana i po raz kolejny rozczarowana, Lili poszła do kuchni sprawdzić, czy ich gosposia będzie w stanie podać ciepłe dania na czas. Najmniejsze spóźnienie wprawiało Tadeusza w zły nastrój i potem cały wieczór był nieudany. Na szczęście przygotowane już zrazy wypełniały kuchnię aromatem duszonego mięsa i liści laurowych.

Za oknem sypał śnieg. Czekając na męża, Lili siadła w ciasnej jadalni przy stole nakrytym już do kolacji i – jak to miała w zwyczaju – uciekła przed otaczającą ją rzeczywistością w marzenia o życiu jako wolna i niezależna kobieta, otaczająca się interesującymi ludźmi, przede wszystkim artystami. Nieustannie dopadało ją poczucie, że nic ją już w życiu nie czeka – nie pielęgnowała talentu muzycznego, nie rozwijała się intelektualnie. Tadeusz traktował ją protekcjonalnie, lekceważąc jej artystyczne aspiracje. Jemu wystarczało, że była jego piękną i niegłupią żoną, której nie trzeba się wstydzić. Potrafiła się ubrać i zachować w towarzystwie; niektórzy koledzy zazdrościli mu nawet, że umiała rozmawiać na rozmaite tematy, a konwersacja z nią nigdy nie była nudna. Większości żon trzeba było nakazywać milczenie, by nie kompromitowały siebie i mężów. On miał szczęście i puszył się jak paw, gdy zachwycano się urodą i inteligencją Lilianny. Doskonale wypełniała swoją rolę żony. Uznał więc z góry, że jest w niej szczęśliwa, zwłaszcza od kiedy została matką. Cóż więcej potrzeba kobiecie do szczęścia, niż dbać o męża i dziecko? Nie zastanawiał się w ogóle nad tym, co dzieje się w sercu i w głowie pięknej żony.

Od kiedy córeczka podrosła i nie wymagała tak wielkiej uwagi ze strony matki, Lilianna coraz bardziej tęskniła za innym życiem, którego obraz budowała w oparciu o skrawki informacji z wielkiego świata opisywanego w prasie i oplotkowanego na fajfach. Świat aktorek i wodewili wydawał się jej tandetny, ale życie spędzane przez pisarzy i poetów w kawiarniach, w teatrach, na dancingach trwających do późnej nocy, świat ludzi żyjących w upojeniu szampanem, jazzem i namiętnością – to było coś ekscytującego.

Od kiedy zrozumiała, że jej poczciwy Tadeusz nigdy nie zdobędzie się na romantyzm, namiętność czy choćby krztę szaleństwa, marzyła, aby jej małżeństwo było układem à la Boyowie: nowoczesne, oparte na przyjaźni i wzajemnym wsparciu, wspólnym mieszkaniu i swobodnych stosunkach miłosnych na boku. Ludzie jak Boy czy Krzywicka byli dowodem, że takie związki mogą świetnie funkcjonować. Można było darzyć się szacunkiem, być razem, ale także i osobno, z kimś innym, bez afiszowania, bez dramatów i zazdrości, dyskretnie i z wyrozumiałością. Czyż nie przystałaby na to, aby Tadeusz miał kochankę, do której chodziłby co drugi czy trzeci dzień, podczas gdy ona spotykałaby się z jakimś poetą czy pisarzem, spędzając wieczory w teatrach i restauracjach? Dlaczego nie? Krzywicka mogła to wszystko osiągnąć...

Tadeusz pojawił się znienacka w jadalni, przerywając ciąg jej marzeń. Gosposia wniosła i postawiła na stole półmisek ze zrazami, miskę z kaszą, a po chwili koszyk z chlebem i talerz surówek.

– Jak się miewasz moja droga, jak minął ci dzień? – zapytał grzecznie Tadeusz. Zawsze był tak irytująco dystyngowany, uprzejmy i niedostępny, nieustannie zamknięty w sobie.

Lili nie mogła od tygodni zdobyć się na odwagę i zagadnąć go, wybadać, co myśli na temat nowoczesnego małżeństwa. Wiedział, kogo pojął za żonę – wielokrotnie opowiadała mu o swoim zainteresowaniu nową architekturą i sztuką, o tym, że chce być taka jak oglądane w kinie odważne kobiety, które same prowadziły samochody i bez zahamowań mówiły głośno o swoich poglądach. Od kiedy jako młoda dziewczyna w towarzystwie rodziców pojechała do Paryża, widok eleganckich, modnych kobiet przesiadujących w kawiarnianych ogródkach zawładnął jej wyobraźnią. Tadeusz był w końcu wciąż młodym człowiekiem, dopiero rozpoczynającym karierę, od niedawna niezależnym finansowo od rodziny. Mimo że był jej mężem, nie znała jego poglądów na kwestie obyczajowe, ale może udałoby się im wypracować jakiś kompromis. W końcu będę musieli ze sobą żyć jeszcze długie lata. Wizja całego życia spędzonego u boku Tadeusza na wypełnianiu obowiązków małżeńskich przyprawiała ją o mdłości.

Podane na kolację zrazy jadła niechętnie, bo nie lubiła kłaść się przejedzona. Po posiłku, paląc papierosa, opowiadała mężowi o wizycie kuzyna, co zbył milczeniem, chociaż miała wrażenie, że chciał jej coś powiedzieć.

– Może po kolacji włączymy radio i posłuchamy wspólnie koncertu nadawanego z filharmonii? Grać będzie dzisiaj twoja koleżanka z konserwatorium, Róża Etkin – powiedział.

– Ach, Róża! Słyszałam, że dużo obecnie koncertuje. Zawsze była tak utalentowana, wybitna, nie to co ja... – zaśmiała się Lili.

Tadeusz ujął jej dłoń, złożył na niej pocałunek, mówiąc:

– Kochanie, ty masz inne atrybuty, które sprawiają, iż talent muzyczny nie był najistotniejszy, gdy prosiłem cię o rękę!

Kiedy przeszli do salonu i Tadeusz nastawił odbiornik radiowy, siedli w skupieniu w półmroku zimnego pokoju. Oszczędność była małą obsesją pana domu, więc nie palono w pomieszczeniach, których na co dzień nie używali.

– Musimy w tym karnawale zorganizować przyjęcie, pamiętasz o tym? Myślałam o przyszłym tygodniu. Żorżyk mógłby swoją aparycją i francuskimi manierami uświetnić nasz wieczór? Tylko co podamy? Muszę to wszystko przemyśleć...

– Zdaję się na ciebie, droga moja, zapewne wszystko świetnie zorganizujesz! Pamiętaj tylko, jakiego pokroju ludzie będą naszymi gośćmi – odparł zupełnie niezainteresowany tego typu kwestiami Tadeusz.

Z odbiornika radiowego popłynął odgłos oklasków nadawany wprost z warszawskiej filharmonii, mieszczącej się ledwie kilkaset metrów od ich kamienicy. Róża zaczynała grać sonatę Schumanna.

Krótko potem z głębi mieszkania nagle dobiegł ich stłumiony płacz dziecka. Lili zerwała się z fotela.

– Daj spokój, przecież jest koncert! – żachnął się Tadeusz, ale Lilianna wyszła, aby sprawdzić, co się stało. Jak się okazało,

Tosia uderzyła się o kant łóżka. Lili została z nią, aby utulić córeczkę do snu. Śpiewała małej kołysankę, myśląc już o organizacji przyjęcia.

Wróciwszy do salonu, Lili wzięła do rąk nowy numer magazynu „Bluszcz". Chciała najpierw przeczytać pierwszy z zapowiadanego cyklu felietonów Magdaleny Samozwaniec *Jak być szczęśliwym w małżeństwie*. Autorka miała pragmatyczne i bardzo celne podejście do instytucji, którą Balzak podsumował w jedyny właściwy sposób, twierdząc, iż *Małżeństwo to umiejętność*.

W magazynie akurat proponowano także różne rodzaje menu na karnawałowe przyjęcia. Lili wybrała wariant wystawny i spisała go sobie na karteczce:

Napoje:
wódka czysta, starka, koniak, słodkie nalewki, vermouth, francuskie wina białe i czerwone, do deseru węgierskie słodkie, likiery do kawy, koktajle (po kolacji i tańcach)

Dwa dania gorące na środek stołu:
pasztet na gorąco zapiekany w cieście z sosem maderowym i grzyby w śmietanie

Dania zimne:
majonez z sandacza, rostbef po angielsku, szynka cielęca na zimno, szynka wieprzowa, sałatka z jarzyn, sałatka po włosku z orzechami, prosię gotowane w galarecie i chrzan surowy ze śmietaną, comber zajęczy.

Na deser:
tort kawowy, lody mandarynkowe przybierane waflami, czarna kawa

Musi być wystawnie i wykwintnie. W końcu Tadeusz aspiruje do awansu, pomyślała sobie Lili.

Intensywnie układając w myślach listę gości, planując niezbędne sprawunki i dyspozycje dla gosposi, nawet nie zauważyła, iż koncert Róży już się skończył. Z odbiornika popłynęła fala oklasków.

– Wspaniale grała, prawda? – zapytał Tadeusz.

Wyraźnie miał ochotę omówić usłyszane wykonanie Schumanna, ale Lilianna nie zauważyła wysyłanej jej zachęty do rozmowy, bo myślami była już daleko, snując teraz plany co do wczesnowiosennej garderoby. W jej monotonnym życiu moda była czymś, co dodawało nieco pikanterii nudnej egzystencji. Nowe kreacje, zestawienia fasonów i barw często zaprzątały jej uwagę. Teraz nadchodził czas, aby pomyśleć o wiosennej garderobie dla siebie i córeczki, która była wdzięcznym obiektem do strojenia. Śliczna dziewczynka miała stosy uroczych sukienek o fasonach wymyślanych samodzielnie przez Lili.

W braku ciekawszych zajęć planowanie w myślach nowej garderoby wydawało się Liliannie ekscytujące. Trzeba będzie zamówić ubrania u krawca dla Tosi, jej samej potrzebne jest palto z lekkiej wełny, nowy kapelusz, może taki z rondem wywiniętym do góry, cały z atłasu, podpięty efektownym klipsem. Do tego nowy wełniany kostium codzienny, ale przybrany jedwabiem, kapelusik wieczorowy (jeśli ma gdzieś wychodzić z Żorżykiem) z przybraniem z piór marabuta.

– Pamiętasz o spotkaniu brydżowym w piątek u nas w domu? Zaprosiłem dyrektora z banku PKO, przyjdzie z żoną. Zależy mi, żeby wszystko przebiegło jak najlepiej. Ale ty już o to zadbasz, prawda? – przypomniał nagle Tadeusz.

Lilianna westchnęła, nie lubiła tego typu wydarzeń. Zapewne mężczyźni, paląc cuchnące cygara, będą godzinami dyskutować o wyborach samorządowych, o sytuacji w Niemczech, o polityce, a ona będzie zmuszona zabawiać nieznane jej panie dyskusjami o niczym. O modzie na kaktusy, o najlepszych metodach rozjaśniania włosów i o wyjazdach na narty. Cóż, pokaże się w nowej sukni z ciemnego jedwabiu z oryginalnym *sortie* z jedwabiu w paseczki. Do tego idealny byłby modernistyczny diadem. Mimo kryzysu każdy starał się pokazać luksus, panie więc zapewne przyjdą pięknie ubrane.

Przez dłuższą chwilę zagadnienie nowych kreacji wyparło z jej umysłu wiodący do tej pory temat wykwintnego menu. Wzięła do rąk kolejne pismo, tym razem magazyn „Pani", i odnalazła fotografię Grety Garbo w kreacji słynnej Elsy Schiaparelli. Greta wyglądała niczym prawdziwa bogini, od kilku już lat budziła w Liliannie zachwyt swoją powściągliwą grą, melancholijnym spojrzeniem i szczupłą, prawie chłopięcą sylwetką. Och, ile by dała, aby upodobnić się do zjawiskowej Grety, móc założyć wąską, połyskującą suknię i wyglądać podobnie jak boska Garbo. Jej gra aktorska zadziwiała swoim kunsztem i sprawiała, że każdy film z tą aktorką w roli głównej stanowił dla Lili wielkie święto. Widziana ostatnio po raz trzeci *Królowa Krystyna* była jednym z obrazów silnie działających na wyobraźnię młodej kobiety spragnionej wrażeń.

Lilianna oglądała z zazdrością modele wieczorowych kreacji prezentowanych przez modelki tak szczupłe, jakby przez cały dzień odmawiały sobie jedzenia. Ze swoimi kształtami wiolonczeli Lili nie pasowała do obecnej mody przeznaczonej dla chłopięcych sylwetek. W jej przypadku takie stroje nie wchodziły w rachubę, bo wyglądała w nich niekorzystnie. Jak to możliwe, zastanawiała się bardzo często, że niektóre kobiety są tak drobne? Patrząc na swoją matkę i siostry – wszystkie o bujnych kształtach – wiedziała, że nie na wiele zda się jej ciągła walka ze swoimi defektami. A teraz, po świętach i wszystkich tych posiedzeniach przy uginającym się od przysmaków stole, czuła, że znowu niepokojąco przybrała na wadze.

Próbowała już wielokrotnie, zwłaszcza po urodzeniu dziecka, stosować diety zalecane w pismach dla pań. Spisała sobie w specjalnym notesiku wartości kaloryczne produktów i starała się pilnować, aby w ciągu dnia nie przekraczać tysiąca kalorii. Jednak trudno było jej liczyć, ile ich ma zraz z kaszą jedzony na obiad albo nóżki w galarecie szykowane przez kucharkę, krzywo patrzącą na fanaberie pani i niechcącą albo nieumiejącą gotować bez smalcu i zasmażki.

Stosowała też bardzo polecaną w pismach dietę, polegającą na odpowiednim łączeniu produktów. Nie wolno było w trakcie jednego posiłku zjeść owoców, skrobi oraz produktów tłuszczowych. I tutaj też poległa, bo bez dobrej woli ze strony kucharki efekt był niemożliwy do osiągnięcia.

Kiedyś nawet zastanawiała się nad słynną dietą lorda Byrona, który nasączał jedzenie octem, ale porzuciła ten pomysł na rzecz palenia. Przyjaciółka przekonała ją do zasady „papieros zamiast cukierka", co oczywiście w praktyce sprowadziło się do popadnięcia w nałóg. Nie miało to jednak pozytywnego wpływu na szerokość jej bioder.

Patrząc na przepiękną Garbo, Lili pomyślała, że jedyną nadzieją dla niej jest miłość i sport. Gdyby tak wiosną niewinnie zakochała się w jakimś panu, do tego jeszcze odnowiła swoje zainteresowanie tenisem, zapewne na letni sezon udałoby się jej odmienić sylwetkę.

Spojrzała na męża, zagłębionego w wielkim fotelu, z głową pochyloną nad płachtą gazety. Zaczynał nieco łysieć na samym czubku głowy. Nie mogła powiedzieć, że nie był urodziwy, zachował młodzieńczą sylwetkę, był wysoki i postawny. Jednak ten surowy, oschły wyraz twarzy, ta wieczna powaga na surowym obliczu sprawiały, iż Lili nie mogła dopatrzyć się w nim choćby krzty polotu, fantazji, brawury, które w jej mniemaniu były konieczne, aby ktoś lub coś wzbudziło w niej prawdziwą namiętność.

– Jak myślisz, Tadeuszu, może podam tym razem jakieś oryginalne przystawki. Co myślisz o grzankach z kasztanami i boczkiem? – zapytała Lili.

– No nie wiem… Dyrektor Kozłowski może mieć tradycyjne upodobania, lepiej niech będzie wystawnie, ale bez szaleństw, moja droga. Kasztany może jadać Żorżyk, ale niekoniecznie starszy pan wychowany na kresach – odparł.

– Dobrze, podam więc pasztet w cieście, to zawsze wszystkim smakuje. Położę się już spać, mój drogi – powiedziała, chcąc jak najszybciej w spokoju przemyśleć sobie nadchodzące imprezy i stroje, jakie założy, a przede wszystkim zamienić na wygodny szlafrok założoną po raz pierwszy na fajf nową, uroczą wełnianą suknię, przybraną wokół pach rulonami z lisa.

W swoim pokoju, w przytulnym świetle lampki w pośpiechu przebrała się, umyła i rozczesała włosy, aby jak najszybciej znaleźć się w łóżku. Był środek tygodnia, więc Tadeusz zapewne nie odwiedzi jej w sypialni, zwykle jego potrzeba intymnych zbliżeń ujawniała się w soboty, ewentualnie w niedziele. Otuliła się więc puchową kołdrą i sięgnęła do przywiezionej przez kuzyna książki Prousta. Otworzyła na początku *Du côté de chez Swann. Première partie. Combray* i przeczytała pierwsze zdanie, rozpoczynające się od wyrazu *Longtemps*. Kropka kończyła je na dole strony. Podliczyła – zdanie miało osiemnaście wersów.

Nie, nie miała na to teraz siły. Odłożyła tom na szafeczkę i wzięła do rąk *Dwa księżyce* Kuncewiczowej, które zaczęła czytać tydzień temu. Po kilkunastu minutach zgasiła światło, myśląc o wiośnie i wycieczce do opisywanego tak poetycko przez autorkę Kazimierza nad Wisłą, gdzie znalazłaby się w towarzystwie młodego, ale już bardzo uznanego, przystojnego poety…

Rozdział 3

Styczeń 1934
Ciastko z niespodzianką

Nazajutrz po wizycie kuzyna Lilianna zdziwiła się bardzo, widząc go o dziewiątej rano w progu drzwi swojego mieszkania. Była jeszcze nieuczesana, wciąż w szlafroczku, zajęta planowaniem zakupów i jadłospisu na najbliższe dni.

W dziennym świetle Żorżyk wyglądał jeszcze gorzej niż poprzedniego wieczoru, a sińce pod oczami i bladość cery źle wpływały na jego niegdyś wspaniałą urodę.

Zaproponował kuzynce spacer i wizytę w cukierni. Lili co prawda zaplanowała już wizytę u kosmetyczki na Mazowieckiej, a potem spacer z córką do Ogrodu Saskiego, gdzie chciała z małą zobaczyć ślizgawkę. Jednak zbyt kusząca była perspektywa pokazania się na mieście w nowym futrze z soboli, prezencie od Tadeusza kupionym w modnym salonie na Krakowskim Przedmieściu. W dodatku w towarzystwie wciąż przystojnego prawie Francuza (Żorżyk swoją prezencją wyraźnie wyróżniał się na plus na tle warszawskich elegantów, a mówił z silnym francuskim akcentem). Miał jeszcze bardziej podkrążone oczy niż wczoraj, pocił się obficie i musiał co chwila przecierać czoło chustką. Nie wyglądał zdrowo.

– Interesuje mnie ten lokal, gdzie podawane są najlepsze babeczki marcepanowe! – powiedział Żorżyk, gdy po trzydziestu minutach czekania kuzynka zjawiła się wreszcie w salonie odpowiednio ubrana i gotowa do wyjścia, z torebką pod pachą i w zadziornie przekrzywionym kapelusiku z czarnego weluru.

– To kilkaset metrów stąd, w Adrii! – odparła, nieco rozczarowana faktem, iż spacer ma polegać na przejściu się ulicą, przy której mieszkała.

– Chodźmy więc! – zawołał z energią. Gdy wkładał na głowę kapelusz, zauważyła, że trzęsą mu się ręce.

Wyszli na dwór, gdzie było bardzo mroźno, a mdłe słońce oświetlało kopy świeżo odgarniętego śniegu.

– Ach, zapomniałem już, co to prawdziwa zima – uśmiechnął się kuzyn, okrywając szyję jedwabnym szalem i stawiając kołnierz. Dziesięć minut później zasiedli w kawiarnianej części Adrii, gdzie kilku gości czytało poranną prasę. Zajęli stolik pod wielkimi palmami ustawionymi w gigantycznych donicach, tuż obok klatki z kolorową papugą.

– Czegoś takiego jeszcze nie widziałem! Odgłosy ptaków zagłuszają rozmowę, a liście egzotycznych drzewek spadają do filiżanek. Co to jest? Oranżeria? – żachnął się Żorżyk.

Gdy podszedł do nich kelner, kuzyn zamówił dwie czarne kawy i ciastka marcepanowe, dwa razy w irytujący sposób podkreślając, iż chodzi o świeże, specjalne ciastka dla kogoś, kto bardzo tych ciastek potrzebuje.

– Dałby kuzyn spokój, ciastka tu zawsze dają wyborne, codziennie przywozi je samolot z Lwowa! – powiedziała Lili, rozglądając się wkoło z nadzieją na spotkanie z kimś znajomym, kto odnotowałby jej niebanalny komplet – spódnicę i żakiet z czarnego aksamitu, zdobione wokół nadgarstków i dekoltu białymi aplikacjami przypominającymi wijący się bluszcz.

– Porozmawiajmy o… Paryżu! – próbowała rozpocząć rozmowę.

– Co tu mówić… – Wzruszył ramionami. Widać było, że nie ma ochoty rozmawiać. – Wspaniałe miasto, wyjątkowe, wszystko się tam dzieje w zawrotnym tempie i żeby nie być w tyle, trzeba się mocno starać, bardzo mocno – dodał enigmatycznie, przypalając wąskie cygaro.

Kiedy podano im filiżanki z aromatyczną kawą i talerzyki ze słodkościami, Żorżyk zamiast zjeść ciastka, rozgrzebał je mało elegancko widelczykiem, po czym stwierdził, że nie ma apetytu.

– Gdzie tu jest jeszcze jakaś dobra cukiernia? Miałbym ochotę na coś innego – stwierdził, a Lilianna, widząc możliwość dłuższego spaceru ulicami, na które wyległo wiele osób spragnionych słońca, przystała na jego prośbę i skierowali swoje kroki do Ziemiańskiej.

Przeszli przez plac Napoleona ku Mazowieckiej. Kuzyn szedł tak szybko, że Lili ledwo za nim nadążała. W cukierni było już tłoczno i wszystkie stoliczki były zajęte.

– Chodź tam, na górę. – Żorżyk wskazał na puste pięterko.

– Nie, tam nie wolno siadać, to jest stolik zarezerwowany dla skamandrytów, dla najwspanialszych poetów.

– Aaa, dla poetów? Coś podobnego... – westchnął poirytowany kuzyn, po czym zatrzymał lawirującego między okrągłymi stolikami kelnera, szepcząc mu coś do ucha, a kelner popatrzył na Żorżyka z oburzeniem malującym się na twarzy. Lili nie wiedziała, o co chodzi, ale akurat zwolniło się miejsce tuż pod ścianą z kolorową malaturą przedstawiającą pory roku. Pociągnęła kuzyna za rękaw i usiedli przy mikroskopijnym stoliczku o marmurowym blacie.

Gwar rozmów, papierosowy dym, ścisk i tłok, wszystko to nie sprzyjało konwersacji. Milczący Żorżyk nerwowo stukał palcami o blat, co chwila zaciągając się papierosem. Lili również zapaliła, korzystając z okazji, jaką dawała wizyta w lokalu, gdy nie widział jej Tadeusz i nie mógł skrytykować ohydnego, w jego opinii, zwyczaju palenia przez kobiety w miejscach publicznych. Zamówili po porcji faworków i herbatę.

Lilianna wpatrywała się w puste jeszcze pięterko, wyobrażając sobie, iż któregoś dnia będzie siedziała tam na górze, nie mniej elegancka niż Krzywicka, uznana za interesującą piękność, niczym Maryla Morska, będzie jej schlebiał Lechoń, Słonimski, może nawet Boy... Choć nie, Żeleński był już stary, Iwaszkiewicz też nie, lubił podobno chłopców, może ktoś nowy, młody, ale już dostatecznie znany i ceniony. Najprzystojniejszy był chyba Wierzyński, ale Lili wolałaby inną fizjonomię. Konkretne nazwisko nie przychodziło jej do głowy, szukała bezskutecznie w myślach, aż to bujanie w obłokach przerwał jej kuzyn. Sprawiając wrażenie kogoś, kto się śpieszy, Żorżyk zaproponował, aby wyszli na świeże powietrze.

– Potwornie tu dużo dymu, oddychać się nie da! – powiedział, zostawiając na blacie stolika pieniądze. Przeszli do szatni, gdzie podał Lili jej drogocenne, a teraz przesiąknięte wonią papierosowego dymu futro. Gdy wkładała kapelusz, wyraźnie się niecierpliwił, jakby czas niezbędny na odpowiednie dopasowanie nakrycia głowy był dla niego czymś dziwnym.

Nerwowo rozglądał się po lokalu i wówczas przyszło Lili na myśl, że może Żorżyk był jednym z tych pederastów, którzy interesowali się młodymi, pięknymi chłopcami, i to dlatego tak zależało mu na wizytowaniu różnych lokali. Może liczył na odnalezienie jakiegoś mężczyzny? Może szukał kogoś, ale nie chciał się do tego przyznać?

– Gdzie tu blisko są jakieś inne cukiernie? – zapytał, gdy tylko wyszli na ulicę. – Może wezmę taksówkę?

– Wie kuzyn, tutaj na najbliższych ulicach jest co najmniej kilkanaście cukierni, na Królewskiej dwie, na Marszałkowskiej, na Świętokrzyskiej, wszędzie niemalże... – zaśmiała się, zdając sobie sprawę z ogromnej liczby takich miejsc w Warszawie. Każdy mógł ubrać się wyjściowo i wstąpić na herbatę oraz ciastko, co dawało poczucie „bywania" poza domem, a nie wiązało się w czasach kryzysu z takimi kosztami, jak obiad czy kolacja w drogiej restauracji.

– Co za kraj... Co krok cukiernia! Kto zjada te wszystkie ciastka, litości! – syknął pod nosem Żorżyk, wyraźnie niezadowolony.

Szli Mazowiecką w stronę placu Napoleona, a gdy mijali witrynę księgarni, patrząc na wystawione za szybą artykuły piśmiennicze i oprawione w elegancką skórę notatniki, Lili pomyślała nagle, że musi koniecznie sprawić sobie taki piękny zeszyt, bo powinna zacząć prowadzić dziennik. Musi w końcu zacząć pisać pamiętnik – wchodzi w dojrzały rozdział życia, w tym roku skończy dwadzieścia pięć lat, ma męża, dziecko, stabilny los na należytym poziomie, ale chce czegoś więcej. Potrzebuje intensywności, zatrzymania gdzieś – choćby na kartach zeszytu – przebłysków zachwytu, momentów wyjątkowych, uniesień wywołanych lekturą poezji albo chwil, gdy patrząc na oprószone śniegiem drzewa, czuje nawał pragnień bycia kochaną, podczas gdy różowoperłowe niebo staje się tłem dla koronkowej korony gałązek drzew. Powinna dokumentować samą siebie, analizować proces dojrzewania kobiecości, który dopiero od niedawna zaczął się w niej rozwijać.

Idąc pod ramię z kuzynem przez Świętokrzyską ku ulicy Nowy Świat, Lili odnotowywała baczne spojrzenia, jakimi obrzucali ją mijani mężczyźni. Otaczający świat pełen był nieznanych jej istot męskich i żeńskich, z którymi kontakt mógł uruchomić potencjał zmysłów, o jakich istnienie jeszcze niedawno by siebie nie podejrzewała.

Teraz coraz częściej, leżąc nago w sypialni, otulona chłodną pościelą, pieściła dłonią własne przedramiona, uda i piersi, czując pewną przyjemną bolesność między nogami. Niekiedy tym dotykiem rozgrzewała się dla Tadeusza, który pojawiał się w jej łóżku nie częściej niż raz w tygodniu i rozpoczynając zbliżenie od wypowiadanych dobrotliwym tonem komplementów pod jej adresem, całował ją, wsuwając zawsze niewygodny, sztywny język do jej ust, czego wcale nie lubiła. Wystarczało, że zginając kolana, szeroko rozwarła nogi, a poza ta była tak lubieżna dla jej męża, iż szepcząc: *Och! Uwielbiam, jak się dla mnie otwierasz*, z łatwością wnikał do jej wnętrza i zaczynał miarowo poruszać się, sprawiając przy tym wrażenie nieprzytomnego.

Jego twarz nabrzmiewała, usta zaciskały się, co sprawiało, że wydawał się Lili odrażający.

Ilekroć schodził z niej, dysząc, pozostawał po jego działaniach niedosyt, jakby coś więcej mogło między nimi zajść, jakby jej ledwie rozpoczynająca się przyjemność mogła się znacznie wzmóc. Coraz częściej powracała myślami do tych chwil w łóżku, zastanawiając się, czy obcowanie intymne z kimś innym niż jej mąż wiązałoby się z takimi samymi doznaniami. Czy z innym mężczyzną byłoby jej przyjemniej?

Żorżyk wyrwał ją z zamyślenia, pytając o cukiernię, w której podawane są ciastka z niespodzianką. Lili nie przychodziło do głowy nic konkretnego. Skręcili w pełen przechodniów Nowy Świat, gdzie przejeżdżający tramwaj potrącił jakiegoś chłopca. Tłum gapiów zablokował chodnik i uniemożliwiał im przejście.

– Żyje, nic mu nie jest! Tak to bywa, jak się nie patrzy na boki, zginąć mógł! – krzyczano.

Zniecierpliwiony Żorżyk pociągnął Lili za sobą, przeciskając się między ludźmi. Kilka kroków dalej natrafili na kawiarnię Bliklego, do której kuzyn koniecznie chciał wejść. Lilianna miała już dosyć ciastek, wzięła tylko czarną kawę, od której nadmiaru serce zaczęło jej niepokojąco kołatać. Siedziała smutna, nie chcąc okazywać niezadowolenia, chociaż żałowała, że zrezygnowała z wizyty u najlepszej kosmetyczki w mieście i spaceru po parku na rzecz tej bezsensownej eskapady. Ponadto żołądek zaczynał domagać się obiadu.

Tymczasem kuzyn zniknął na dłuższy czas w toalecie, a kilka chwil później widziała, jak zagaduje do kelnera, i przyszło jej na myśl, że Żorżyk musi po prostu szukać zaginionego kochanka, dla którego przyjechał tu do Warszawy. Nie było innego wytłumaczenia.

– Musimy się pożegnać, kuzynie, nie mam już czasu ani siły. Nie wiedziałam, że jesteś aż takim amatorem słodkości...

Chyba że chodzi tu o słodycz innego rodzaju i to jej poszukujesz wśród bywalców czy obsługi cukierni... – powiedziała z przekąsem, starając się nadać swojej twarzy wyraz świadczący o tym, iż domyśliła się tajemnicy kuzyna. Żorżyk spojrzał na nią spod brwi, zafrasowany, ale nadal ostrożny.

– Wynagrodzę kuzynce ten stracony czas, przysięgam! Czego kuzynka by sobie życzyła? Zaproszę na wytworny obiad, jaki lokal jest tu najlepszy? Co kuzynka lubi? Dają tu gdzieś świeże małże?

– Owszem, u Simona – odparła od niechcenia, okazując mu zniecierpliwienie.

– To tam zaproszę kuzynkę na kolację albo, jak kuzynka woli, możemy, rzecz jasna z Tadeuszem, pójść na dancing, pokażę jak tańczy się w Paryżu swing! Co o tym myślisz? Będziemy pić szampana i tańczyć do białego rana! Ale zrymowałem...

– Czemu nie? Dawno nie chodziłam potańczyć, Tadeusz umie, znaczy lubi tylko walca – odparła Lili, zainteresowana perspektywą wyjścia do nocnych lokali, które były tak blisko, a jednak niedostępne z powodu postawy męża, który zdecydowanie wolał spędzać wieczory na brydżu albo słuchaniu nadawanych w radiu koncertów.

– Tylko błagam cię, Lili, pomyśl, gdzie tu mogą dawać takie nietypowe ciastka, ciastka z zamówioną, specjalną niespodzianką? Proszę, skup się, to dla mnie bardzo ważne, zaraz wytłumaczę dlaczego.

– Nie wiem – wzruszyła ramionami – o jaką niespodziankę chodzi? Może w kawiarni Swann? Nie wiem... To blisko stąd, trzeba przejść do skrzyżowania z Alejami Jerozolimskimi.

– Więc chodźmy, proszę, to już ostatnie miejsce! Stamtąd wezmę dorożkę i odwiozę cię do domu! – Żorżyk poderwał się z krzesła, pocałował kuzynkę w dłoń i podał jej futro.

Kiedy wyszli na zalaną słońcem ulicę, wzrok Lili padł na wystawy ulokowanego po przeciwnej stronie ulicy salonu z najpiękniejszymi butami w Warszawie. Przypomniała sobie pantofelki widziane kilka dni wcześniej w witrynie nieczynnego wtedy sklepu. Wykonane ze skóry aligatora, ze złotą klamerką, wydawały się idealne do jej wizytowej sukienki z szarej organdyny, którą zakładała na przyjęcia brydżowe u znajomych Tadeusza.

– Kuzyn poczeka chwilę, skoro tu jestem, muszę coś zobaczyć! – To mówiąc, bez wahania wbiegła na ulicę i przedostała się na drugą stronę. Pantofle stały w szklanej gablocie na wystawie.

– Och, cudo! – westchnęła.

– Droga Lili, kupię ci te buty, w podziękowaniu za twój czas! Chodźmy – nerwowo powiedział Żorżyk i wtargnął do sklepu, od razu wzrokiem wyszukał sprzedawcę i wykrzyknął, iż pani chciała mierzyć pantofle z aligatora. Lili zawstydzona pragnęła już tylko uciec z salonu, czując spojrzenia klientek bacznie przypatrujących się eleganckiemu, lecz zachowującemu się dość dziwnie panu. Mimo mroźnego powietrza na dworze pot zraszał mu czoło, oczy miały zagubiony wyraz, były, jak u bardzo chorego człowieka, mocno przekrwione.

– Jaki nosisz numer? – rzucił w kierunku kuzynki.

– Trzydzieści siedem – odparła.

– Pan raczy podać buty w tym rozmiarze! – Żorżyk niemal krzyknął do sprzedawcy, który wywracając oczami, zniknął na zapleczu, aby zaraz przynieść pantofelek do mierzenia.

Ledwo Lili zdołała założyć buty i zrobić w nich dosłownie krok po pasie dywanu, Żorżyk zawołał: „Biorę, ile płacę?!" i wyciągnął z kieszeni spodni elegancki portfel. Usłyszawszy bajońską sumę osiemdziesięciu złotych, ani drgnął, dokładając do odliczonych już wcześniej banknotów cztery kolejne.

– Ceny wręcz paryskie – mruknął tylko pod nosem.

– Bardzo dziękuję, ale to chyba niestosowne, aby kuzyn

kupował mi buty... – powiedziała zakłopotana Lili, gdy chwilę potem pośpiesznie wychodzili na ulicę.

Żorżyk nie odpowiedział, tylko z całych sił parł do przodu, w kierunku pasażu Italia, gdzie mieściła się Café Swann. Niegrzecznie i mocno pociągnął Lili za rękaw futra, gdy ta tylko na moment przystanęła przed podświetlonymi gablotami kina Majestic, gdzie umieszczono plakaty filmowe z bieżącego repertuaru. Wpatrzona w afisz filmu *Prokurator Alicja Horn* Lili chciała sprawdzić, czy rolę tytułową gra lubiana przez nią Smosarska, ale nie miała szans, bo jej kuzyn, sprawiający teraz wrażenie szalonego, warknął, aby się pośpieszyła.

– Co się z tobą dzieje?! – krzyknęła Lilianna, mając ochotę odwrócić się na pięcie, zostawić go na ulicy i czym prędzej wrócić do domu. Niania zapewne już się niepokoiła, czemu nie ma jej tak długo. A potem jak zwykle niechcący napomknie o jej nieobecności Tadeuszowi.

Trzymany przez nią w dłoni pakunek z pantoflami z widoczną nazwą znanego i bardzo ekskluzywnego sklepu Władysława Rychtera pohamował jednak jej złość, potulnie ruszyła więc za Żorżykiem, który przeciskał się między przechodniami.

Dotarli do kawiarni, ciężko oddychając. Lili padła na krzesło, czując potworny ucisk i ból małych palców u stóp. Była głodna i coraz bardziej podenerwowana długą nieobecnością w domu. Niania pewnie już wydzwaniała do kancelarii Tadeusza, gotowa jeszcze narobić zamieszania!

Żorżyk, ledwo przekroczywszy próg kawiarni, od razu skierował swoje kroki do kontuaru i nie zwracając uwagi na gabloty pełne apetycznych ciasteczek i pucharków z deserami, spojrzał przeszywającym wzrokiem na sprzedawcę i powiedział, że życzy sobie zamówić ciastko z niespodzianką.

– C-i-a-s-t-k-o z n-i-e-s-p-o-d-z-i-a-n-k-ą – cedził ponownie słowa, coraz bardziej zniecierpliwiony.

Sprzedawca z kamienną twarzą odparł, iż podane zostanie do stołu.

– Czego szanowny pan się napije?

– Kawa i koniak do tego!

Suma, jaką podał sprzedawca, była na tyle wygórowana, iż Żorżyk z nadzieją i błyskiem w oku drżącą ręką wyjął ze swojego portfela całą znajdującą się w nim gotówkę.

Lili przypatrywała mu się z wyraźnym niepokojem. Po chwili kuzyn usiadł obok niej, odetchnął jakby z ulgą i zaczesując do tyłu opadające mu na spocone czoło kosmyki włosów, szepnął:

– Jeśli nie dostanę tego, czego potrzebuję, będzie mnie musiała kuzynka chyba przywracać do życia metodą usta-usta...

– Koniak o trzeciej po południu? Kuzyn oszalał?

– Och, droga Lili, koniak jest dla ciebie, żebyś się rozgrzała, trochę odprężyła. To nic złego, naprawdę – powiedział, ujmując jej dłoń w swoją i podnosząc do ust.

Kelner przyniósł do stolika filiżankę z kawą i kieliszek z bursztynowym płynem.

– Wypij, Lili, proszę, muszę ci powiedzieć, dlaczego ze mną jest tak źle...

Lilianna rozejrzała się wokół, sprawdzając, czy przypadkiem nikt się jej nie przypatruje. Znając swoje szczęście, zaraz znalazłby się jakiś klient czy klientka Tadeusza, którzy rozpoznaliby w niej szanowaną powszechnie żonę adwokata i później plotkowali o tym, że pije alkohol w porze obiadu w towarzystwie wytwornego mężczyzny. Ale oprócz jegomościa zajętego lekturą „Kuryera Codziennego" i starszych pań jedzących napoleonki i pogrążonych w rozmowie, nikogo w lokalu nie było. Szybkim ruchem przechyliła kieliszek i połknęła łyk palącego płynu.

– To co się właściwie z tobą dzieje? Jesteś chory na jakąś wstydliwą chorobę? – szepnęła.

– Pisałem ci, że rok temu uległem wypadkowi samochodowemu pod Paryżem, prawda? Oprócz fatalnie złamanej nogi nic mi nie było, ale kolano bolało mnie tak potwornie, iż lekarz zapisywał mi ampułki z morfiną... Potem noga się wygoiła, wróciłem do dawnego życia, ale nie mogłem już normalnie funkcjonować bez tego środka. Popełniłem straszliwy błąd, nie umiałem z tym skończyć, zacząłem kupować to nielegalnie, wplątałem się w dziwne układy... co tu mówić... Wstyd mi. Wiem, że muszę przestać, muszę, ale sił mi brak, droga Lili, jestem słaby, bardzo chory.

Lilianna przerażona tym, co usłyszała, zaniemówiła. Dłonią gładziła trzęsącą się rękę kuzyna, który wyglądał żałośnie. Sprawiał wrażenie, jakby miał się za chwilę rozpłakać.

– A teraz zapasy mi się skończyły, muszę koniecznie nabyć trochę tej substancji. Portier w hotelu powiedział mi, że w Warszawie morfinę kupuje się obecnie w cukierniach, prosi się o ciastko z niespodzianką i *voilà*! Później sobie przypomniałem, że wymienił nazwę Swann... Widocznie nie wszędzie jednak można to dostać, stąd ten rajd po mieście, po lokalach. Nie wiedziałem, gdzie dokładnie szukać... – tłumaczył.

Lilianna nie mogła wydobyć z siebie słowa wyrzutu, ale kłębiły się one w jej myślach. Jak mógł narazić kobietę tak porządną jak ona, żonę adwokata, na coś takiego! Rozejrzała się jeszcze raz bacznie wokół siebie i przyszło jej nagle do głowy, że może zaraz zostaną aresztowani! Cóż to byłby za skandal, jaki wstyd, gdyby Tadeusz został powiązany z aferą narkotykową!!! Wystraszona zerwała się z krzesła i zaczęła zakładać futro, gdy właśnie w tym momencie do ich stolika podszedł inny niż poprzednio kelner, na tacy niosąc talerzyki z wielkimi ciastkami tortowymi. Oba talerze postawił obok kuzyna i zniknął bez słowa. Żorżyk od razu zaczął wbijać widelec w ciasto, z początku delikatnie, później oddzielając części ciastka i rozgrzebując jego środek, w którym natrafił na małą ampułkę. Starając się zachować ostrożność, wyjął ją zwinnym gestem i szybko zawinął w serwetkę. Po chwili podobnie postąpił z drugim ciastkiem.

– Jezus Maria... – szepnęła Lili, wychylając do dna zawartość kieliszka. Zamarła, przymykając oczy, przeświadczona już, że za moment ktoś zauważy, co dzieje się przy stoliku, i ich zdemaskuje.

– Zostawię cię na chwilę. Idę do toalety – szepnął Żorżyk i zniknął, wynosząc upchnięte w kieszeniach marynarki ampułki.

Lili przez moment zastanawiała się, jak aplikuje się tę narkotyczną substancję, jaki wywołuje ona skutek, czy efekt jest natychmiastowy? Nigdy nie miała do czynienia z morfinistą ani nie miała na ten temat żadnej wiedzy.

Kuzyna nie było niemal dwadzieścia minut. Sprzedawca zerkał co chwila na Lili zza kontuaru, a może tylko miała takie wrażenie... Przewertowała cały nowy numer „Bluszczu", wypiła trzecią tego dnia kawę, po której ją zemdliło, i jedyną pociechą w tej sytuacji, nie licząc przepięknych pantofli, była świadomość, iż będzie miała temat do opisania w dzienniku, który postanowiła zacząć pisać już dziś wieczorem.

Gdy Żorżyk wrócił do stolika, wydawał się wyraźnie spokojniejszy, jakby zniknęło wielkie przytłaczające go zmartwienie. Oczy sprawiały wrażenie większych. Był opanowany i zdecydowanie bardziej energiczny niż przed kilkoma godzinami.

– Wychodzimy, kuzynko? – rzucił jak gdyby nigdy nic. – W sobotę zabieram cię na dancing! Przygotuj się, będziemy tańczyć do białego rana! – zaśmiał się.

Lili tylko westchnęła, nie mając już ochoty na spędzanie czasu z kuzynem, który dotąd tak jej imponował światowym sznytem, a okazał się niepokojąco dziwny, nie taki, jak sobie wyobrażała. Skąd mogła teraz wiedzieć, kim był? Jak wyglądało jego życie? Z pewnością nie było tak przyzwoite i nudne jak jej.

Rozdział 4

Styczeń 1934
Grandesa z Krochmalnej

Zgodnie z umową kuzyn podjechał szewroletą pod kamienicę przy ulicy Moniuszki punktualnie o siódmej. Lilianna czekała już wtulona w swoje nowe sobolowe futro, ubrana w suknię z połyskującej, lejącej, srebrnej satyny, z odkrytym dekoltem i ramionami, które przykrywała urocza, czarna pelerynka wyszywana kryształkami, oraz aksamitny kapelusik z salonu pani Bosz, spod którego wystawały blond fale w stylu Toli Mankiewiczówny ułożone rano przez fryzjera. Chciała poczuć urok nocnej warszawskiej zabawy, ale w ostatniej chwili lęk przed spędzeniem czasu w towarzystwie kogoś tak niemoralnego, jak zażywający morfinę kuzyn, sprawił, iż z trudem powstrzymała chęć, aby powiedzieć mężowi o nałogu Żorżyka.

– Baw się dobrze – powiedział jej na do widzenia Tadeusz, pogrążony w lekturze projektu kodeksu handlowego.

– Na pewno nie będziesz mi towarzyszył? Wspaniale się z tobą tańczy walca – namawiała go żona. Czuła się nieco niepewnie, wychodząc wieczorem z domu z mężczyzną, który nie był jej mężem. Matka i siostry zapewne nie pochwaliłyby takiego zachowania.

– Nie, kochana, wiesz, jak mnie to męczy, nie znoszę tego jazgotu orkiestr jazzowych, kabarety mnie irytują, tancerki nie interesują, bo żadna i tak nie dorównuje urodą mojej żonie – czule przekonywał ją mąż, całując jej dłoń w czarnej, sięgającej łokcia rękawiczce.

Upewniwszy się, że Tadeusz nie żywi do niej urazy ani nie przeszkadza mu spędzenie samotnego wieczoru przy odbiorniku radiowym, Lili wyszła czym prędzej, nie mogąc uwierzyć, że oto spełnia się jej marzenie i wreszcie ruszy w nocny rajd po znakomitych lokalach stolicy, o których pisała i plotkowała prasa. Szofer kierujący autem ruszył ulicą Moniuszki, po chwili skręcając w Marszałkowską.

– Proszę, czy możemy przejechać ulicami centrum?! Chciałabym zobaczyć Warszawę nocą, te światła, neony, latarnie, ta cała biżuteria miasta tak mnie zachwyca!

– Ładnie to ujęłaś, *Les bijoux de la ville*... Urocze. Tak, przejedźmy się... Już nie bardzo pamiętam nazwy ulic... – westchnął Żorżyk. – Pan szofer coś wymyśli, musimy dojechać na Wierzbową, do Oazy!

Jak od razu zauważyła Lili, kuzyn był tego wieczoru w doskonałym humorze, tryskał energią, zachowywał się niezwykle szarmancko i co chwila się śmiał. Ponadto doskonale się prezentował w wytwornym smokingu, rozsiewając mocny zapach najnowszej wody toaletowej Carona, Pour un Homme.

Mknęli przez ulice rozjaśnione bielą śniegu, na który padał blask latarni, a Lili z zapartym tchem chłonęła nocne pejzaże miasta, z jego feerią kolorów i beztroską atmosferą zabawy. Wpatrywała się z zachwytem przez szybę auta w wieńczące dachy kamienic jaskrawe neony, migające, zmieniające się napisy czy kształty, jak papieros albo kieliszek. Na niebie – dodając temu wszystkiemu uroku – błyszczała tarcza srebrnego księżyca.

– Jakie to miasto jest piękne! Dosłownie rozkwita nocą! Żyję w kamienicy w samym niemal sercu miasta i nawet nie mam pojęcia, że po zmroku ulice ożywają setką świateł. Nocą życie jest ekscytujące! – mówiła, nie kryjąc emocji, Lili.

– Jak nie ciastka, to koniaki... Czy wy naprawdę tak lubicie *cognac*? – zapytał Żorżyk, gdy przejeżdżali koło kolejnego, chyba już trzeciego neonu reklamującego koniak.

– Przyznaj, że to urocze. – Lili, odwróciwszy się, przez tylną szybę patrzyła na świetlisty kształt butelki, która przechylała się, a tkwiący w niej alkohol – imitowany przez małe świecące perełki – wlewał się do kieliszka.

Gdy szofer wrócił na ulicę Moniuszki i zatrzymał się pod kamienicą, na której błyszczał neon Adrii, wraz z otwarciem drzwi doskoczył do nich jakiś chłopak, szeptem proponując zdjęcia nagich dam.

– Pięćdziesiąt groszy taniej niż w środku! – zachęcał.

Żorżyk z uśmiechem podał mu monetę i odebrał ukryte w małej kopercie karty z fotografiami.

Stojące przed wejściem prostytutki, przestępując z nogi na nogę, łapczywym wzrokiem lustrowały przystojnego Żorżyka, który trzymając pod rękę Liliannę, był wolny od nagabywania.

– Pierwszy raz widzę TAKIE kobiety. Mówi się na nie „chustkowe" – szepnęła mu do ucha kuzynka.

Kamerdyner otworzył przed nimi drzwi, weszli do przestronnego holu o marmurowej posadzce, gdzie wokół donic z rozłożystymi palmami tłoczyło się sporo osób. Zostawili okrycia w szatni, po czym Żorżyk podał ramię Lili i przeszli do sali dancingowej. Tam czekał już na nich zarezerwowany stolik, nakryty białym obrusem i zastawiony kieliszkami do szampana. Kuzyn zamówił od razu butelkę wybornego moëta i zestaw zakąsek.

– Chciałabym zapalić – powiedziała Lilianna, wyciągając ozdobną fifkę ze swojej przypominającej brokatową szkatułkę torebki. Żorżyk szarmancko zaoferował ogień, popisując się przy tym nowoczesną, mechaniczną zapalniczką w metalowej obudowie.

Orkiestra grała na razie spokojne melodie. Na parkiecie tańczyło zaledwie kilka par, ale z minuty na minutę tłum coraz bardziej wypełniał ogromne wnętrze. Kilkunastu kelnerów zwinnie lawirowało z uniesionymi w górę tacami między labiryntem stolików. Siedzący dookoła ludzie śmiali się, rozmawiali. Mężczyźni w eleganckich smokingach, kobiety w połyskujących, sięgających do kostek sukniach przypominały migoczące, smukłe syreny, a ich przyciemniane rzęsy, brwi i podkreślone oczy w połączeniu z tlenionymi – w przypadku większości pań – włosami nadawały im intrygujący wygląd.

Patrząc na eleganckie towarzystwo, Lili zaniepokoiła się własnym wyglądem. Oprócz lekko poróżowanych ust nie miała żadnego makijażu i wybrała skromną biżuterię. Tadeusz rzadko kiedy obdarowywał ją klejnotami, nie przychodziło mu po prostu do głowy, że ona mogłaby czegoś takiego potrzebować. Na ich spotkania brydżowe wystarczał sznur pereł, które już niechętnie wkładała, podobnie jak kolczyki z szafirami, kupione w trakcie ich podróży poślubnej. Wówczas był bardziej skłonny do tego typu wydatków. Na jej włosach brakowało zdecydowanie migoczącej, najlepiej brylantowej tiary, jaką widziała u wielu pań.

– Pięknie kuzynka wygląda! Jaki ciekawy kolor sukni, w tym półmroku wygląda jak srebrzący się błękit. Wspaniały! Moja przyjaciółka ma podobną kreację od Elsy Schiaparelli. To teraz bardzo rozpoznawana projektantka w Paryżu, ma salon na placu Vendôme. Chciałbym tu w Polsce doprowadzić do otwarcia salonu jej sukien!

– Och, byłoby wspaniale! Widziałam w magazynach jej modele, przepiękne!

Dym papierosowy, błysk klejnotów, zapach potraw, tytoniu i mieszanina piżmowych perfum – wszystko to sprawiło, iż Liliannie zakręciło się w głowie z oszołomienia całym tym zgiełkiem i splendorem otoczenia.

Kuzyn poprosił ją do tańca i weszli na słynny, obrotowy parkiet. Grano argentyńskie tango, którego kroków Lili nie pamiętała, jednak po pierwszych taktach, gdy jej ruchy były niepewne i mało zgrabne, poddała się muzyce i prowadzącemu ją Żorżykowi. Okazał się wyśmienitym tancerzem. Krążący w jej ciele szampan rozluźnił jej ruchy. W pewnej chwili, gdy kuzyn przyciągnął ją mocno do siebie, poczuła się nieco dziwnie, jakby taniec kreował jakąś intymność, która w stosunku do osoby z rodziny wydawała jej się nie na miejscu. Jego dotyk i zapach wody kolońskiej przypomniał jej, iż ma do czynienia z mężczyzną z krwi i kości, a bliskość jego atrakcyjnego ciała niebezpiecznie zaczęła pobudzać jej zmysły. Gdy orkiestra umilkła, miała wrażenie, iż Żorżyk jest równie zmieszany jak ona. Pocałował ją w dłoń i unikając jej wzroku, zaprowadził do stolika.

Nie zdążyła nawet wyjąć papierosa ze swojej inkrustowanej kością słoniową, pięknej papierośnicy, prezentu imieninowego, gdy nieoczekiwanie pojawiła się przed nią roześmiana, zdumiona Ewa Miączyńska ze swoim łysiejącym mężem, prawnikiem specjalizującym się w przestępstwach gospodarczych. Oboje bywali w mieszkaniu przy Moniuszki na brydżu, a Ewa była bliską znajomą Lili, jedną z żon adwokatów, które zapraszały się wzajemnie na fajfy, wymieniały komentarzami na temat salonów kosmetycznych i fryzjerskich, pomagały w znalezieniu służby i spotykały na spacerach z dziećmi w Ogrodzie Saskim.

– No wprost oczom nie wierzę! Ty tutaj! A gdzie Tadeusz? – Rozbawiona Ewa dosiadała się bez pytania do ich stolika.

– Tadeusz nie czuje się najlepiej, jest przemęczony. Towarzyszy mi kuzyn, przyjechał z Paryża, poznaj proszę, Jerzy Turski.

Dokonano należytej prezentacji i zamówiono kolejne zakąski i szampan.

– Zostawię cię na chwilę, droga kuzynko, skoro masz już towarzystwo – szepnął Żorżyk i zniknął czym prędzej pomiędzy stolikami. Po kilku minutach Lili wypatrzyła go, jak rozbawiony tańczył fokstrota z jakąś ciemną szatynką w długich, satynowych rękawiczkach i wyuzdanej sukni śliwkowego koloru, która odsłaniała zdecydowanie za dużo. Najgorsze było to, iż we włosach miała przepięknie lśniącą tiarę przypominającą gałązkę drzewa.

– Niczego sobie ten twój kuzyn, no, no – śmiała się Ewa, szepcząc koleżance do ucha, podczas gdy jej wyraźnie znudzony tańcami mąż palił papierosa, wpatrując się beznamiętnie w tłum.

Wypity alkohol sprawił, że Ewa stała się nieco natrętna. Na szczęście do stolika podszedł przystojny szatyn, przedstawił się jako Ludwik Spa i poprosił Lili do tańca. Okazał się na tyle dobrym tancerzem, iż spędziła z nim na parkiecie kilkanaście minut, nie czując wcale upływu czasu ani obtarć na stopach spowodowanych rzadko noszonymi pantofelkami. Orkiestra zaczęła grać utwory swingowe, a salę ogarnęło szaleństwo swobodnych ruchów ciała, które spodobały się Lili tak bardzo, iż opanowała ją swego rodzaju euforia, która trwała do momentu, gdy jej kompan zapytał w przerwie pomiędzy utworami:

– Czy łaskawa pani pozwoli się zaprosić na prywatne lekcje tańca?

Lili poczuła się, jakby oblano ją kubłem zimnej wody. A więc to był fordanser! Była na tyle głupia, że nawet się nie zorientowała. Zmieszana wzięła tylko bilecik od Ludwika, zbywając go stwierdzeniem, iż być może zatelefonuje wkrótce. Wróciła ochłonąć do stolika, przy którym siedział już Żorżyk w towarzystwie brunetki, którą przedstawił jako pannę Krukównę.

– Moja droga, uważaj na tego przystojniaka, z którym tak zapamiętale tańczyłaś. To zdaje się fordanser, który w zeszłym roku uwiódł żonę Malinowskiemu! – szepnęła koleżance do ucha Ewa. Lili odparła tylko, że doskonale o tym wie, i zniknęła w toalecie.

Tam, gdy pudrowała spoconą w tańcu twarz, stojąca przy umywalce obok niej młoda kobieta o niepokojącym wzroku, ubrana nieco tandetnie w suknię z lichego materiału, pochyliła się ku Lili i powiedziała:

– Proszę przekazać pani towarzyszowi, temu, który mówi z francuskim akcentem, że panna Krukówna, z którą spędza tak wesoło czas, to zwykła grandesa! Znam ją dobrze, mieszka na Krochmalnej. Jej jedynym celem jest upolowanie miłego, hojnego mężczyzny i naciągnięcie go na rozrywki, luksusy, może nawet ślub!

– A po co pani mi to mówi?

– Chcę ostrzec tego miłego pana przed taką niewiarygodną, zakłamaną osobą! Ona opowiada wszystkim, że pochodzi ze zubożałej rodziny szlacheckiej, która straciła cały majątek. Kilku łatwowiernych panów już zaprzepaściło znaczne środki na ufundowanie jej futer, perfum, podróży do Krynicy i poniosło koszty jej wystawnego życia.

Z trudem znosząc gwałtowny ból głowy, Lili wróciła do stolika, przy którym nie zastała Ewy z mężem. Państwo Miączyńscy zniknęli w gęstym tłumie na parkiecie. Żorżyk siedział wpatrzony w wielkie oczy panny Krukówny, trzymając z atencją jej dłoń.

– Proszę państwa, zapraszamy szanownych gości na specjalny pokaz taneczny kubańskiej tancerki Soni Negrity! Przed państwem Sonia Negrita! – zabrzmiał nagle głos spikera.

Muzycy chwycili znowu swoje instrumenty i zagrali z werwą egzotyczną, rytmiczną melodię. Na oświetlonym snopem światła parkiecie pojawiła się roznegliżowana, czarnoskóra tancerka z kwiatami wpiętymi we włosy. Jej skąpa sukienka z rozcięciem na brzuchu i gołymi plecami była obszyta kryształkami błyszczącymi w świetle skierowanych na nią reflektorów. Z ogromną energią zaczęła swój występ, ruszając się z zawrotną zwinnością i szybkością, stepując, robiąc szpagat, gwiazdę, zalotnie poruszając biodrami. Roześmiana i pełna życia, zachwyciła publiczność swoją żywiołowością.

– Zachwycająca! *C'est formidable!* – klaskał żywiołowo Żorżyk, podekscytowany, roześmiany. Lili miała podejrzenie, że musiał sobie zaaplikować wyjątkowo dużo swojego „lekarstwa". Gdy panna Krukówna zniknęła poprawić fryzurę, Lili podzieliła się z kuzynem informacjami zasłyszanymi w toalecie.

– *C' est intéressant... Alors, on va s'amuser...* Mnie taki układ nawet pasuje, wydam trochę pieniędzy, kupię dobrą zabawę, o to przecież w życiu chodzi. *N'est-ce-pas?* Do ołtarza na pewno mnie nie zaciągnie! – Wzruszył tylko ramionami.

Zbliżała się północ, gdy namawiani przez Ewę i pannę Kruk postanowili zmienić mocno już zatłoczoną Adrię na inny lokal. Wybór padł na niedawno otwarty music-hall Rex przy Mazowieckiej. Lili przestała się już martwić tym, iż nazajutrz jej koleżanka opowie wszystkim wspólnym znajomym, że w jej małżeństwie z Tadeuszem nie dzieje się najlepiej, skoro ten puszcza ją na nocne zabawy w towarzystwie kuzyna. Tadeusz dowie się o tańcach z fordanserem i o tym, że wypiła dużo szampana. Będzie poirytowany, rzuci parę kąśliwych uwag i więcej już nie puści żony na tego typu swawole.

No cóż, nadchodził moment, aby porozmawiać w końcu z Tadeuszem o nowoczesnym modelu małżeństwa, jak to Krzywickiej, która też miała dziecko i męża adwokata, a on tolerował jej wieczorne wyjścia do teatrów i restauracji, a co więcej, stałego kochanka w postaci sławnego Boya! Krzywicka miała wszystko, nie tylko rodzinę, ale też bliski związek z fascynującym mężczyzną, dzięki któremu rozwijała się intelektualnie i zawodowo. Za sprawą Boya stała się sławna i pewna siebie, co pozwoliło jej odważnie przemawiać własnym głosem, a swoimi tekstami walczyć o prawa kobiet. W układzie, jaki stworzyła, była wolna i spełniona.

Rausz po szampanie sprawił, że tego typu uzgodnienia wydawały jej się proste i możliwe do przeprowadzania choćby zaraz. Gorzej, że nie miała kandydata na przyjaciela, z którym mogłaby korzystać z dobrodziejstw układu koleżeńskiego. Pragnęła, aby był to ktoś obcujący ze sztuką, ktoś kto pomógłby jej odnaleźć w sobie szczególne talenty. Była przekonana, że ma jakieś szczególne umiejętności, które kiedyś w końcu odkryje, a wówczas uda się jej zniwelować to przykre poczucie braku sensu i celu w życiu. Nigdy nie przyznałaby się do tego otwarcie, ale perspektywa bycia tylko żoną i matką napawała ją lękiem przed przyszłością.

Śmiejąc się ze sprośnych dowcipów, jakie, ku zdziwieniu Lili, zaczął opowiadać mąż Ewy po wypiciu kilku setek wódki, wkroczyli do nowoczesnego lokalu Rex, gdzie właśnie za moment miały zacząć się występy artystów. Kolejna tego wieczoru lampka szampana sprawiła, iż Lilianna poczuła, że rozpiera ją histeryczna, dotąd tłumiona, potrzeba zachłannego życia. Chciała czuć się częścią tego radosnego świata, być jedną z idących na całość, żarłocznie czerpiących z życia kobiet, które w filisterskim świecie spotykał ostracyzm. Czuła nagłą potrzebę podobania się i przyciągania zainteresowania mężczyzn. Taniec przebudził w niej seksapil, dopuszczając do głosu pragnienia, do których sama przed sobą się nie przyznawała. Orkiestra zagrała szybszy utwór, perkusista nadawał rytm, od którego ciało zaczynało odczuwać potrzebę ruchu, po chwili dołączył się trębacz.

– Gitarzysta słabo sobie radzi – stwierdził Żorżyk i dodał: – W Paryżu chodzę na występy piekielnie zdolnego Cygana, który gra na gitarze takie rzeczy, że aż... Nazywa się Django Reinhardt.

Po chwili na scenie pojawiła się witana gromkimi brawami tancerka w wąskiej sukni o syrenim kroju, z odkrytymi ramionami, na których kładły się długie fale blond włosów. Towarzyszyli jej tancerze we frakach. Zaczęła występ, poruszając się niezwykle płynnie i szybko, wplatała w taniec szpagat, gwiazdę i szalone podskoki, unosiła dół sukni do góry i wykonywała jednocześnie slalom pomiędzy rzucanymi przez tancerzy na parkiet cylindrami. Co chwila odrzucała do tyłu głowę gestem, który przywodził na myśl ekstazę i zapamiętanie.

– Kim jest ta bogini?! – wykrzyknął kompletnie rozentuzjazmowany Żorżyk.

– Ciii... to sławna Loda Halama! Jest primabaleriną w Balecie Narodowym – wyjaśniła Lilianna, z rozbawieniem konstatując, iż kuzyn ma pewne problemy z wyraźnym wypowiadaniem słów. Nachylając się ku niemu, przyjrzała się jego gęstym włosom, które sprawiały wrażenie bardzo miękkich. Pohamowała nagłą potrzebę dotknięcia jego głowy, pogłaskania włosów swoją dłonią, która, opadając, lekko musnęła twarde ramię Żorżyka. Przypomniała sobie nagle o kartach z nagimi kobietami, które kupił przed wejściem do Adrii, tkwiących w jego kieszeni. Chętnie by je obejrzała... Ciekawiło ją wszystko to, co dotychczas nie przedostawało się przez szczelny kordon społecznych zasad regulujących życie konwencjonalnego małżeństwa, wzmocnionych odrobiną kultu polskości i cotygodniowymi wizytami w kościele św. Krzyża.

Goście obserwowali Lodę, zachwyceni jej tańcem, który zakończyła, siedząc na ramionach dwóch mężczyzn, unoszona przez tancerzy w górę w asyście huku braw.

– Proszę, wypij jeszcze. – Ktoś podał jej kieliszek z musującym, boskim nektarem. Pierwszy łyk zimnego, łaskoczącego podniebienie napoju o aromacie świeżych owoców sprawił, iż zaśmiała się głośno, odchylając głowę w tył, gestem, który z podziwem zaobserwowała u tancerki. W tym momencie przy ich opustoszałym nagle stoliku pojawiło się trzech młodych mężczyzn w podniszczonych strojach, których nie najlepszy stan zauważyła dopiero po chwili.

– Kuzynko, pozwól, tą są panowie poeci – przedstawił gości Żorżyk.

– Poeci... – szepnęła tylko, czując, iż tego wieczoru wreszcie powiedziała życiu „tak". Wyciągnęła ku nim dłoń z nieskrywaną fascynacją na twarzy. – Ja uwielbiam poezję! – powiedziała, nawet nie starając się kryć egzaltacji. – Dzisiaj na przykład, kiedy zapadał zmierzch i nagle zupełnie niebo zakryło się płachtą koloru indygo, pomyślałam o jakimś pocałunku, którego mi zabrakło... I pomyślałam z takim żalem, dlaczego, och, dlaczego nie umiem pisać wierszy! Tylko wiersz mógłby wyrazić stan mojej duszy w tej właśnie chwili. Poezja to najważniejsza ze sztuk! Siadajcie, panowie poeci!

Żorżyk zaśmiał się w głos, zachwycony nowym obliczem statecznej i spokojnej kuzynki o rozmarzonych oczach i pięknym, nieco smutnym wyrazie twarzy, który niekiedy rozjaśniał niezwykły uśmiech.

Poeci, nie mniej pijani niż Lili, z ochotą przysiedli się do stolika, z wielką chęcią łapiąc za kieliszki z szampanem, którego kolejną butelkę rozlewał Żorżyk. W pierwszej chwili wszyscy trzej wydawali się jej wariantami tego samego mężczyzny, ale po chwili przyjrzała im się z bliska i stwierdziła, iż jeden jest wyraźnie starszy od dwójki pozostałych, posępny i łysiejący. Zerkała co chwila w kierunku pięknego młodzieńca o aparycji filmowego amanta, aż w końcu – zażenowana swoim zachowaniem zwróciła się ku najbardziej wątłemu, delikatnemu mężczyźnie o jasnych, zaczesanych do tyłu włosach i bladej cerze, który sprawiał wrażenie upojonego tym toczącym się wieczorem na równi z Lilianną.

Miał nieco zafrasowany wyraz pociągłej, odrobinę piegowatej twarzy, zaczerwienione z emocji policzki, a jego jasne i duże oczy przykuwały spojrzenie Lili jak magnes. Alkohol dodał jej odwagi i teraz bez skrępowania wpatrywała się w niego jak urzeczona. Choć wszyscy trzej przedstawili się młodej kobiecie, zapamiętała tylko jego imię: Julian.

– Skąd kuzyn ich zna? – zapytała szeptem Żorżyka.

– Och, ledwo raz czy dwa ich spotkałem w pewnym... jak by to powiedzieć... lokalu, gdzie graliśmy razem w karty – odpowiedział nieco zmieszany.

Zapalili papierosy i ona ponownie tym dopiero co przywłaszczonym sobie gestem odrzuciła głowę do tyłu, unosząc ku ustom fifkę i zaciągając się dymem, jakby zachłystywała się jakąś energią niezbędną do zabawy i emocjami, których dotąd sobie odmawiała. Poczuła się upojona możliwościami, jakie się przed nią otwierały. Rytm muzyki buzował jej we krwi, dodając odwagi i kokieterii. Z reszty wieczoru zapamiętała już tylko moment, kiedy kuzyn przywiózł ją pod kamienicę na Moniuszki i pomógł wysiąść z samochodu. Próbowała opanować niekontrolowany chichot; ogromnie chciało jej się śmiać.

Rozdział 5

Kwiecień 1934
W świecie „Bluszczu"

W tchnący nadzieją wczesnowiosenny poranek w mieszkaniu przy Koszykowej, gdzie mieszkał ze swoją ciotką, Julian Szewc szykował się do pracy. To miał być pierwszy dzień w redakcji „Bluszczu" – społeczno-literackiego tygodnika dla kobiet.

Wydarzenia ostatnich tygodni, które wprowadziły niezwykłe zawirowanie w życie Juliana, sprawiały, iż teraz niemal każdy dzień stanowił nowe, ekscytujące wyzwanie. Od kiedy Warszawę opanowała wiosna, jego dotąd tak szare, nudne życie nabrało niezwykłej intensywności, napawając go zachwytem, ale też lękiem, że to wszystko, w czym uczestniczył, okaże się jedynie snem. Nie mógł wyjść z podziwu, iż – jak się okazało – wystarczył jeden odważny, zdecydowany krok, aby powiedzieć „tak" swoim marzeniom i zacząć wreszcie działać...

Nowe znajomości nawiązane zupełnie przypadkiem w jednym z barów doprowadziły do tego, iż w krótkim czasie zyskał nowych znajomych ze światka awangardowej poezji. Jego częściowo ukończony poemat *Kominy* wzbudził uznanie w członkach grupy literackiej Hekatomb, z której członkami spędził kilka wieczorów.

Miał już za sobą kilka spotkań w winiarni Fukierów na Rynku Starego Miasta, gdzie poeci spotykali się po południu, w kulturalnych warunkach, przy starym tokaju, fundowanym przez tego literata, któremu akurat skapnęła gotówka. Po dyskusji przy dobrych rocznikach wina wstępowali jeszcze do mniej eleganckiego wyszynku, aby w coraz bardziej frywolnej atmosferze wypić po szklaneczce wódki, za którą trzeba było już płacić samemu, ewentualnie pożyczać pieniądze.

Największym problemem Juliana były pieniądze, niezbędne, aby kontynuować eskapady z kolegami poetami. Ponadto martwiła go reakcja ciotki na jego ciągłą nieobecność w domu. Dotychczas rzadko się zdarzało, aby Julian wychodził wieczorami. Na szczęście ciotka była tak bardzo zajęta przez cały dzień spotkaniami socjalistów, mityngami i pracą społeczną, iż około dwudziestej kładła się do łóżka i zasypiała z książką w ręce. Julian wiedział, że nie uniknie wyrzutów ciotki, jeśli nie nakłoni służącej Andzi, aby pomogła mu ukryć jego nocne powroty do domu. Jednak tą kwestią postanowił się zająć po tym, jak nieco oswoi się z nowym miejscem pracy.

Dzisiaj zaczynał pracować w szanowanym, elitarnym magazynie, po cichu licząc, iż pewnego dnia dane mu będzie opracowywać teksty, może nawet opublikuje tam jakiś swój wiersz? A przecież zaledwie przed kilkoma dniami Julian pojawił się w głównej siedzibie zespołu redakcyjnego czasopisma przy Świętokrzyskiej 17 i złożył aplikację o przyjęcie go do pracy, w podaniu wskazując swoje dotychczasowe doświadczenie jako urzędnika oraz zdany egzamin maturalny.

Ku jego zdziwieniu kazano mu przystąpić do wykonywania obowiązków w „Bluszczu" niezwłocznie, kiedy tylko uda mu się odejść od dotychczasowego pracodawcy, bo w redakcji potrzebny był ktoś do pomocy. Mimo obaw związanych z brakiem odpowiednich dokumentów świadczących o jego danych osobowych i dotychczasowym zatrudnieniu jego rozmowa z pracownikiem administracji przebiegła szybko i pomyślnie. Ku wielkiemu zdziwieniu Juliana wystarczyło, że ma doświadczenie w pracy biurowej, zdaną maturę, zna dwa języki obce oraz – jak stwierdzono w trakcie owego spotkania – posiada umiejętność wymyślania ciekawych haseł reklamowych.

– Zatem zaczynasz pan od jutra, przychodzisz czysto i schludnie ubrany do biura redakcji przy ulicy Solec 87, nie później niż na ósmą! Do pana obowiązków będzie należało, ogólnie rzecz biorąc, opracowanie ogłoszeń reklamowych, pozyskiwanie reklamodawców, przygotowywanie ogłoszeń we współpracy z naszym rysownikiem, a także bardzo ważna rzecz! P-r-e-n-u-m-e-r-a-t-a! Nasz wydawca liczy na jak największą liczbę prenumeratorek, pozyskanie każdej dodatkowej czytelniczki jest na wagę złota! Resztę wyjaśnią panu na miejscu, w biurze na Solcu. Powodzenia! – powiedział bardzo zajęty jegomość, odpowiedzialny za administrację i buchalterię czasopisma.

Tygodniowa pensja, jaką mu zaoferowano, była co prawda o pięćdziesiąt złotych niższa niż wynagrodzenie, jakie otrzymywał w Państwowym Urzędzie Telekomunikacyjnym, ale chęć zmiany otoczenia i podjęcia pracy w środowisku choćby częściowo bliskim poezji, którą Julian (na razie tylko do szuflady) tworzył, zadecydowała o przejściu do „Bluszczu". Sam magazyn był mu dobrze znany, gdyż ciotka była prenumeratorką pisma, którego linię ideową jako socjalistka i propagatorka praw kobiet szczerze podzielała.

Przejęty i gotowy, by zacząć nowy etap życia, wpatrzony w swoje odbicie w lustrze, Julian drżącymi dłońmi z trudem wiązał krawat. Odgłosy dochodzące zza drzwi pokoju sprawiały, iż nie mógł sobie poradzić z poprawnym węzłem. Z głębi korytarza dobiegało go popłakiwanie maleńkiego dziecka służącej Andzi, która, nie przejmując się specjalnie odgłosami niezadowolenia wydawanymi przez córeczkę, wysokim tonem w kółko śpiewała wielki przebój Hanki Ordonówny z filmu *Szpieg w masce*.

Pierwszy znak, gdy serce drgnie,
Ledwo drgnie, a już się wie,
Że to właśnie ten, tylko ten.
Tru tu tu, tru tu tu...
Drugi znak to słodki lęk
Trzeci znak...

Niezbyt przyjemny głos Andzi niósł się po mieszkaniu, gdy Julian zaczesywał do tyłu jasne włosy i wkładał okulary, które w jego opinii dodawały mu powagi.

I tylko oczy zamglone, coś tam...
Wtedy na pewno wiem, że kochasz.

Poirytowany hałasem i zamieszaniem spowodowanym obecnością małego dziecka, które przed kilkoma miesiącami wdarło się w uporządkowane i spokojne życie tego domu, Julian zdusił w sobie chęć zwrócenia Andzi uwagi. Mogłaby chociaż uciszyć niemowlę, które leżało w wiklinowym koszyku, drąc się coraz rozpaczliwiej. Wiedząc, co dziewczyna przeszła w swoim niespełna dwudziestoletnim życiu, szczerze współczuł Andzi i z wyrozumiałością tolerował nieokrzesane maniery dziewczyny. Ciotka uratowała ją od wielkiej biedy, skrajnego poniżenia, może wręcz od śmierci. Julian ze stoickim spokojem znosił więc coraz bardziej uciążliwą obecność w domu głośnej i wścibskiej panny, która z każdym dniem zdawała się dawać do zrozumienia, iż czuje się pełnoprawnym lokatorem mieszkania przy Koszykowej. Kiedy widział, jak Andzia zamiast pomagać w kuchni – jak obiecywała – bezpardonowo buszuje po szafkach i szufladach w pokoju gościnnym, maluje się przed lustrem albo, nie zważając na dziecko, siedzi w fotelu w salonie i przegląda jakieś pisma, chwilami nachodziła go myśl, iż ta dziewczyna pozwala sobie nazbyt wiele. Nigdy jednak nie okazał jej swojego oburzenia.

Zuchwałe spojrzenie, jakim obdarzała niekiedy Juliana, i jej aroganckie pozy zdawały się przeczyć wizerunkowi okrutnie skrzywdzonej panienki, jaki Andzia odgrywała przed swoją wybawicielką. Ciotka nieustannie się nad nią litowała, nie wymagając właściwie niczego od dziewczyny, która tak wiele wycierpiała. Julian więc milczał. Ponury los dziewczyny był niejednokrotnie przedmiotem rozmów ciotki z paniami odwiedzającymi ją na podwieczorkach, w trakcie których omawiano z przejęciem sytuację, w jakiej znalazła się biedna panienka z prowincji, która zaledwie przed kilkunastoma miesiącami przyjechała za pracą do Warszawy, gdzie spotkała ją tak wielka tragedia. Coraz częściej jednak Julian zauważał, że Andzia w niedostateczny sposób odpłaca się swojej dobrodziejce.

W rodzinnym miasteczku dziewczyna była tylko obciążeniem dla siedmioosobowej rodziny, która powiększyła się o dziecko Andzi. Pewnego dnia panienka zabrała do małego tobołka swoje dwa skromne fartuszki, książeczkę do nabożeństwa i trochę bielizny, po czym, rzuciwszy się matce na szyję, obiecała zaraz po przybyciu napisać list. Odjechała furmanką do powiatowego miasta, skąd pociąg wywiózł ją do stolicy.

Powiedziano jej na dworcu, że pośrednictwo pracy ma miejsce pod kolumną Zygmunta, i tam się udała, brnąc przez zaspy śniegu w swoich dziurawych butach. W tłumie ludzi, spośród których większość stanowili wyczekujący posad mężczyźni, bardzo szybko podszedł do niej elegancko ubrany jegomość i wręczył jej bilecik z adresem przy ulicy Złotej.

– Idź tam szybko, jeszcze dzisiaj, jeśli chcesz pracę w salonie kapeluszy! To elegancki zakład, będziesz pomagać modystkom. Znasz się na szyciu? – zapytał.

Andzia oczywiście wyniosła taką umiejętność z domu. Nie mogła uwierzyć w swoje szczęście, ledwo przybyła, już oferowano jej pracę! Mężczyzna wytłumaczył jej, jak ma dotrzeć do salonu, po czym, nie tracąc czasu, Andzia ruszyła w drogę.

Dzięki wskazówkom kilku zaczepionych przez nią na ulicach osób dotarła pod wskazany adres, gdzie rzeczywiście mieścił się „Zakład kapeluszy" z niewielką wystawą od frontu, na której widniały piękne modele nakryć głowy. Dziewczyna weszła do wnętrza, które okazało się w środku ponure i puste. Powiedziała stojącej za ladą kobiecie o ofercie pracy, którą otrzymała pod kolumną Zygmunta.

Słysząc te słowa, starsza pani o nieprzychylnym wyrazie twarzy odłożyła na bok robótkę i zaczęła przyglądać się uważnie Andzi. Nie spuszczając z niej taksującego spojrzenia, wypytała o wiek, przebyte choroby i pochodzenie, po czym poprosiła ją na zaplecze. Dziewczyna szła potulnie za kobietą, o nic nie pytając, przez ciemny korytarz, jakieś zagracone pomieszczenia, wreszcie kilkanaście stopni w dół, aż niespodziewanie znalazła się w przesiąkniętej stęchlizną piwnicy. Nie zdążyła nawet pisnąć, gdy potężne drzwi pomieszczenia zatrzasnęły się za nią. Usłyszała szczęk kluczy i głos:

– Teraz zobaczymy, ile jesteś warta. Umyj się i czekaj. Niedługo przyjdzie do ciebie mężczyzna i masz się tak zachowywać, żeby był zadowolony!

Sądząc po odgłosach, kobieta oddaliła się, a Andzia z przerażeniem rozejrzała się po nędznej norze, w której została zamknięta. Oprócz miski i dzbanka z wodą stało tam tylko metalowe łóżko zasłane szarą, brudną pościelą. Z przeraźliwym rykiem dziewczyna rzuciła się na drzwi, waląc w nie pięściami. Nikt nie reagował. Chwilę po tym, gdy zmęczona płaczem zasnęła otulona śmierdzącą kołdrą, obudził ją jakiś otyły jegomość o oddechu przesiąkniętym śledziem z cebulą. Jednak Andzia tak kopała i wrzeszczała, że ten i kilku następnych odeszło z niczym.

– Ty głupia wieśniaczko, jak się nie weźmiesz do roboty i nie obsłużysz klienta, tak żeby był zadowolony, nauczymy cię rozumu! Ciesz się, że tutaj trafiłaś! Będziesz miała wikt i opierunek, a mogłaś wpaść w ręce tych band, co to dziewczyny statkami jak niewolnice wywożą do lupanaru w Argentynie! I wiesz, co tam się dzieje z tymi wieśniaczkami?

Gniją w dokach portowych albo sprzedawane są jak konie na targu. Dzień w dzień muszą obsłużyć z siedemdziesięciu klientów i nie ma odwrotu, nie ma możliwości ucieczki, bo łapią je i topią w morzu! Dobrze wiem, co mówię, słyszałam o tym wszystkim. Mówię ci, przestań się buntować, bo nikt ci tu nie pomoże. Co, może rodzina przyjedzie cię ratować? I niby jak cię tu znajdzie?

Rajfurka mówiąc, mlaskała, nie wyjmując przy tym fifki z papierosem z ust. Po kilkunastu godzinach leżenia w zatęchłym pomieszczeniu bez okien, gdy Andzia mdlała już prawie z głodu, przyszedł do niej jakiś mężczyzna w robotniczym ubraniu i powiedział jej, że zaraz weźmie, co mu się należy. Potem przyjdą też jego koledzy i nauczą ją rozumu, więc jeśli nie chce od razu mieć pięciu chłopów używających sobie jeden po drugim i jeśli chce zjeść chleba i słoniny, które ma dla niej przygotowane, niech szybko rozsuwa nogi i da mu zaspokoić potrzeby, z jakimi tu przyszedł.

Andzia bez słowa podwinęła sukienkę. Nie miała już siły znosić dłużej głodu.

Przez następne tygodnie przyjmowała potulnie klientów, słusznie dochodząc do wniosku, że może się wydostać z tego piekła tylko sprytem i sposobem. Czasami prosiła o podzielenie się z nią zawartością butelki, jaką większość z panów miała przy sobie – po solidnym łyku gorzałki było jej znacznie łatwiej. Wreszcie po kilku tygodniach trafiła na mężczyznę, któremu tak się spodobała, że przyszedł do niej po raz kolejny. Gdy pojawił się po raz czwarty, starała się, jak mogła, by sprawić mu przyjemność, a gdy było po wszystkim, rozpłakała się i opowiedziawszy mu swoją historię, błagała o litość. Wiele ryzykowała – gdyby poskarżył się rajfurce, skończyłaby na statku do Argentyny. Ale udało się. Trafiła na „przyzwoitego" złodzieja futer i wymogła na nim obietnicę pomocy.

Po kilku dniach człowiek ten wrócił z wiadomością, że z racji jej urody i walorów ciała pośredniczył w transakcji pomiędzy salonem kapeluszy a pewnym fotografem, który przyjdzie obejrzeć Andzię i jeśli uzna ją za dobry nabytek, zabierze ją do swojego zakładu, gdzie robi zdjęcia nagim kobietom w wyzywających pozach.

I w ten sposób dziewczyna znalazła się w mieszkaniu pewnej wdowy po kolejarzu przy ulicy Poznańskiej, gdzie urządzano nagie sesje fotograficzne. Andzia nie była pruderyjna, a po tym co ją wcześniej spotkało w piwnicy, z wielkim zapałem wyginała się, wypinała i prężyła swoje szczupłe, źle odżywione ciało przed aparatem, czasami nakładając jakiś częściowy kostium, kapelusz czy, wedle zaleceń fotografa, udając grecką boginię.

Wdowa nie traktowała jej źle, dopóki nie wyszło na jaw, iż Andzia spodziewa się dziecka, którego ojcem prawdopodobnie – choć dziewczyna sama tego nie wiedziała – był fotograf. Modelka z brzuchem była nikomu nieprzydatna, więc wyrzucono Andzię na bruk. Była wreszcie wolna, choć przy nadziei i bez grosza przy duszy. Bojąc się wracać na wieś do rodziny, żebrała o pieniądze na jedzenie, zaczepiając ludzi robiących sprawunki w Hali Koszyki, albo chodziła po okolicznych kamienicach, błagając o kawałek chleba. W takich okolicznościach spotkała ją ciotka Juliana i widząc biedną, ciężarną dziewczynę, zaczęła ją wypytywać o jej los. Gdy tylko dowiedziała się, iż Andzia sypia na ulicy, bez wahania zabrała ją do siebie, dała pracę, wikt i opierunek.

– Niech Andzia przestanie śpiewać, przecież ciocia jeszcze śpi! – zawołał Julian, uchyliwszy drzwi zajmowanego przez siebie pokoju.

Dziewczyna zamilkła, ustał też płacz niemowlęcia.

Julian przygładził włosy odrobiną brylantyny i przyjrzał się swojemu odbiciu. Bez odpowiedniego ubrania, krawata i okularów nie wyglądał nawet na swoje dwadzieścia cztery lata.

Upewnił się, że Andzia kręci się po kuchni, po czym wyszedł z pokoju na wąski korytarz, zabrał z wieszaka parasol i bez słowa opuścił mieszkanie. Schodząc po schodach z trzeciego piętra, nałożył na głowę kapelusz. Pełnym wigoru krokiem podszedł do przystanku na budzącej się do życia Marszałkowskiej, po czym wsiadł do dryndy, która nadjechała dosłownie chwilę później. Napięcie i pełna entuzjazmu gotowość rozpierały go od środka. Spoglądał na twarze wypełniających tramwaj ludzi, nie mogąc pojąć malującej się na nich udręki i beznadziei. Ludzie wyglądali, jakby jechali na stracenie, zmęczeni mimo rześkiego poranka.

Na ulicznym zegarze sprawdził godzinę, było dopiero wpół do ósmej, wysiadł więc u zbiegu Świętokrzyskiej i Marszałkowskiej i postanowił pójść do redakcji pisma pieszo. Szybki spacer pomógł mu opanować zdenerwowanie i skierował jego myśli na inne tory. Cudownie było tak iść raźno przed siebie zalanymi cytrynowym światłem ulicami, mijać ludzi śpieszących do pracy albo prowadzących ubrane w mundurki dzieci do szkół, patrzeć, jak sprzedawcy otwierają swoje sklepy, rozwijają eleganckie markizy, wystawiają przed wejściem kosze z owocami i kwiaty mające zachęcić klientów do wstąpienia do ich składu. Mijał zamiataczy ulic, czyścicieli butów ze swoimi stanowiskami, żebraków sadowiących się w strategicznych punktach ulicy i mknące jezdnią samochody i furmanki.

Chłonął widok ożywającego miasta, nieustannie rozważając, czy nazajutrz o umówionej porze rzeczywiście dojdzie do spotkania z piękną kobietą, poznaną sobotniego wieczoru w kabarecie Rex. Mimo iż minęło kilka dni od tamtych wydarzeń, dotąd nie mógł pojąć, jakim sposobem osoba tak wyjątkowa i szykowna jak Lilianna mogła zwrócić na niego uwagę, a co więcej, zaproponować mu wspólny spacer! Nic właściwie o niej nie wiedział, oprócz tego, że była z pewnością dystyngowaną damą, a obrączka na jej palcu wskazywała, iż także mężatką. Fakt ten zafrasował go, gdy padła z jej ust propozycja spotkania. Nie umiał wytłumaczyć tego inaczej, jak działaniem szampana, którego Lilianna wypiła tego wieczoru stanowczo zbyt dużo. Z pewnością jutro nie pojawi się pod pomnikiem Napoleona, ale on – skoro obiecał – stawić się tam musi.

Idąc ulicą Tamka w dół ku Wiśle, był tak zamyślony, że niemal przeoczył skręt w prawo, w ulicę Solec. Redakcja oraz zakłady graficzne Towarzystwa Wydawniczego „Bluszcz" mieściły się w kamienicy pod numerem 87.

Julian wszedł po schodach na drugie piętro, zadzwonił do drzwi, przy których wisiał szyld magazynu, jednak przez dłuższą chwilę nikt mu nie otwierał. W końcu zdezorientowany nacisnął klamkę i sam uchylił ciężkie drzwi, po czym przeszedł przez próg, wkraczając do świata, który w pierwszej chwili zaskoczył go hałasem i ogólnym wrażeniem chaosu. Jego uszy zaatakowała kakofonia dźwięków: stukot kilkunastu maszyn do pisania, gwar prowadzonych przez telefon rozmów, odgłosy szybkich kroków po trzeszczącym parkiecie i pogłos uderzających o drewno obcasów. Wąski korytarz biegł przez kilkanaście metrów w głąb budynku, a po jego obu stronach rozlokowane były otwarte na oścież pomieszczenia, w których przy stłoczonych jedno obok drugiego biurkach siedziały niemal same panie. Widać było, że w redakcji dramatycznie brakuje wolnego miejsca. Gdziekolwiek Julian spojrzał, na biurkach, parapetach, w szafach, nawet na podłodze, piętrzyły się stosy papierów, książek i pism.

Stał tak w progu kilka minut, nie wzbudzając niczyjego zainteresowania. Obok niego przechodziły wyraźnie zaaferowane kobiety z papierami w dłoniach, wszystkie nadzwyczaj szykownie ubrane i starannie ufryzowane. Każda dokądś biegła, miała coś pilnego do zrobienia, jakby świat za moment miał się zawalić.

W końcu Julian wszedł do pomieszczenia znajdującego się najbliżej wejścia, które szczęśliwie okazało się sekretariatem redakcji. Przedstawił się i powiedział, dlaczego przyszedł.

– Przepraszam pana, ale co tydzień mamy taki harmider we wtorki, kiedy oddajemy numer do drukarni. W piątek musi być już dostępny dla czytelniczek. – Sekretarka przerwała na moment pisanie na maszynie, spojrzała na Juliana i obdarzyła go uroczym uśmiechem mocno uszminkowanych ust. Jej granatową bluzkę w drobne kropeczki ozdabiał sznur pereł, które podkreślały bladość cery i ciemny brąz upiętych włosów.

– Krysiu droga, wiem, żeś szalenie zajęta, ale oto mamy tu pana Juliana Szewca, nowego pracownika, który będzie zajmował się ogłoszeniami reklamowymi. Zajmij się panem, powiedz mu, co i jak, ja muszę szybko przepisać list naczelnej do fabryki papieru, bo inaczej znowu możemy mieć problemy z drukiem. – Sekretarka zwróciła się do korpulentnej blondynki po trzydziestce, która właśnie przekroczyła próg pomieszczenia. Sukienka z zielonej wełny opinała jej obfity biust.

– Panna Krystyna Bobińska, miło mi.

Julian uścisnął dłoń biuralistki, która przypatrywała mu się z lekko figlarnym uśmiechem. Pomyślał, że nigdy nie widział na tak małej przestrzeni tylu eleganckich, czarujących, pełnych życia kobiet.

– Wie pan, że ostatnio przez strajki w fabryce nasz tygodnik musieliśmy wypuścić na rynek jako numer podwójny – wyjaśniła sekretarka, nie odrywając rąk od maszyny do pisania.

– Uszanowanie. – Julian ukłonił się, po czym przeszedł za panną Krysią do innego pomieszczenia, podobnie jak pozostałe zawalonego papierzyskami. Na ścianie wisiały oprawione w ramki okładki pierwszych wydań „Bluszczu".

– Wie pan, od kiedy ukazuje się nasz „Bluszcz"?

Julian przecząco pokręcił głową.

– Od 1865 roku! Fakt ten zobowiązuje nas wszystkich do wytężonej pracy, aby tygodnik, który oddajemy w ręce czytelniczek, kontynuował idee leżące u podstaw naszego pisma, ale też otwierał nowe horyzonty i wspierał nowoczesne kobiety w ich dążeniach do bycia lepszymi matkami, żonami i, ogólnie, wspanialszymi kobietami. Rozumie pan?

– Pięknie powiedziane!

Nie dość, że elegantki, to jeszcze idealistki – pomyślał Julian.

– Ale przechodząc do pana zadań... Tutaj ma pan oficjalne warunki ogłoszeniowe, jak pan widzi, za całą stronę tekstu pobiera się osiemset złotych, takie reklamy rzadko się niestety zdarzają, za pół strony czterysta, za jedną czwartą dwieście i tak dalej. Największym wzięciem cieszą się ogłoszenia drobne, a my chcemy to koniecznie zmienić, bo rozumie pan, że dla wydawcy naszego pisma przychody z reklam i prenumeraty są bardzo ważne. Przy ogłoszeniach seryjnych będą żądać od pana promocyjnych ofert i wówczas podpiszesz pan z danym reklamodawcą specjalną umowę. Jasne?

Julian kiwnął głową.

– Tu masz pan warunki prenumeraty, proszę pamiętać, że pracownicy umysłowi korzystają z dwudziestu procent upustu! A to bardzo duża grupa naszych czytelników. Musisz pan zawsze pamiętać o tym, że „Bluszcz" to elitarny tytuł dla kobiet obytych, wykształconych, ciekawych świata, które chcą spełniać wymogi nowoczesności, ale też szanują tradycję, interesują się sztuką, teatrem, literaturą i wszelkimi kulturalnymi prądami. Chcą wprowadzać nowinki do swoich gospodarstw i pragną też przy tym być szykowne, eleganckie... I tutaj masz pan pole do popisu.

– Doskonale to rozumiem, moja ciotka, u której mieszkam, jest wierną czytelniczką „Bluszczu", kobietą bardzo postępową, socjalistką...

– Panno Franiu, muszę gruntownie omówić pewien problem, z którym do mnie właśnie dzwonią. Proszę, niech pani pokaże biuro panu Julianowi i znajdzie mu jakieś, choćby tymczasowe miejsce do pracy. – Panna Krystyna zwróciła się do ślicznej brunetki w granatowej sukience z białym kołnierzykiem, która z teczkami pod pachą zjawiła się w jej gabinecie.

Julian podążył więc za kolejną panią. Ta weszła z impetem do zagraconego pomieszczenia sąsiadującego z sekretariatem, gdzie zaczęła przedstawiać mu kolejnych pracowników redakcji.

– A to jest nasz znakomity rysownik, pan Eugeniusz Burza. – Panna Frania wskazała na pochłoniętego pracą mężczyznę mocnej postury w średnim wieku, który jedynie na moment odwrócił twarz od wielkiej połaci deski kreślarskiej i powstającego właśnie rysunku wazonu z kwiatami. Papieros zwisał mu z kącika ust, a niesforne kosmyki czarnych włosów opadały na czoło. Wzrok miał pełen wściekłości, która wybrzmiała też w jego głosie:

– Rysownik... Do tego mnie tu sprowadzacie! Psiakrew! Jestem artystą malarzem, całkiem znanym w Wilnie! Tutaj los mnie sprowadził, bo przez taką jedną niegodziwą kobietę porzuciłem rodzinne strony. A żeby przeżyć w tej okropnej Warszawie, muszę się zniżać do takich oto „dzieł". – Szyderczym gestem wskazał na swój kwiatowy malunek. Mówił z wyraźnym wschodnim zaśpiewem i zmiękczonym „ł".

– Daj pan spokój, panie Eugeniuszu... Wszyscy tu pana szanujemy i podziwiamy pana talent.

– Gienek jestem. – Rysownik wyciągnął ku Julianowi dłoń. – Co tu będziesz robił, chłopie? W tym babińcu rzadko się zdarza, aby do pracy przyjęto mężczyznę.

– Pan Julian Szewc będzie odpowiedzialny za treść i sprzedaż ogłoszeń reklamowych oraz kwestie prenumeraty naszego magazynu – wesołym tonem wyjaśniła Frania. – Będziecie panowie współpracować, pomyślałam więc, że może znajdzie się w tym pomieszczeniu mały kącik dla pana Juliana...

– Możesz pan pracować przy tym biurku. – Gienek zamaszystym gestem zgasił papierosa w popielniczce pełnej niedopałków, po czym wskazał mebel z lakierowanego drewna stojący w rogu, przy oknie wychodzącym na wewnętrzne podwórze kamienicy. Na blacie, jak wszędzie, piętrzyły się sterty papierów i teczek. Na parapecie stała doniczka z paprotką.

– Tymczasowo oczywiście, może pan, panie Julianie, siedzieć na miejscu panny, to znaczy pani Markowskiej, która obecnie przebywa w podróży poślubnej, a kiedy wróci...

– Przecież nie wróci – ironicznym tonem wszedł pannie Frani w słowo Eugeniusz. – Jeszcze się nie zdarzyło, żeby któraś panna tu pracująca wyszła za mąż i wróciła do pracy w redakcji!

– Jestem pewna, że pani Markowska nie zrezygnuje z pracy w naszym piśmie, które jest tak bliskie jej sercu – hardo odparła panna Frania. Tłumacząc się koniecznością odebrania dzwoniących na okrągło telefonów, zostawiła Juliana i wyszła z pomieszczenia, nie zamykając drzwi.

– Rozgość się pan, jak chcesz zapalić, nie krępuj się, chociaż siedzi tu jeszcze jedna osoba, stara panna, co ma fioła na punkcie świeżego powietrza. Ciągle się spieramy, bo dokucza mi i zabrania tyle palić. Jeśli ty też będziesz potrzebował papierosa, to już będzie nas dwóch i osiągniemy przewagę! – To mówiąc, Eugeniusz wyciągnął w kierunku Juliana papierośnicę, z której ten wyjął papierosa. Zapalili. Gienek przez moment przyglądał się nowemu koledze, przez co ten poczuł się nieswojo.

– Młody pan jesteś... Widać, że życia nie znasz, ech... Ale i tak jestem zadowolony, że nie przyjęli kolejnej baby, tylko ciebie. Zawsze to jakaś pociecha mieć obok mężczyznę, do którego można się odezwać. Te kobiety tutaj czasami doprowadzają mnie do szału! Sam zobaczysz... One wszystkie są feministki. – Gienek ściszył głos i zaczął mówić szeptem: – Jakbyś kiedyś chciał, no wiesz, zaprosić którąś na lody albo na spacer, uważaj, bo z nimi nie jest łatwo. Niektóre są bardzo szykowne, ale mężczyzn traktują jak wrogów. I uważaj, żeby naczelna nie dowiedziała się, że do którejś smalisz cholewki, bo wezwie cię na rozmowę i tak dosadnie ci wyjaśni ideowe podstawy „Bluszczu", że ci się odechce obcowania z nowoczesnymi kobietami...

Julian kiwnął głową, przyglądając się ścianie pomieszczenia, na której widniały ponaklejane fotografie kobiet, rysunki prezentujące stroje i modne dodatki.

– Psiakrew, muszę to skończyć! – zawołał Eugeniusz i zaczesując do tyłu niesforne kosmyki włosów, podwinął rękawy koszuli, zarzucił krawat na ramię i wrócił do swojego biurka. – No, tylko mówmy sobie po imieniu, dobra? A po robocie zabieram cię na kielicha, jest tu blisko Elektrowni Powiśle taka mordownia, gdzie dają najlepsze w mieście rolmopsy z wódką!

Kiedy nieco później Julian spotkał w korytarzu pannę Franię, ta zatrzymała go z zafrasowaną minką, mówiąc:

– Niech się pan tylko nie zrazi przez narzekania pana Eugeniusza, bardzo pana proszę... Wszystko to przez to, że on czuje się niespełnionym malarzem. On ciągle się złości, uważa, że praca tutaj krępuje mu ręce, jest wiecznie sfrustrowany niemożnością dostania się ze swoimi pracami na salon niezależnych. Ale mimo tej postawy pięknie rysuje. Ma swój styl i czytelniczki bardzo lubią jego kreskę. On uważa, że rysunki do ogłoszeń, szkice ubrań i mody w piśmie to poniżej jego godności, nie chce się nawet podpisać własnym nazwiskiem, tylko inicjał stawia, ale prawda jest taka, że nawet okładka pisma może być sztuką, nie uważa pan?

– Jak najbardziej – przytaknął Julian.

– Czasami Eugeniusz nie ukrywa swojej złości, zwłaszcza w kwestii rysunków, które prezentują modę. Bierze na wzór paryskie modele, rysuje, czasem kopiując zdjęcia z zagranicznych magazynów, ale musi to wszystko upraszczać i dostosowywać do możliwości naszej czytelniczki, która przecież nie ubiera się na co dzień jak paryżanka, prawda? Trzeba dodawać lokalne akcenty, ograniczać zdobienia, nie można sobie folgować w detalach. Przesadna inwencja w modzie nie podoba się naczelnej, która woli skromność i umiar. Wie pan, nasza naczelna zawsze powtarza, że moda nigdy nie była traktowana w „Bluszczu" jako temat wiodący. Współczesna, inteligentna kobieta interesuje się nią marginalnie. Nowoczesna pani jest zaangażowana w istotne tematy rodzinne i społeczne. Owszem, chce wyglądać elegancko i szykownie, ale za rozsądne pieniądze i bez zbytecznych fanaberii.

– Obiecuję, że się nie zrażę i na pewno znajdę wspólny język z Eugeniuszem. Już mi się wydaje, że z niego jest równy chłop – zaśmiał się Julian. – Jestem pełen zapału panno Franiu. Mam już nawet pomysł na hasło reklamowe nowego tuszu do rzęs: „Rimmel – jedyny, wyodrębniający każdą rzęsę tusz wytwornej pani".

– Widzę, że ma pan wiedzę na temat płci pięknej! – roześmiała się Frania.

Pierwszy dzień pracy w redakcji Julian zakończył krótkim spotkaniem z bardzo zajętą redaktorką naczelną Stefanią Podhorską-Okołów, która zrobiła na nim wrażenie osoby bardzo poważnej, dla której „Bluszcz" i wszystko, co z nim związane, było sensem jej istnienia.

Po kilku dniach wysłano Juliana do starszego jegomościa, który po latach przepracowanych w różnych instytucjach handlowych wyłożył mu prawidłowości rządzące handlem.

– A przecież podstawą handlu jest co? Reklama! Właśnie reklama, która ostatnio rozwija się tak szybko! – tłumaczył

Julianowi. – Większość zakupów dokonywanych jest przez kobiety, to one układają plan wydatków i dysponują domowym budżetem. Do tego łatwiej niż mężczyźni poddają się reklamie. Każde ogłoszenie, które zamieścisz pan w „Bluszczu", będzie ciekawe, bo nasunie od razu całe szeregi pomysłów: na toaletę, odnośnie gospodarstwa, kokieterii. Kobieta z wrodzonej ciekawości czyta wszystkie anonse w pismach! Pan zaś, redagując te ogłoszenia, musisz tak je przemyśleć, aby czytelniczka, kierując się uczuciem, nie rozumem, uznała, że koniecznie mieć musi dany produkt albo że chociaż o tym wcześniej nie myślała, dana rzecz jest jej absolutnie natychmiast potrzebna! Rozumiesz pan?

Julian kiwał głową, myśląc, że doskonale poradzi sobie z tym zadaniem.

– Pamiętaj pan, każdy drobiazg ma tu znaczenie. Każda pani podąża za modą, nawet dla tej starej i brzydkiej wygląd jest ważny! Kobieta jest wciąż spragniona nowości i samo oznaczenie produktu jako nowego przyciągnie jej uwagę! – tłumaczył jegomość. – Weź pan na ten przykład pasty do zębów. Dzisiaj to już praktycznie produkt dostępny w większości domów, ciężko jest więc wyróżnić dany typ pasty jako tej, którą klient powinien wybrać. I tu masz pan przykład, jak rozwija się reklama – taki preparat o mało wdzięcznej nazwie Odol. I jakie hasło wymyślił pewien zdolny człowiek? Otóż uważaj pan! „Dobrze utrzymane zęby podnoszą urodę". Doskonałe, prawda? Do tego rysunek rozwartych w uśmiechu kobiecych ust. Takich haseł reklamowych potrzebujemy.

– Jak „Cukier krzepi" Wańkowicza?

– Dokładnie tak! Skoro pan jesteś poeta, to ta część pana pracy powinna pójść gładko.

Julian szybko poczuł się w redakcji „Bluszczu" niczym przysłowiowa ryba w wodzie. Podobał mu się chaos, harmider, napięcie i pośpiech, wieczna bieganina, panujące w biurze od rada do wieczora. Wszystko budziło w nim dobre odczucia: nieustający klekot maszyn do pisania, odgłosy rozmów, śmiechy i spontaniczne wymieniane zdania, ilekroć ktoś przechodził długim, wąskim korytarzem. Ujęła go serdeczna atmosfera i poświęcenie pracy, którą manifestowała każda – może z wyjątkiem narzekającego wciąż Eugeniusza – z pracujących tu osób. Entuzjazm zespołu szybko udzielił się Julianowi.

Wszystkie panie były dla niego nader miłe, częstowały kompotem przyniesionym z domu, plackiem albo ciasteczkami. Uśmiechały się do niego, nie traktując go – chłopaka na dorobku – tak jak traktowałyby materiał na potencjalnego męża. W ich oczach drobny, niedoświadczony Julian nie uosabiał prawdziwego mężczyzny z życiową pozycją, który mógłby zainteresować pragmatyczną pannę. Jedynie praktykantka z Wyższej Szkoły Dziennikarskiej – śliczna panna Jadzia – nieustannie zerkała na Juliana i wyraźnie się peszyła, ilekroć ten zwracał się do niej w rozmowie.

Panie pracujące w biurze – poza dwiema starymi pannami w „wieku balzakowskim" – były to w większości niezamężne, ciekawe świata młode kobiety o nowoczesnych poglądach. Nie krępowały się przy Julianie swobodnie rozmawiać o kwestiach damsko-męskich, plotkować o znanych osobistościach, rozmawiać o ubraniach, sposobach pielęgnowania urody, opowiadać o wrażeniach z potańcówek czy filmowych seansów, zachwycać się nową rolą jakiegoś amanta czy prześwitującą suknią rewiowej aktorki, o której mówiła cała Warszawa. Traktowały go trochę jak biurową maskotkę, damskiego sojusznika w spodniach, który swoją obecnością dodaje pikanterii ich egzystencji. Julianowi taki status jak najbardziej odpowiadał.

– Panie Julianie, pan to się nasłucha jak nigdy dotąd kobiecych sekretów, jeszcze przez nasze rozmowy obrzydnie panu płeć piękna – chichotała sekretarka naczelnej panna Jula, ten zaś zaprzeczał, kurtuazyjnie zapewniając o swojej dyskrecji.

Wszystkie one wydawały się Julianowi urocze, bardziej inteligentne od biuralistek, z którymi pracował w poprzednim miejscu zatrudnienia. Interesowały się literaturą, sztuką, teatrem i modą. Ekscytowały się nowymi powieściami, potrafiły zachwycić się nowym wierszem przesłanym przez kogoś do redakcji, a przy tym też wpatrywały się podniecone w przyniesiony przez którąś najnowszy katalog Domu Towarowego Jabłkowskich, w którym reklamowano okazje.

– O! Tydzień tanich jedwabi! Potrzebuję materiału w pasy...

– Tu masz, po trzy złote za metr, dawniej było po osiem! A *Marocain* teraz po cztery dwadzieścia, ostatnio taki piękny deseń widziałam...

– I jeszcze na wszystkich jedwabiach dziesięć procent ustępstwa! – mówiły jedna przez drugą.

– Piękne mają fasony na wiosenny sezon – wzdychała zajmująca się buchalterią panna Mela, najskromniej ubrana z wszystkich biuralistek, zapewne pochodząca z biednej rodziny.

Pierwszym ogłoszeniem reklamowym, które ukazało się w „Bluszczu" wedle pomysłu Juliana, była reklama preparatu do czyszczenia zębów.

Twardy orzech do zgryzienia,
Wciąż trudności nowe.
Tylko ten wyłuska ziarno,
Kto ma zęby zdrowe.
Zdrowie i siłę zębów zachowuje codzienne stosowanie proszku Dentosan.

Do zgrabnego wierszyka autorstwa nowego pracownika Eugeniusz – nie bez narzekań (*znowu zęby, pasty, psiakrew!*)

Rozdział 6

Maj 1934
Psychika mebli

W jeden z pierwszych majowych dni Julian, umówiony o piątej z Lilianną, z niecierpliwością wpatrywał się w zegar wiszący na ścianie korytarza redakcji. Dzień wlókł się niemiłosiernie, podczas gdy przez uchylone okno do pomieszczeń biurowych wdzierało się wiosenne powietrze, nasycone aromatem bzu i obietnic.

Spacery w towarzystwie Lilianny były tej wiosny zdecydowanie największą jej atrakcją. W cień odesłały nawet radość z nowej pracy. Idąc obok niej, Julian miał wrażenie, że widzi całe miasto od nowa. Olśniony patrzył na znane od lat budynki, kościoły i place, jakby zobaczył je po raz pierwszy w życiu, jakby od ponad dziesięciu lat nie budził się i nie zasypiał w Warszawie. Wszystko wydawało się inne, bogatsze i wspanialsze, jakby obszar centrum wraz z kwitnieniem drzew i kwiatów zamienił się w miasto cudów, które dane było mu zobaczyć po raz pierwszy.

Każdy z ich spacerów był inny i każdy przynosił niespodzianki. W jedno z majowych popołudni, wracając z eskapady na skraj Starówki, skąd patrzyli na szare wody Wisły, doszli do ulicy Mazowieckiej i Lili spontanicznie zaproponowała, aby choć na chwilę wstąpili do słynnej cukierni i kawiarni Mała Ziemiańska. Julian przyznał, że przekracza próg tego znanego lokalu po raz pierwszy.

– Wstąpmy chociaż na herbatę. Może uda nam się zobaczyć jakąś znakomitość literacką? – powiedziała Lilianna i wówczas, niemal jak na zawołanie, ujrzeli, jak z bramy jednej z kamienic po drugiej stronie Mazowieckiej wychodzi szczupły, wysoki jegomość w ciemnozielonym płaszczu, prowadząc na smyczy drobnego pieska. W tej chwili Lilianna ścisnęła mocno dłoń Julianna i podekscytowana szepnęła:

– To Tuwim! Matko Przenajświętsza, Tuwim!

– Dżończio, do nogi! – zawołał poeta, wziął pieska na ręce i szybkim krokiem przeszedł przez jezdnię, po czym wszedł przez obrotowe drzwi do wnętrza kawiarni Mała Ziemiańska pod numerem 12.

– Chodźmy! Musimy tam teraz wejść. – Lili ruszyła szybszym krokiem. – Ale nie myślałam, że ta myszka na lewej stronie jego twarzy jest taka... taka ciemna, okropna. Na fotografiach zawsze się ustawia z drugiej strony, ukrywa ten defekt, jak może. Trudno się dziwić. W sumie taki przystojny mężczyzna...

Weszli do ciepłego, gwarnego wnętrza kawiarni, minęli pierwsze pomieszczenie, gdzie ustawione były lady z ciastami i tortami na wynos, aby przejść do głównej sali. Niestety, każdy z okrągłych stoliczków był zajęty. Aromat kawy i świeżych wypieków mieszał się z papierosowym dymem, a wszechobecny gwar i tłok sprawiały, że miejsce to nie wydało się Julianowi specjalnie ciekawe.

– A więc to tutaj... – powiedział, spoglądając ku schodom, gdzie mieściło się słynne pięterko i stolik skamandrytów.

– Nie ma nic wolnego... Co za pech... Gdybym chociaż miała przy sobie któryś z jego tomików, a mam w domu kilka... Poprosiłabym go o dedykację. – Lili była niepocieszona. Stała, rozglądając się na boki, wzrokiem szukając Tuwima, który zniknął między stolikami. – O! Tam, zobacz! To musi być jego żona Stefania, piękna jak lalka. Ależ ma karakuły... Rzeczywiście szykowna kobieta. Podobno jest kochanką Wieniawy, choć z drugiej strony, jak to się mówi, „Wieniawa to siła wyższa" – szeptała podekscytowana Julianowi do ucha, mało dyskretnie wskazując na elegancką damę o wielkich oczach, z wyniosłym wyrazem twarzy. – Podobno on jest w niej ciągle szaleńczo zakochany, bez niej nie może przetrwać ani dnia, pisze te teksty kabaretowe, piosenki, wodewile, byle tylko jej zapewnić życie na wysokiej stopie i wszelkie dogodności... – Lilianna była wyraźnie zafascynowana poetą i jego żoną.

– Chyba dzisiaj nie zdołamy tu zostać na herbatę, może kiedy indziej. – Julian starał się sprawiać wrażenie zawiedzionego obrotem sprawy.

– Ale obieca mi pan, panie Julianie, że na pewno jeszcze tutaj przyjdziemy?

– Uroczyście to pani obiecuję!

Do trzeciej po południu dzień toczył się leniwiej niż zwykle, czego przyczyną była nieobecność naczelnej oraz kilku innych redaktorek, które pojechały na sympozjum *Nowoczesna myśl feministyczna*. Julian był rozkojarzony i z trudem pracował nad wymyśleniem czegoś oryginalnego na potrzeby reklamy pudru dla pań Ekstaza. Producent kosmetyku wyraźnie zażądał, aby ogłoszenie wyróżniało się na tle wielu innych, jakie znaleźć można było w kobiecych magazynach. A że reklam kremów i pudrów było w prasie najwięcej, Julian miał twardy orzech do zgryzienia. Jednak gra była warta świeczki, gdyż przedstawiciel producenta płacił aż za połowę strony, a dodatkowo obiecał ogłoszenie seryjne, jeśli reklama mu się spodoba.

Julian kreślił kolejne przychodzące mu do głowy pomysły na slogan, aż w końcu pomyślał, że musi zaryzykować i wykazać się inwencją – najważniejszy w reklamie był przecież pomysł. Wciąż miał w pamięci słyszaną poprzedniego dnia w biurze opowieść panny Meli, która nieoczekiwanie wzruszyła się, gdy była mowa o drukowanej w odcinkach w prasie nowej powieści *Dziewczęta z Nowolipek*. Ze łzami w oczach powiedziała, że ona też pochodzi z tamtych okolic, jest córką tragarza i dorastała w wielkiej biedzie. Ale teraz los sprawił jej niespodziankę, bo zakochał się w niej lekarz, który leczył jej uszkodzoną na skutek poparzenia skórę. Nieoczekiwanie doktor oświadczył się jej. Nie mogła uwierzyć we własne szczęście – miała zostać panią doktorową! Nie stałoby się tak zapewne, gdyby nie udało się przywrócić jej cerze pięknego wyglądu.

Wspominając tę opowieść, Julian sformułował tekst w formie przypominający list pewnej panny do przyjaciółki:

Droga przyjaciółko, winszujesz mi szczęścia i pytasz, jak to się stało, że ja, biedna stenotypistka, zostałam panią doktorową. Jan, mój mąż, od pierwszego dnia naszego poznania zwrócił uwagę na gładką, matową cerę mojej twarzy. A przecież ta subtelna skóra nie była moją zasługą, tylko pudru „Ekstaza" na bazie specjalnych pigmentów. Dlatego polecam ci go gorąco!

Pod spodem jeszcze fachowa informacja:

Puder z naturalnymi pigmentami, który odmłodzi i wzmocni twoją skórę.

Teraz brakowało tylko niewielkiego rysunku Eugeniusza, jakieś słodkiej twarzyczki, i ogłoszenie było gotowe, aby przedstawić je osobom podejmującym odpowiednie decyzje w firmie produkującej puder.

Czy sprzedawanie marzeń naiwnym dziewczynom nie jest zwykłym oszustwem? – Julian wahał się w myślach. Z drugiej strony, czytelniczki „Bluszczu" to inteligentne kobiety, nie uwierzą chyba w cudowne działanie pudru...

O trzeciej, kiedy Julian przebierał niecierpliwie nogami i niemal liczył minuty zbliżające go do szesnastej, kiedy mógł opuścić redakcję, jak na złość w pustym niemal biurze pojawił się dziwnie wyglądający jegomość, którego przerażona sekretarka naczelnej przyprowadziła do pokoju, gdzie pracował Julian.

– Panie Julianie, pan pozwoli, jest tu pewien pan, bardzo zdenerwowany... Żąda umieszczenia w naszym magazynie anonsu o niecodziennej treści...

– Proszę, niech pan porozmawia z naszym specjalistą od ogłoszeń reklamowych, proszę... – Panna Iga zwróciła się tymi słowami do gościa, który stanął przed biurkiem Juliana i przedstawił się:

– Panie drogi, jestem Adolf Mostowski i znalazłem się w sytuacji bez wyjścia. Od dziesięciu lat pracuję w urzędzie transportowym, mam rodzinę na utrzymaniu, żonę i troje dzieci. Niestety nasza córka ciężko rok temu zachorowała, potrzebowałem pieniędzy, aby podjąć leczenie za granicą. Moim największym błędem było to, że wziąłem pożyczkę od stryja, który wkrótce potem zmarł. Mój dług przejął bezwzględny pasierb stryjka i zaczął mścić się na całej rodzinie, która nigdy jego zdaniem nie traktowała go jak prawowitego syna zmarłego.

– A nie mogli tego panu rozłożyć na raty? – dopytywał Julian.

– Nie było nawet o tym mowy, bo w moim urzędzie taka spłata drogą procedury prawnej powoduje dymisję pracownika. Zażądano ode mnie natychmiastowego zwrotu, ja nie miałem środków, więc zagrożono mi aresztem pensji, potem nasłano na mnie zbirów... Zaczęli nachodzić mój dom, straszyć w pracy. Z nerwów nie mogłem wytrzymać, więc poszedłem po pożyczkę do takiego pewnego gościa, który znany był na całej Pradze z tego, że daje szybkie pożyczki i nie wymaga zastawu. No i z tych pieniędzy od Czarnego Wieśka spłaciłem rodzinę, a wpakowałem się w coś jeszcze gorszego... Teraz zostało już tylko ostateczne wyjście... – Mężczyzna ukrył twarz w dłoniach i zaczął szlochać.

Julian, coraz bardziej nerwowo spoglądając na zegarek, pomyślał, że najszybciej wybrnie z sytuacji, jeśli zredaguje drobne ogłoszenie, za które pan Adolf zapłaci od ręki, gotówką w sekretariacie.

– Szanowny panie, za najmniejsze ogłoszenie pobieramy opłatę trzydziestu złotych, ale panu proponuję następujący tekst za preferencyjną stawkę dwudziestu złotych: *Czy znajdzie się osoba, która pomoże uczciwemu urzędnikowi wybrnąć z sytuacji finansowej bez wyjścia? Zabezpieczenie dwóch ustalonych kolegów zapewnione! Spłata byłaby uskuteczniana miesięcznie w ratach po 50 złotych. Zgłoszenia do Administracji „Bluszczu" Hasło: „Sytuacja bez wyjścia".*

– A kiedy to się ukaże?

– Zrobię wszystko, aby zdążyć i dać to do najbliższego numeru, czyli w piątek ujrzy światło dzienne. Wybaczy pan, ale jestem umówiony i nie mogę się spóźnić, żegnam pana! – Julian chwycił z wieszaka swój płaszcz, kapelusz i niemal wybiegł z biura. Na Tamce złapał dorożkę, którą kazał się zawieźć czym prędzej na plac Napoleona, płacąc za ten krótki kurs jak za zboże. Nie mógł się jednak spóźnić.

Tego dnia Lili miała na sobie najmodniejszy kapelusz wiosenny, z rondem podwiniętym do góry, wykonany z atłasu i podpięty metalowym klipsem. Do tego założyła nowe palto z lekkiej wełny w drobną czarno-białą kratkę. Pod spodem nosiła prostą, gładką suknię *écru* z dekoltem w łezkę, na którą zdecydowała się w ostatniej chwili; początkowo planowała suknię przybraną kołnierzem z lisa. Jednak ten majowy dzień okazał się wyjątkowo ciepły, była więc w efekcie zadowolona, że zdecydowała się na jasną kreację.

Gdy wychodziła z domu, nie była pewna, czy dokonała właściwego wyboru – ciemny kolor wyszczuplał, jasny odmładzał... Dylemat ten był nierozwiązywalny i budził w Lili frustrację. Chciała wyglądać na szczuplejszą, niż była w rzeczywistości, a także młodziej niż dwudziestoośmiolatka. Julian wydawał się znacznie od niej młodszy. Skoro jednak – jak mówił – ponad cztery lata pracował w urzędzie telekomunikacyjnym, Lilianna doszła do wniosku, iż musiał mieć co najmniej dwadzieścia dwa lata. Gładka cera, jasne włosy i szare oczy, jakaś delikatność wypisana na twarzy, wszystko to sprawiało, że prezentował się niczym chłopiec, który ledwo wkroczył w dorosłość. Krocząc obok niego ulicami miasta, Lili nie chciała wydawać się dużo starsza, postanowiła więc nosić jasne kolory tkanin, odpowiednie, maskujące biodra fasony, filuterne kapelusze, a także niemal zrezygnować z czerwieni na ustach i nadmiaru pudru. Jedyne, co w jej wizerunku pozostało bez zmian, to brwi uregulowane w kształt czarnych kresek oraz przyczernione rzęsy.

O piątej pięć Julian czekał na nią jak zwykle na placu blisko jej domu, tuż pod pomnikiem Napoleona. Spojrzał na nią z tak wielkim zachwytem i błyskiem pożądania w oczach, iż poczuła się od razu bardzo dobrze, zadowolona ze swojej sylwetki, której odbicie śledziła w szybach mijanych witryn sklepowych.

Lilianna miała nadzwyczaj dobry nastrój – za kilka godzin czekała ją kolejna przyjemność, czyli wizyta w kinie na *Tańczącej Wenus* z Joan Crawford i Clarkiem Gable. Co prawda wychodziła jedynie w towarzystwie kuzynki, gdyż Tadeusz nie cierpiał *tej szopki ruchomych obrazów*, jednak każda wizyta w kinie była dla Lili prawdziwym przeżyciem.

Skrycie ekscytowała się filmami i gwiazdami kina, lubiąc zwłaszcza kino hollywoodzkie. Spośród aktorek najbardziej ceniła Gretę Garbo. Jej gra zachwycała powściągliwością, która tylko częściowo tuszowała emocje i doznania, jakie ta kobieta skrywała we wnętrzu. Jej rola w *Królowej Krystynie* wstrząsnęła Lilianną bardziej niż jakakolwiek teatralna kreacja. Przeniesione na scenę opowieści o narodowych tragediach nużyły ją równie mocno co lekkie burleski, niezbyt chętnie uczęszczała więc na spektakle, dużo więcej przyjemności czerpiąc z oglądania filmów, chociaż oficjalnie nigdy by się do tego nie przyznała. Obejrzane obrazy na długo pozostawały w jej głowie, wypełniając wiele pustych, szarych godzin nudnej egzystencji. W wyobraźni najczęściej spotykała przystojnego Clarka Gable'a z tym jego zawadiackim uśmiechem i uroczym wąsikiem. Uosabiał wszelkie wyobrażenia o idealnym mężczyźnie, który mógłby dać Lili szczęście.

Podobnie jednak reagowały wszystkie kobiety – praczki, pokojówki, panny na wydaniu, biuralistki i żony z towarzystwa – kino stało się najbardziej demokratyczną z rozrywek. Lilianna nie afiszowała się swoją miłością do filmów, zwłaszcza tych kręconych w Hollywood. Powtarzała mężowi, próbując przekonać samą siebie, że *oczywiście nie sposób porównać kina – plebejskiej rozrywki – z prawdziwą sztuką, czyli teatrem, ale kino jest koniecznością naszych czasów*. W duchu zdawała sobie sprawę, iż dużo większą przyjemność sprawiała jej wyprawa do sali kinowej, gdzie patrząc na aktorów, mogła bez skrępowania zajadać landrynki. Na szczęście nie musiała martwić się niechęcią, jaką Tadeusz darzył kino, skoro miała zawsze pod ręką Joasię, gotową w każdej chwili towarzyszyć Liliannie. Osiemnastoletnia dziewczyna, zapatrzona w ciotkę jak w obraz, szybko złapała bakcyla kina i za sprawą Lili stała się maniaczką filmową, która nie mogła przeoczyć żadnej premierowej nowości.

Tymczasem bliskość kroczącego blisko niej młodego mężczyzny dodawała Liliannie animuszu. Obdarzyła Juliana uroczym, nieco kokieteryjnym uśmiechem, po czym – ku jego zaskoczeniu – wzięła go pod ramię i ruszyli Mazowiecką w stronę Zachęty.

– Jaką wystawę chce mi pan pokazać, panie Julianie?

Miała dobry humor i rozpierała ją chęć zaznania nowych przyjemności.

– Portret kobiecy! Przyznam, iż w towarzystwie znanych malarzy z lokalu Zodiak słyszałem same pochlebne recenzje tejże wystawy.

– A więc chodźmy! A później, jeśli pan zechce, wstąpimy do kawiarni SiM – Sztuka i Moda, to niedaleko od Zachęty, na Senatorskiej. Był pan tam kiedyś?

– Przyznam, że nigdy, ale oczywiście z chęcią pójdę. Podobno bardzo tam wytwornie? – odparł Julian, w myślach kalkulując, ile może go to kosztować. Bilety na wystawę, do tego jeszcze kawa, nie daj Boże jakieś ciastko w modnym i drogim lokalu Sztuka i Moda.

– Och, tam jest niezwykle uroczo! Wszystko urządzone ze smakiem, głównie w bieli, na ścianach gustowne pamiątki oraz obrazy i szkice prezentowane w ramach aktualnej ekspozycji. Uwielbiam tam chodzić na spotkania z przyjaciółkami. Moja serdeczna znajoma Krystyna pokazała mi ten lokal i zabrała kiedyś na pokaz mody. Zakochałam się w tym miejscu od pierwszego wejrzenia! I chciałabym koniecznie je panu pokazać – zakończyła nieco kokieteryjnie swoją egzaltowaną wypowiedź.

Julian westchnął, w popłochu liczył w myślach pieniądze. Ale urok Lili sprawiał, że był gotów wydać choćby cały tygodniowy zarobek. Byle tylko starczyło mu na papierosy, bez których teraz nie mógł się obyć nawet przez godzinę.

Wystawa w Towarzystwie Zachęty Sztuk Pięknych bardzo zainteresowała Liliannę, która podziwiała twarze portretowanych kobiet, kolorystykę obrazów i z ciekawością przyglądała się z bliska zaschniętym na płótnie śladom pędzla. Chcąc zaimponować jej swoją wiedzą, Julian komentował poszczególne obrazy niczym znawca, powtarzając informacje przeczytane w recenzji z wystawy, którą właśnie szykowano do druku w „Bluszczu".

– Te panie są nadzwyczaj piękne! – zachwycała się Lili, szczerze zdziwiona nowoczesnym podejściem malarzy do kobiecej sylwetki. – Tak smukłe, wręcz idealne! – mówiła, wpatrując się w portrety pędzla Styki.

Julian zmieszał się nieco, bo w recenzji napisanej przez jego koleżankę z redakcji akurat krytykowano ten amerykański styl i żurnalowy, wyidealizowany wizerunek, domagając się pokazania kobiety prawdziwej – w trakcie pracy czy wykonywania codziennych czynności. Pisano, iż pokazuje się kobietę taką, jaką chciałaby wyglądać, a nie taką, jaka jest w rzeczywistości. Lili była jednak pod wrażeniem pięknych portretów. Julian również patrzył z zachwytem na nieodgadnione, nieco wyniosłe miny modelek, ich wystudiowane pozy i piękne toalety.

Lili obdarzyła go uroczym uśmiechem.

– Tak się cieszę, że tu przyszliśmy! – powiedziała.

Po wyjściu z budynku galerii skręcili w Senatorską, zmierzając ku kawiarni Sztuka i Moda, gdy niespodziewanie Lili przystanęła przy niewielkim kiosku z gazetami i z entuzjastycznym uśmiechem zaczęła czegoś wypatrywać.

– Ma pan najnowszy numer „Bluszczu"? – zapytała sprzedawcę.

– Płaci szanowna pani złoty dwadzieścia. – Starszy człowiek podał Lili zeszyt z widniejącym na okładce rysunkiem kobiecego kącika z komodą, krzesłem i wiklinowym koszem w kształcie wazonu, wypełnionym kłębkami wełny.

– Panie Julianie, musi mi pan dokładnie pokazać, które fragmenty pisma pan współtworzył, które treści są pana pomysłu! Bardzo proszę! Przysiądziemy na ławeczce w parku, chodźmy! Taki piękny dziś dzień, prawda? Naprawdę cudny...

Lili wzięła go pod ramię i weszli w kuszącą, gęstą zieleń Ogrodu Saskiego. Usiedli na jednej z ławek wokół majestatycznej fontanny.

– Co my tu mamy… – Lilianna zaczęła przerzucać kartki tygodnika. – O! Wiersz! *Wieczór wiosenny* Stanisławy Sznaper, piękne zdjęcie, *Maj* Poddębskiego… Uroczy wiejski pejzaż, ten płotek odgradzający sad… – komentowała.

– *Drażni mnie to wieczorne powietrze, niepokojące, jak drganie strun* – przeczytała fragment wiersza. – A ja, przeciwnie, wieczorem się wyciszam, zwłaszcza gdy przed zmierzchem ulice, chodniki, wszystkie budynki i wierzchołki drzew zalewa ciepłe złote, nawet nieco czerwonawe słońce! Niebo ma wówczas taką soczystą, żółtawą barwę, choć to nadal błękit. Ja się właśnie tym koję, świat wydaje mi się tak piękny, a życie tak bogate! Choćby tylko dlatego, że jestem tu i teraz, z panem, patrzę na te obsypane młodzieńczymi listkami drzewa, takie radosne, pełne wigoru… Świat mnie zachwyca. Taki wieczór jak ten to powiedzenie „tak" życiu, światu, uczuciom!

– Pięknie to pani powiedziała! – Julian wpatrywał się w jej twarz rozświetloną jakimś wewnętrznym blaskiem. W takich chwilach czuł, że – poza urodą i nieco naiwną fascynacją sztuką i artystami – w tej kobiecie jest jeszcze coś, czego dotąd nie udało mu się zdefiniować. Ale właśnie to „coś" przyciągało go do niej coraz bardziej.

– A czemu pańskiego wiersza tu nie zamieszczą, panie Julianie? Chyba wkrótce poznają się na pana talencie?

– Cóż, moje poezje mają zbyt awangardowy charakter, tutaj do pisma potrzeba czegoś prostego i pięknego, kwiatów, uczuć, kolorów. Kobiety tego właśnie oczekują.

– Chce pan powiedzieć, że pana poezja jest męska, niezrozumiała dla kobiecego czytelnika? – zapytała nieco poirytowanym tonem.

– Nie, skąd! Każda kobieta... może nie każda, taka, która rozumie sztukę, mogłaby uznać modernistyczne wiersze za ciekawe, ale sam drukuję w niezależnym piśmie „Format", więc tutaj chyba nie znalazłbym uznania... – plątał się Julian, na szczęście Lili zaczęła dalej kartkować „Bluszcz".

– Co tu mamy dalej... *Dusza kobiety w korpusie dyplomatycznym*, no, no, ciekawe... A to ogłoszenie pańskiego pomysłu? – zapytała, wskazując niewielki rysunek namydlonej głowy, nad którą umieszczone były napisy.

Julian zaczerwienił się. Reklama szamponu Pixavon nie brzmiała jak poezja. Kiwnął tylko głową, zawstydzony.

Kilka stron dalej znajdował się nieco lepszy tekścik z rysunkiem flakonika i kobiety.

– *Wytworna kobieta pragnie być dobrze perfumowana. Dlatego też wyróżnia się pachnącą wiosną i kwiatami Lady Eau de Cologne* – przeczytała Lili, dodając po chwili: – Och, to naprawdę dobrze powiedziane! Brawo!

– *Psychika mebli.* A co to takiego? – przeczytała kolejny nagłówek.

– To taki groteskowy opis historii mebla – wyjaśnił Julian.

– *Architektura wyobraźni...* – kontynuowała przegląd numeru Lilianna. – Piękne obrazki... *Jak pracują kobiety*, o! To ciekawe! Kasjerka... Znam jedną niezbyt przyjemną kasjerkę u Lourse'a w Hotelu Europejskim. Pobiera opłaty z tak przygnębioną miną, jakby jej ktoś krzywdę robił przez to, że przychodzi z rodziną po niedzielnej mszy lody kupić. A tu *Wychowanie fizyczne i sport*, o turystyce wodnej, to koniecznie muszę dokładnie przeczytać! Myślę już powoli, gdzie pojechać w tym roku na letnisko. A pan co planuje?

– Ja... Jeszcze się nie zastanawiałem... Matka moja z mężem swoim, to znaczy drugim mężem, bo ojciec mój zmarł, kiedy miałem ledwie dwanaście lat, mieszka teraz w majątku drugiego małżonka pod Radomiem, w pięknym miejscu, blisko rzeki. Może tam pojadę?

– A sporty jakieś pan uprawia? To konieczne, by iść z duchem czasów! Ja polecam z całego serca tenis.

– O! Tu jest jeszcze mój tekścik, *Parada kretonów*. – Pokazał jej palcem rysunki modnych pań w najmodniejszych kostiumach letnich.

– O, świetne, naprawdę! Napiłabym się czegoś zimnego! Tak dzisiaj gorąco. Chodźmy!

W pobliżu drewnianej konstrukcji Teatru Letniego, gdzie Lili planowała wkrótce przyjść na jakiś lekki spektakl, otworzono ogródek kawiarniany, do którego oboje z Julianem skierowali swoje kroki. Usiedli na bielonych, wiklinowych fotelach, prosząc o dwie szklanki czegoś dla ochłody.

– Polecam szanownemu państwu naszą specjalność: mazagran! Czarna kawa z lodem i odrobiną rumu – proponował kelner.

Zamówili orzeźwiający napój, od którego Julianowi zakręciło się trochę w głowie. Patrzył na Lili pijącą drobnymi łykami zimny czarny płyn i nagle przez myśl mu przeszło, że zaraz po prostu to zrobi, zbliży się do jej ust i zachłannie ujmie swoimi wargami jej wargi i wsunie pomiędzy nie język…

– Przepraszam, ale muszę wracać! Zapomniałem, że ciotka moja niedomaga i prosiła jeszcze, abym jej lekarstwa odebrał z apteki! – Wstał w popłochu, czując, jak pieką go uszy.

– Och, trudno. Do SiM-u wejdziemy innym razem. Przecież nie spotykamy się po raz ostatni, prawda? – powiedziała kokieteryjnie i podała mu dłoń do pocałowania.

Po kilku minutach siedziała już w dorożce, która zawiozła ją prosto pod kino Capitol na Marszałkowskiej, gdzie przed wywieszonymi w gablotach plakatami i zdjęciami z filmów stała już jej kuzynka. Widok zapatrzonej w fotografię Eugeniusza Bodo Joasi sprawił, że nagle Lili wpadł do głowy pewien pomysł. *Przemyślę to sobie przed snem* – powiedziała do siebie w duchu, witając się ze szczerze śmiejącą się do niej dziewczyną.

Tego dnia wyjątkowo magia kina na nią nie działała. W trakcie seansu filmowego nawet gibkie ciało uwielbianej Joan Crawford nie odwróciło jej uwagi od własnych problemów. Zamiast skupić się na śledzeniu całkiem interesującej fabuły, Lili poddała się swoim przemyśleniom.

Od dawna snuła fantazje o niezwykłym życiu, które kiedyś będzie prowadziła i opisywała w intymnym journalu. I teraz jej marzenie zaczynało przybierać realne kształty. Wreszcie była czyjąś muzą, istniała po to, aby inspirować artystę, który co prawda stał dopiero u progu kariery, ale może kiedyś dorówna najlepszym, a ona będzie wspominana przez innych jako ktoś, dzięki komu powstała wielka sztuka! Sama nie umiała pisać, komponować muzyki, ale umiała w miarę dobrze grać na fortepianie, uważała się za osobę zorientowaną w poezji i znawczynię nie tylko klasyki, ale również swingu i muzyki jazzbandów. Może nie miała wielu zdolności, ale była świadoma własnej urody i jej wpływu na mężczyzn. Dla młodego poety stała się wyjątkowa i fascynująca. Może Julian stanie się wkrótce kimś sławnym, na miarę na przykład Słonimskiego, a ona – niczym Maria Morska – będzie jego nie do końca spełnioną (nie zostawi przecież męża, aby należeć tylko do Juliana) wieczną miłością, do której kierował będzie swoje wiersze?

Czuła, że im więcej doznań czerpała z kontaktów z Julianem, im bardziej były one intymne i ekscytujące, tym więcej zrozumienia miała dla Tadeusza i tym bardziej podziwiała jego charakter. To honorowy, bardzo poważnie traktujący swoją pracę człowiek, doskonały prawnik. Potrafił zapewnić wygodny byt jej i dziecku. Gdyby tylko nie był tak niesamowicie nudny! Kochała go na swój sposób w dalszym ciągu, może nawet bardziej teraz, rozumiejąc, że jej marzenia snute zaraz po zamążpójściu były nieuzasadnione. Tadeusz nie umiał dać jej należytej przyjemności i nie był w stanie spełniać jej pragnień.

Nie umiała tego zdefiniować, ale w głębi duszy czuła, że byli kompletnie niedopasowani w intymnych relacjach, niedobrani seksualnie. Czekała na wrażenia i namiętność, jaka niekiedy rysowała się na twarzach bohaterek filmowych. Niestety, przyjemność, którą powinien dać jej mąż, nie nadchodziła mimo upływu lat. Ale Lili czuła, że istnieje. Czuła jej namiastkę, gdy sama próbowała dać sobie odrobinę przyjemności, czułości. Była wtedy taka samotna! Miała żal do Tadeusza, że nie potrafił jej zrozumieć, i marzyła o mężczyźnie, który w końcu nauczy ją, jak być spełnioną kobietą.

Wybierając podwójne życie, ratowała przed rozpadem swój związek z mężem. Ostatecznie mogła mieć dwóch partnerów, może nawet więcej niż dwóch, gdyby zorganizowała to wszystko odpowiednio. Wiedziała już, że Tadeusz nigdy nie zaakceptuje nowoczesnego modelu małżeństwa. Zrobił jej awanturę, zazdrosny o Żorżyka i ich wspólne wypady na miasto. Zrozumiała, że on nigdy nie będzie w stanie w milczeniu tolerować jej kochanków i nie pozwoli jej na swobodę. Inni potrafili tak żyć, nie tylko Boy, ale też mąż Marii Morskiej, ten wybitny matematyk – oni tolerowali wolność. Ale nie Tadeusz…

Wróciła do domu, gdy zapadł wiosenny zmierzch. Z ulgą pozbyła się za ciasnych pantofli, w których noga wyglądała jednak bardzo ponętnie, więc wartych cierpienia. Była bardzo głodna. Tuląc Tosię, będącą w doskonałym humorze, nie mogła doczekać się kolacji. Wesoło komentowała piękną pogodę, pierwsze szparagi kupione przez gosposię i teraz serwowane pod beszamelem. Bukiet pachnących bzów, który kupiła przed południem u ulicznego sprzedawcy, rozsiewał piękny zapach. Tadeusz siedział jednak osowiały, niemal się nie odzywając.

– Coś niedobrego zdarzyło się w biurze, mój drogi? – dopytywała Lili.

– Nie chodzi o pracę, chociaż w pewnym sensie tak… Jeden z klientów kancelarii widział cię na teatralnej premierze w towarzystwie kuzyna.

Tadeusz nie mógł pohamować zazdrości.

– Zapewne na *Marii Stuart*. Byłam z nim w teatrze w sobotę, w rzeczy samej. Nie chciałeś mi towarzyszyć, pamiętasz? Poza tym, mój drogi, przecież Żorżyk to rodzina! – Lili nie kryła oburzenia.

– Kuzyn to nie brat, Lilianno! – odparł ostro Tadeusz.

Przekonywała go, że Jerzy choruje; porzucony przez kobietę, którą miał poślubić, popadł w nałóg i stał się morfinistą. Potrzebuje pomocy, a dodatkowo jest tak chory, że – abstrahując od czegokolwiek – fizycznie nie podołałby obecnie miłości. Tłumaczyła z przejęciem, że traktuje go jak prawdziwego brata, że spędzili wspólnie część dzieciństwa, że nigdy, przenigdy on nie traktował jej inaczej jak siostrę, a insynuacje Tadeusza ją zabolały. Z przesadną emocjonalnością okazywała swoje oburzenie, kłamiąc, bo przecież nieraz jej myśli krążyły zbyt blisko przystojnego kuzyna. Oczywiście nigdy nie myślała o urzeczywistnieniu pewnych pragnień, ale przeszły jej nie raz przez myśl.

Te wyobrażenia dotyczące jej i Żorżyka zaczęły ją samą niepokoić od czasu wspólnego wyjścia do operetki. Po spektaklu, wraz z grupą nowych znajomych kuzyna, pojechali nocą do lokalu na daleką Pragę. Tańczyli tam jakieś szemrane tango, pili wódkę, zagryzając ją kiełbasą i kwaszonymi ogórkami. Alkohol dodał Jerzemu wigoru, jej również pomógł się rozluźnić i odrzucić konwenanse. Przytuleni do siebie w tańcu byli o krok od przekroczenia granicy przyzwoitości. Uważając taki wypad za szalenie ekscytujący i egzotyczny, Lili nie czuła się jednak komfortowo wśród ludzi znacznie poniżej jej poziomu i wróciwszy do domu, miała wyrzuty sumienia, że pokazała się w tak podejrzanym miejscu. Wspomnienie prześlizgującego się po jej piersiach i biodrach wzroku kuzyna jeszcze długo przyprawiało ją o szybsze bicie serce. Wiedziała, że lepiej będzie wystrzegać się na przyszłość jakichkolwiek wieczornych zabaw w towarzystwie Żorżyka.

Wniesione przez Marysię szparagi pachniały kusząco, jednak złość Tadeusza zupełnie zepsuła przyjemność płynącą z dobrej kolacji. Lili czym prędzej obiecała mężowi, że nie będzie już pokazywać się na mieście w towarzystwie kuzyna, za to udało się jej uzyskać przyzwolenie na spacery z mężczyzną o kobiecej urodzie, jak określiła Juliana, młodego poetę, który miał skłonności do pederastii, o czym wiedziała z kilku źródeł.

– Zrozum, jestem jego muzą, nie mogę mu zabronić tej niewinnej miłości, tym bardziej że, rozumiesz, z jego przypadłościami to całkowicie bezpieczne! – tłumaczyła.

– Moja droga – westchnął Tadeusz – co to za towarzystwo dla żony adwokata... Dałabyś spokój. Poeci, pederaści, dobry Boże! To jacyś odmieńcy, po co ci to? Czy nasze spokojne, dostatnie życie ci nie wystarcza? Nasza rodzina, ja, córka? Na litość boską, Lilianno! Czy to za mało? Opanuj się, kobieto!

– Zrozum, to tylko niewinne spacery, niekiedy wizyta w Ziemiańskiej, aby napić się pół czarnej. On chodzi tam, starając się nawiązać kontakt z jakąś sławną osobistością. Jestem jego inspiracją...

Tadeusz wstał i zaczął nerwowo chodzić po pokoju, szukając kasetki z cygarami. Kiedy w końcu ją znalazł, odciął gilotynką czubek cygara, zapalił je i rozsiadł się na swoim ulubionym fotelu, który nie pasował do nowoczesnego wnętrza, jednak był jego ulubionym meblem. Zapadnięty w pluszowe obicie ciemnooliwkowego zagłówka, palił spokojnie, delektując się smakiem tytoniu. Dym śmierdział tak ohydnie, że Lilianna czym prędzej pobiegła otworzyć okno.

– Nie obchodzi mnie ten fircyk poeta, ale przyrzeknij mi, że przestaniesz się pokazywać na mieście w towarzystwie kuzyna! – powiedział, wyraźnie chcąc zakończyć dyskusję. Lili potulnie złożyła obietnicę. – I jeszcze przysięgnij, że przenigdy nie wyrzucisz tego fotela! To jedyny sprzęt w tym domu, który pozwala mi naprawdę wypocząć!

Psychika mebli – pomyślała, przypominając sobie tytuł artykułu z „Bluszczu", który wcześniej tak ją rozbawił.

Uspokojony jej deklaracją, że nie będzie pokazywała się z Żorżykiem, Tadeusz złożył pocałunek na dłoni żony i zagłębił się w lekturze prasy, koncentrując swoją uwagę na sytuacji w Niemczech i ostatnich posunięciach Roosevelta.

Lilianna także zagłębiła się w lekturze „Bluszczu". Zaciekawił ją artykuł o tak teraz popularnym kajakowaniu, spływach Czarną Hańczą, poezji campingu. Sama musiała już planować wyjazd na letnisko. Zaczęła wyobrażać sobie rozkosz obozowania pod gwiazdami... W piśmie podawano nawet skład niezbędnego ekwipunku i ceny jego elementów: namiot z podłogą, materac, śpiwór, kuchenka spirytusowa... Potrzeba było co najmniej dwieście złotych, nie licząc wynajęcia kajaków i kosztów stancji.

Nagle przyszedł jej do głowy niezwykle śmiały pomysł. Musiała jak najszybciej rozmówić się z Julianem i rozpocząć odpowiednie przygotowania do letniego wyjazdu. Wstała z szezlongu i kierując się już ku sypialni, powiedziała na odchodnym:

– A czy wiesz, mój drogi, że we Francji kobieta została prezesem Rady Adwokackiej! Co ty na to?

Tadeusz wzruszył tylko ramionami, nie komentując tej informacji.

– Głowa mnie boli, muszę się położyć spać. Dobranoc! – powiedziała, wyraźnie dając mężowi do zrozumienia, aby tej nocy nie odwiedzał jej sypialni. Jej myśli koncentrowały się teraz wokół letniego wyjazdu na kajaki. Chciała jak najszybciej zostać sama i ułożyć sobie w głowie plan działania.

– Daj chociaż całusa. – Tadeusz wychylił nos zza gazety.

Lili złożyła pocałunek na jego czole i odeszła do swojego pokoju.

Rozdział 7

Maj 1934
W Ziemiańskiej po południu

W siedzibie redakcji magazynu „Bluszcz" przy ulicy Solec trwało zebranie zespołu redakcyjnego. Pracujący tu od dwóch miesięcy Julian siedział w rogu pomieszczenia, z nogą założoną na nogę, z papierosem w jednej dłoni i notatnikiem w drugiej, skrupulatnie zapisując wszelkie kwestie, które mogły dotyczyć jego zadań. Ubrany w kamizelkę, świetnie spłaszczającą klatkę piersiową, marynarkę i szerokie spodnie w kant oraz krawat, Julian czuł się pewnie i męsko. Kiedyś usłyszał na korytarzu, jak sekretarki dyskutują o nim, mówiąc, że jest ładnym chłopcem, co mocno podbudowało jego pewność siebie.

Obok Juliana rozlokował się Eugeniusz, który nerwowym ruchem obracał w palcach pudełko zapałek, zapewne myśląc, że traci czas, słuchając dywagacji o artykule wstępnym: czy to powinna być higiena w domu, czy zasady wychowywania dzieci, a może nowoczesna kobieta pracująca?

W pomieszczeniu było szaro od papierosowego dymu, na biurkach piętrzyły się stosy papierzysk, tak liczne i wysokie, że ledwo było widać zza nich głowy redaktorów i redaktorek. Sekretarka głośno waliła w klawisze maszyny do pisania, na bieżąco spisując raport. Naczelna, Stefania Podhorska, siedziała na głównym miejscu u szczytu długiego stołu, nerwowo paląc papierosa, z zafrasowaną miną przeglądając znajdujące się w opasłej teczce materiały i na razie w milczeniu przysłuchując się dyskusji. Sprawowała osobistą pieczę nad działem recenzji teatralnych, zawsze mając gotowe na czas swoje krytyczne, wnikliwe teksty dotyczące premier, na które chodziła systematycznie.

– Wiecie, że zależy mi, aby kobiety polskie czerpały z naszego pisma przykład, aby powielały dobre wzorce – odezwała się wreszcie. – W dzisiejszych tak ciężkich czasach nie blichtr i mrzonki interesują kobiety, ale realne pomysły, jak polepszyć swoją sytuację, jak być przydatną dla rodziny. Dzisiaj, w dobie kryzysu, polskie kobiety gotowe są porzucić szydełkowe robótki i bezczynność na rzecz prawdziwej pracy! – mówiła coraz bardziej podniosłym, surowym tonem. – Pokażcie, co kobiety osiągnęły gdzie indziej, że pracują w zawodach dotąd uważanych za typowo męskie i że jest to jedyny słuszny kierunek dla rozwoju ludzkości! Opiszcie społeczne inicjatywy, nowoczesne postawy.

– Na przykład we Francji po raz pierwszy kobieta została prezesem Rady Adwokackiej! – odezwała się redaktorka Majewska, jak zawsze starając się przypodobać naczelnej i jak najszybciej poddać pomysły, które były zgodne z jej linią myślenia.

– No właśnie! Ale o tym zdaje się już pisaliśmy – przytaknęła Stefania. – Takie przykłady mi dajcie! No dalej!

Grono redaktorów nerwowo zaciągało się papierosami, wpatrując się w swoje notatki. Umilkła maszyna do pisania.

– Na litość boską, otwórzcie okno! Powietrza wpuśćcie! – zniecierpliwionym tonem powiedziała naczelna, przerywając nieznośną ciszę. Atmosfera coraz bardziej gęstniała, nie tylko od dymu, ale od strachu przed wybuchem gniewu szefowej.

– Może napiszmy o schroniskach dla matek i dzieci? – niepewnym głosem zaproponowała redaktorka Korytko.

– Dobrze, chcę mieć materiał na biurku do końca dnia.

Znowu rozległ się stukot maszyny do pisania.

– O, mam! – wyrwała się Krajewska, młoda biuralistka szukająca męża wśród ludzi pióra. – W cyklu *Kobieta w świecie i w domu* pokażmy kobietę toreadora! Co prawda walczyła z młodym bykiem, ale zawsze! I mam jeszcze informację, że w Anglii wybrano dużą liczbę kobiet burmistrzów!

– Ile? – rzuciła Stefania ostro. – Co to znaczy dużo? Dwie na setkę mężczyzn?

Krajewska z paniką przeglądała notatki, nie mogąc udzielić odpowiedzi.

– Krajewska, zorientujcie się lepiej w temacie – westchnęła naczelna.

– Ja planuję opisać nowy, fascynujący przejaw mody, mianowicie rękawy i mankiety, zupełnie nowe fasony pokazują krawcy paryscy – wypowiedział się Stefan tonem, który świadczył o pewności siebie.

– Dobrze, dobrze – przerwała zniecierpliwiona Stefania. Nie interesowały jej szczegóły strojów, połączenia barw i tkanin. – Proszę tylko mieć na uwadze, że moda przynosi Polkom wiele pokus, które trzeba uzgodnić niestety z rodzinnym budżetem. Nie możemy więc zachęcać czytelniczek do nadmiernych wydatków!

– Jakie reportaże planujecie, Osińska? – zapytała naczelna. Jej mina wyrażała rosnące niezadowolenie.

– Mam na uwadze bardzo kontrowersyjny, ale ważny społecznie temat o samobójczych śmierciach. Rozmawiałam z jedną dziewczyną w szpitalu, przypadkiem ją spotkałam, odwiedzając członka rodziny. Ta młodziutka panna pracowała w fabryce guzików, truła się już czwarty raz, zażywając esencję octową.

– Och! – wykrzyknęła Krajewska i kilka innych kobiet. – Dlaczego?

– Doskwierał jej brak powodzenia u mężczyzn. Sama prosiła, żebym opisała jej przypadek. Stwierdziła, że kiedy ktoś przeczyta o niej w gazecie, wyda się panom bardziej tajemnicza i interesująca... Cóż za głupota, a dziewczątko śliczne, tak młode...

Siostry ze szpitala opowiadały mi, że coraz więcej kobiet się truje. Najtragiczniejsze są te milczące. Niby żyją, jak należy, pracują i nagle uśmiercają się – zostawiają listy i tyle.

– Musiałabyś opisać kilka różnych przypadków, przedstawić przyczyny. Ale temat jest dobry, mocny! Takich tematów nam trzeba, nie tylko Krzywicka może powiedzieć coś o sytuacji kobiet! – Naczelna wreszcie wydała się zadowolona. Poprosiła sekretarkę o pół czarnej i już spokojniejsza, przeszła do innych zagadnień.

– Jak stoimy z prenumeratą? Zaraz przyjdą letnie miesiące, a wtedy sprzedaż zawsze słabnie. Jakie macie pomysły? – zapytała.

Ciszę odważył się przerwać Julian. Serce mu biło gwałtownie, gdy zaczął mówić:

– Jak wiadomo, dla każdego czasopisma najważniejsza jest propaganda, jaką robią mu jego czytelniczki. Dlatego może zaproponujmy, iż do każdej półrocznej prenumeraty dodamy upominek, zestaw kosmetyków pielęgnacyjnych na ten przykład! Czytelniczka mogłaby wybrać z góry, które z proponowanych specyfików chciałaby uzyskać, w ten sposób otrzyma nie tylko ulubiony periodyk, ale też coś wyjątkowego. A każdy, to znaczy każda kobieta, potrzebuje odpowiednich preparatów, które podkreślą jej naturalną urodę.

Naczelna spojrzała na niego z wnikliwością, która sprawiła, iż wystraszył się zdemaskowania. Stefania po prostu nie umiała sobie przypomnieć nazwiska nowego pracownika.

– Panie... – zaczęła, zawieszając głos.

– Julian Szewc.

– Panie drogi, ma pan rzeczywistą wiedzę na temat gustów kobiet, ale skąd, proszę powiedzieć, wezmę darmowe kosmetyki do rozdania, na ich zakup nie mamy środków, jak pan doskonale zdajesz sobie sprawę.

– Rozmawiałem ostatnio z klientami, którzy planują zamieścić ogłoszenia reklamowe w naszym piśmie, mógłbym z nimi porozmawiać o upominkach dla prenumeratorek, w zamian dałbym, to znaczy „Bluszcz" udzieliłby takiemu klientowi ustępstwa na ogłoszenia seryjne.

– Pamiętajmy, że pracownicy umysłowi i tak korzystają z dwudziestoprocentowego ustępstwa! – rzucił buchalter Krajewski.

– Dobrze, potrzebujemy wpłat z góry, prenumerata to dla nas priorytet. Proszę pana, panie Julianie, o propozycje na piśmie. Niech pan wstępnie porozmawia z ogłoszeniodawcami. Tylko proszę pamiętać, że nasze czytelniczki to kobiety rozsądne, niezainteresowane krótkotrwałymi przejawami mody. Nie możemy kusić czymś banalnym, szamponem czy pudrem.

– Dobrze, co dalej? Dostałam artykuł o naszej utalentowanej malarce Oldze Boznańskiej, będę wnosić poprawki. Co jeszcze?

Ledwo redaktor Majewska wydobyła z siebie głos, do sali weszła panna Krysia, prosząc Juliana do telefonu.

– Teraz? – obruszyła się naczelna.

– Jakaś pani dzwoni roztrzęsiona, coś pilnego.

Julian zmieszany wstał z krzesła i przeciskając się między ludźmi siedzącymi na krzesłach ustawionych w przejściach pomiędzy biurkami, przeprosił i wyszedł z sali.

– Boże święty, coś się musiało stać z ciotką – mruknął pod nosem i wziął do ręki odłożoną słuchawkę aparatu telefonicznego. Panna Krysia usiadła na swoim miejscu, oparła łokcie na blacie biurka i wpatrywała się w niego wyczekująco wielkimi niebieskimi oczami.

– Halo?

– Halo? Julian? – odezwała się Lilianna pełnym podekscytowania, słodkim głosikiem.

– Ach, to pani, wystraszyłem się – odetchnął z ulgą Julian. Krysia wpatrywała się w niego z jeszcze większym przejęciem. Odwrócił się do niej plecami, owijając się w kabel łączący słuchawkę z aparatem.

– Słucham? Jestem w pracy, mamy zebranie zespołu redakcyjnego – szepnął.

– Och, wybaczy pan, panie Julianie, ale to naprawdę ważne! Otóż byłam w Ziemiańskiej zamówić tort na urodziny kuzynki, przysiadłam, by wypić herbatę, i co widzę? Nie uwierzy pan! Nagle przez obrotowe drzwi do lokalu weszła ona! Irena Krzywicka! Ona we własnej osobie. Od razu ja poznałam! Ubrana w aksamitny beret, a za nią Boy we własnej osobie. Staro potwornie wygląda, taki blady, zasępiony... Patrzyłam, jak idą na półpiętro!

– To świetnie, cieszę się, co za niespodziewane zdarzenie!

– Właśnie! Przecież oni zwykle nie przychodzą o tych godzinach! Och, taka jestem podekscytowana, telefonuję do pana z kawiarni, użyczono mi aparatu. Proszę jak najszybciej przybyć tutaj! Sama nie mogę dłużej siedzieć przy kolejnej herbacie! Jestem mężatką, nie jakąś sawantką wpatrzoną w ważne osobistości! Niech pan przyjdzie natychmiast, błagam pana! – wołała rozpaczliwym głosem.

– Ale nie mogę, nie mam jak...

– Coś pan wymyśli! Muszę kończyć, błagam pana! Czekam, proszę mnie nie zawieść! I proszę się pośpieszyć! Pa.

Rozłączyła się. Julian z westchnieniem odłożył słuchawkę. Nie wiedział, jak rozwiązać ten nagły problem. Z duszą na ramieniu wrócił na salę, gdzie ludzie wstawali już z krzeseł. Zebranie było skończone. Zdenerwowany i przejęty obawą, iż jeśli nie pojawi się w Ziemiańskiej, Lili obrazi się na niego i nie będzie chciała go widzieć, pokornym tonem poprosił naczelną o zwolnienie z pracy na dwie, trzy godziny, tłumacząc się sprawą osobistą.

– Dobrze, dobrze – odparła Stefania tonem, w którym wyczuł niezadowolenie.

Nie zastanawiając się jednak zbytnio, chwycił z wieszaka płaszcz i kapelusz, po czym wybiegł z biura na ulicę Solec. Padało, a on nie miał parasola. W kiosku na rogu kupił „Kuryer Codzienny" i trzymając gazetę nad głową, ruszył szybkim krokiem Tamką, śpiesząc się z całych sił. Kiedy docierał do Świętokrzyskiej, zobaczył w oddali przed sobą strzelistą sylwetkę górującego nad dachami kamienic niebotyku i rzucił się biegiem w jego kierunku. Serce biło mu szybko, bolał go brzuch, ale świadomość, iż sprawi Lili przyjemność i zyska w jej oczach, niosła go jak na skrzydłach. Brzmiał mu jeszcze w głowie podniecony ton jej głosu. Zapomniał o głodzie, o robocie, którą i tak będzie musiał dzisiaj wykonać, mając w perspektywie telefony do klientów i tłumaczenie się przed rysownikiem, który zapewne nie ma zamiaru na niego czekać. Nic nie było ważne, ze wszystkim sobie poradzi, byle tylko ją zadowolić, byle jej nie zawieść i spełnić jej życzenia.

Skręcając już w Mazowiecką, zwolnił nieco kroku, starając się uspokoić oddech. Pomyślał, że być zakochanym to szczególny stan, kiedy mózg modyfikuje rzeczywistość, kiedy sama nadzieja na miłosne spełnienie wystarcza, aby najdrobniejsze zdarzenie zwiastujące powodzenie w tej kwestii uczyniło człowieka szczęśliwym, zadowolonym z życia, jakby siła pragnienia była na tyle duża, aby usunąć w cień wszelkie wątpliwości i pojawiające się niekiedy poczucie braku sensu.

Biegnąc z pracy do Ziemiańskiej, zdał sobie sprawę, że pokochał Lili w chwili, kiedy zobaczył ją po raz pierwszy, i choć wiedział, że dojrzała piękność, mężatka i matka, była dla niego nieosiągalna, brnął w tę znajomość, jakby stracił instynkt samozachowawczy.

Przeszedł parę kroków, wpatrując się w nowości wyeksponowane na wystawie księgarni Mortkowicza, do której bardzo lubił chodzić i godzinami swobodnie wertować książki, rozłożone na wielkich stołach, aby każdy mógł je dotknąć i obejrzeć. Przez moment pomyślał, że zajrzy tu po wyjściu z Ziemiańskiej, gdy nagle uzmysłowił sobie, że nie ma przy sobie prawie żadnych pieniędzy! Dopiero nazajutrz mieli wypłacać tygodniówkę w redakcji.

Zdenerwowany, niemal w panice, przeszukał kieszenie i wygrzebał z nich jedynie dziewięćdziesiąt groszy. Weźmie więc tylko herbatę za siedemdziesiąt, dwadzieścia groszy starczy akurat na szatnię. Ledwo podniósł głowę, otarł wierzchem dłoni spocone czoło, gdy pojawiła się przed nim Lilianna, teraz już bardziej przestraszona niż podekscytowana. Ubrana w popielaty płaszczyk i zawadiacki kapelusik, nieco zbyt mały jak na jej okrągłą twarz, zwróciła ku niemu swoje błagające o pomoc oczy.

– Dziękuję panu po stokroć! I tak chyba nie odważę się do niej przemówić…

Policzki miała cudownie zaróżowione. Zachwycała elegancją i szykiem.

Byli już w Ziemiańskiej kilka razy o różnych porach i nigdy nie udało się im spotkać Krzywickiej, która była kimś tak ważnym dla Lilianny. Aż do dzisiaj, może dlatego, że w porze poobiedniej lokale były nieco bardziej puste?

Julian pchnął obrotowe drzwi i znaleźli się w gwarnym, dusznym pomieszczeniu. Nie myśląc o szatni, Lili od razu przeszła obok lady pełnej kuszących ciast i tortów do dużej sali, gdzie bystrym okiem wypatrzyła, iż panie siedzące przy jednym z tłumnie obleganych stoliczków zbierają się do wyjścia.

Od dymu papierosowego piekły wręcz oczy, a żołądek ściskało na widok pączków na talerzykach, które obok szklanek do połowy wypełnionych czarną kawą ledwo mieściły się na małych marmurowych blatach. Przysiedli tak, jak stali, w płaszczach, nie zdejmując nawet kapeluszy – zresztą wielu gości podobnie jak oni nie korzystało z szatni. Usadowili się tyłem do ściany pokrytej w dolnej części boazerią, w górnej lustrem, tak aby swobodnie móc obserwować schody wiodące z półpięterka i ludzi przechodzących przez salę do wyjścia.

Julian zamówił herbatę, licząc na to, że Lili weźmie chociaż parę ziemianek i będzie mógł skosztować tych malutkich pączków.

– Mój Boże, kawy już nie dam rady wypić... też herbatę poproszę, z cytryną! – powiedziała Lilianna, gdy pojawił się kelner.

– Co ja mam jej powiedzieć? Że ją uwielbiam? Że chciałabym żyć tak jak ona? To takie trywialne, nie ma najmniejszego sensu – martwiła się Lili, poprawiając ozdobną broszkę w kształcie liścia, która zdobiła jej *foulard* w burgundowym kolorze. Julian wpatrywał się w pomalowane, czerwone usta, których ślad zostawiała za każdym razem, gdy dotykała wargami filiżanki.

– Zobacz – szepnęła nagle histerycznie Lili – czy to nie Lechoń? Ten wysoki, chudy, w okularach, taki obdarty i w zarzuconym na szyję szaliku. Idzie na półpiętro!

– Nie... to niemożliwe, pani Lilianno, Lechoń przecież przebywa obecnie w Paryżu jako attaché kulturalny.

– Pasuje do opisu. Jest podobno taki elokwentny... Ceni pan jego poezje?

– Powiem szczerze, ten patos i umiłowanie romantyzmu, to skupienie na Słowackim mnie absolutnie nie porusza. Podniosły ton, ta nabożność... Nie!

– Żadnego ze skamandrytów pan nie ceni? Jako poeta w niczym ich pan nie podziwia? – zapytała lekko poirytowanym tonem, najwyraźniej podenerwowana czekaniem.

– Każdy z nich to odmienna osobowość, ale nie stworzyli niczego, czego by nie napisał wcześniej Staff, którego pani tak ogromnie ceni.

– A Iwaszkiewicz?

– Zdecydowanie wolę jego prozę, opowiadania pisze wprost doskonałe! Ostatni zbiór, *Panny z Wilka,* to mistrzostwo!

– A Słonimski?

– Czytuję jego kroniki tygodniowe...

– Wierzyński?

– Cóż, „Przegląd Sportowy" mnie nie interesuje, jego wiersze... czy ja wiem?

– Ale poezję Tuwima chyba pan cenisz? – Lili była już wyraźnie niezadowolona.

– O tak, co prawda nie wszystko, co napisał, ale oczywiście ma on niezwykły instynkt polskiego słowa! Na ten przykład wplatanie potocznej mowy w wiersz to jest coś nowego i... – Nie dokończył zdania, gdyż Lili nagle ścisnęła mocno przegub jego dłoni, zbladła i szepnęła: „Wychodzą!".

Julian dyskretnie spojrzał w kierunku schodów, po których schodziła jako pierwsza drobna, elegancko ubrana kobieta o czarnych, krótkich włosach. Tuż za nią podążał Boy – nie sposób było nie rozpoznać jego zwalistej sylwetki. Wielki mężczyzna w dwurzędowym garniturze, ze słynnym wąsem i błyskiem ciemnych oczu. Wyglądał na zmęczonego wszystkim, co ostatnio go spotkało, szykanami, pomówieniami i zmasowaną krytyką.

Po chwili, przeciskając się miedzy stoliczkami, para przeszła przez ciasno wypełnioną salę, na której dziesiątki oczu odprowadzało ich spojrzeniami. Krzywicka przystanęła przy wyjściu, czekając, aż podany jej zostanie płaszcz. Szukała czegoś w torebce, gdy Julian nagle wstał i chwytając za odzianą w rękawiczkę dłoń Lilianny, pociągnął ją wręcz za sobą.

Krzywicka podniosła wzrok i jej czarne oczy badawczo spoczęły na Liliannie, która uśmiechnęła się zażenowana niczym pensjonarka i z trudem pokonując onieśmielenie, powiedziała:

– Przepraszam ogromnie, że pani przeszkadzam. Nazywam się Lilianna Korczyńska, mój mąż jest adwokatem, podobnie jak…

– Jak mój? Nie mam przyjemności znać pani małżonka – odparła Krzywicka. Mówiła energicznie, dźwięcznym, pewnym siebie głosem.

– Chodzi o to, że ja ogromnie panią podziwiam, chciałam podziękować za artykuły, za to wszystko, co pani robi dla kobiet. Chciałabym bardzo być taka jak pani! Też mam dziecko…

– Dziękuję. Proszę przesłać mi jakieś teksty, co pani pisze?

– Ja nie… ja niestety nie piszę, ale uwielbiam literaturę, czytam właśnie Prousta… Ale…jestem tylko czytelniczką. Interesuję się sztuką, psychologizmem… – Speszona Lili ze wzrokiem wbitym w podłogę zaczynała się nieco jąkać.

– Skoro pani niczego nie tworzy, nie może być pani taka jak ja! Przepraszam, muszę poszukać pana Żeleńskiego. Miło było poznać wielbicielkę – odparła z wymuszonym uśmiechem Krzywicka, podała dłoń Lili i szybko podeszła do obrotowych drzwi, pchnęła je i wyszła na ulicę, gdzie czekał już na nią palący papierosa Boy.

Lilianna blada jak ściana wróciła do stolika, bez słowa wyjęła z wyszywanej koralikami portmonetki dwa złote, położyła je na stoliku i oświadczyła, że musi już iść.

Julian wybiegł za nią na ulicę. Nie czekając na niego, szła energicznie w kierunku budynku Zachęty. Obcasiki jej pantofli nerwowo stukały o bruk.

– Pani Lilianno, proszę poczekać! – zawołał za nią, nie zatrzymała się jednak. Włożył czym prędzej na głowę kapelusz, związał paskiem płaszcz i dogonił ją. Jej twarz miała zacięty wyraz, ale z oczu wypływały strużki łez.

– Lili, proszę! Co się takiego stało? Da pani spokój! – szeptał najczulszym głosem, na jaki mógł się zdobyć. W końcu udało mu się ją zatrzymać, gdy zaproponował, aby siedli na moment na ławeczce ustawionej obok pomnika Peowiaka, nieopodal wejścia do wielkiego gmachu Zachęty. Plakat nalepiony na okrągłym słupie ogłoszeniowym informował o wystawie obrazów braci bliźniaków – Efraima i Menasze Seidenbeutlów.

Lili zaczynała coraz bardziej się rozklejać, teraz łkała już z głową spuszczoną na piersi. Julian podał jej chustkę (w rogu miała maleńki, wyhaftowany własnoręcznie kwiatek) i odważył się na objęcie kobiety ramieniem.

– Droga Lilianno, proszę, niech pani przestanie, nic się przecież nie stało. Wszystko dobrze, wszystko jest dobrze – powtarzał w kółko, walcząc z pokusą zebrania łez z jej policzka pocałunkami.

– Och, taka jestem upokorzona! „Skoro pani niczego nie tworzy, nie może być pani taka jak ja" – powiedziała, naśladując ze złością Krzywicką. – Czy człowiek tylko wtedy jest coś wart, gdy tworzy sztukę? Nie mogę być wyjątkowa? Bez czytelników żaden poeta ani pisarz nie mógłby istnieć!

– Ależ jest pani wyjątkowa! Niezwykła! Zapewniam panią! – mówił czułym głosem Julian.

Trwali tak przez kilka minut na ławce, sprawiając wrażenie niemal przytulonych. Bojąc się spłoszyć ten moment bliskości, Julian milczał, nie chcąc się nawet poruszyć. Po kilku minutach Lili w końcu wyprostowała się, z torebki wyjęła lusterko zamknięte w pięknej kasetce z masy perłowej, wytarła oczy, nos i uspokoiwszy się, głosem zdradzającym zawód i smutek zapytała:

– Skoro ma pan mnie za taką niezwykłą, niech mi pan zdradzi, panie Julianie, co mam zrobić, skoro nie umiem pisać poezji, jak pan, nie umiem tworzyć sztuki, gram na fortepianie, ale umiem tylko odtwarzać napisane nuty, i to – powiem szczerze – dosyć słabo. Jak mam się rozwijać, czego szukać?

Przez moment nie mógł zebrać myśli, by powiedzieć coś mądrego, co pomogłoby odbudować jej pewność siebie. Nie wiedział, co i jak odpowiedzieć, aby nie zburzyć doszczętnie jej kruchej wiary w swoje możliwości. Chciał tylko, żeby jak najszybciej była znowu radosna.

– Wiem! – powiedział nagle. – Powinna pani pisać dziennik, w którym mogłaby pani nie tylko opisać mijające dni, ale też zgłębić własną duszę, swoje pragnienia i marzenia, poddać analizie dzieciństwo. Pani życie, to wszystko, co stanowi pani codzienność, to przecież wystarcza. A kiedy się zacznie analizować poprzez opisywanie, nabierze to nowego wymiaru! – mówił łagodnym tonem.

– Przyznam, że sama już o tym myślałam…

Pomysł Juliana musiał się jej wydać przekonujący, bo Lilianna w końcu nieco się rozchmurzyła. Zapytała go o godzinę i usłyszawszy, że jest już po czwartej, zerwała się gwałtownie z ławki. Zbliżała się pora powrotu jej męża z pracy.

Odprowadził ją jeszcze parę kroków do tramwaju, który przystawał na Mazowieckiej i jechał na plac Napoleona, skąd ledwie kilkanaście kroków dzieliło ją od domu, do którego zapewne wróciła z ulgą.

Julian nabierał pewności co do niełatwej sytuacji Lilianny. Dla kobiet inteligentnych i ambitnych małżeństwo było niczym więcej jak złotą klatką, w której obumierały. Pełna entuzjazmu, ciekawa świata osoba jak Lili, zmuszona do ograniczenia swoich zajęć do zarządzania nianią i kucharką, musiała się dusić w towarzystwie nudnego, oschłego męża i jego znajomych prawników, dla których najbardziej wyrafinowaną formą rozrywki były spotkania brydżowe i komentowanie aktualnych, głośnych procesów. Próbowała szukać podniet w ramach najbliższego otoczenia, fascynowała się sztuką i modą, ale nawet najbardziej wyrafinowane stroje podkreślające jej niebanalną urodę na dłuższą metę nie zaspokajały jej potrzeby intensywnych doznań. Zapewne uważała, że była zbyt ładna i wyjątkowa, aby otrzymać od życia tylko tyle: przewidywalnego, ponurego męża i monotonne życie w zimnym klimacie.

Lilianna musiała z przerażeniem spoglądać w przyszłość – nie czekało jej niemal nic poza wygodnym, mdłym życiem rodzinnym. Poczucie jałowości i braku celu popychało ją do panicznego poszukiwania rozwiązań. Rzecz jasna wiele kobiet zamieniłoby się z nią miejscami, oddałoby wszystko za status pani mecenasowej i może niezbyt ekscytującą, ale dostatnią egzystencję. Czego zresztą można wymagać od kobiety poza rodzeniem dzieci i dbaniem o rodzinę?

Jednak Julian wiedział, że dla Lili to za mało. Ona pragnęła czegoś więcej i miotała się, uciekając w marzenia, w świat ruchomych obrazów na kinowym ekranie, w świat rojeń o życiu, którego zapewne nigdy nie będzie wiodła.

Nawet on, Julian, tak nierealny, czego Lili nie widziała (czy też raczej nie chciała widzieć, idealnie pasował do pejzażu jej egzystencji, zawieszonej pomiędzy nudną codziennością a barwnym produktem wyobraźni. Widział też, że dopóki będzie mógł, będzie czerpał radość z obcowania z tą niezwykłą osobą, nie dopuszczając do siebie myśli, iż kiedyś bańka po prostu pęknie. Każda tajemnica zostaje w końcu ujawniona, ale na razie żył złudzeniami, że jego kłamstwa mogłyby być prawdą.

Julian wystawiał bladą twarz ku słońcu, czując, że to właśnie ten moment, tu i teraz, to zatrzymane w czasie szczęście. Oddychał głęboko, mając wrażenie spełnienia, które zrodziło się w chwili, gdy zgodnie z życzeniem Lili wyszli z parku otaczającego Łazienki i skręcili w stronę Zamku Ujazdowskiego.

Złote światło oblewało liście drzew, polerując czerwone owoce jarzębin i barwiąc niebo na waniliowy błękit.

Aby chwilę odpocząć, usiedli w wiklinowych fotelach ogródka kawiarnianego, który rozlokowano pod koronami okazałych drzew. Oprócz herbaty Lili zamówiła strudel z jabłkami, a Julian pomyślał z czułością, że szerokie biodra jego towarzyszki są efektem jej wielkiej namiętności do słodyczy. Sam zadowolił się wodą, która tego dnia smakowała niczym upajające wino. Nawet biały porcelanowy imbryk i lniany obrus komponowały się w uroczy obrazek błogiego popołudniowego *tea time*. Julian patrzył przed siebie, na widoczne w dole tereny Agrykoli, zielone pasma i wplecioną między nie wstążkę Wisły na horyzoncie, myśląc, że oto osiągnął poziom szczęścia, który mógłby go zadowolić na długo. Śmielej tego dnia spoglądał na Lili, ubraną w jasną sukienkę z koronkowym kołnierzykiem, przepełniony czułością dla tej kapryśnej kobiety o nadąsanych ustach, która tak uparcie chciała zmienić swoje życie. Uspokojona już zupełnie po incydencie z Krzywicką opowiadała mu teraz o kolejnych kreacjach Elsy Schiaparelli, zaprezentowanych w magazynie, który rano otrzymała prosto z Paryża. Z głową wspartą swobodnie o wierzch dłoni patrzyła z nostalgią w daleki horyzont, równie mocno jak Julian zachwycona miejscem, w jakim się znaleźli.

Przypomniały mu się pełne smutku słowa Eugeniusza, który kilka dni temu zaczął zwierzać się Julianowi ze swych miłosnych rozterek. „Jak to możliwe, że wystarczy jej uśmiech, ten jeden grymas twarzy, a ja cały zamieniam się w wielki lament błagalny, cały jestem pragnieniem. Tak bardzo, potwornie chcę, żeby była moja" – mówił, ukrywając twarz w dłoniach. Jego związek z kabaretową tancerką miewał wzloty i upadki, lecz nadzieja zdawała się w tym momencie minąć na dobre.

Julian rozumiał go doskonale. Lili podbiła go całkowicie od

początku ich znajomości, ale od kiedy zaczęli razem przemierzać wzdłuż i wszerz warszawskie parki i ulice, jego zauroczenie stawało się coraz silniejsze i miał już pewność, że bez niej nie mógłby żyć. Ogarniało go poczucie, że miłość, której pozwolił wkraść się do swego serca, była dla niego zagrożeniem. Ale było już za późno, bo poddał się euforii i całym sobą odczuwał szczęście.

Zwariowałem, całkowicie zwariowałem – szeptał do siebie, przymykając oczy i otwierając je po chwili, aby spojrzeć na siedzącą naprzeciw niego Lili i ponownie przeżyć ten odczuwalny gdzieś w trzewiach dreszcz. Jej uśmiech, ton głosu, sposób, w jaki mówiła, to, jak w charakterystyczny sposób odchylała wtedy dłoń. Wszystko w niej wydawało się podsycać jego wewnętrzny zachwyt, nieustającą od kilku tygodni ekstazę. Wiedział, że Lili traktowała go jak niewinnego, nieznającego życia młokosa. Nie zamierzał wychodzić ze swojej roli, bo była jedyną, jaką mógł dla niej odegrać. Może nie był prawdziwym, doświadczonym i silnym mężczyzną, może i nie miał wielkich szans na zdobycie jej serca, ale wiedział aż nazbyt dobrze, że nie był jej obojętny, czując jej pocałunki i to, jak lgnęła do jego ciała. Czytał w jej myślach. Tak jak on, Lili żyła wciąż nadzieją, iż wreszcie coś odmieni jej los. Początek każdego roku miał być przełomem, ale mijały lata i nic się nie zmieniało. Powoli traciła cierpliwość, oczekując bliżej nieokreślonej niespodzianki od losu. Nadzieja, że odmiana musi się dokonać, pozwalała jej jakoś funkcjonować w świecie, który ją przytłaczał. Pojawienie się Juliana odczytała jako wyczekiwany znak i uczepiła się go jak ostatniej deski ratunku. Cóż z tego, że nie był znanym i szanowanym literatem, cóż z tego, że nie było go jeszcze stać, by spełniać jej marzenia, to wszystko wydawało jej się nieważne w zderzeniu z faktem, że w końcu spotkała swojego wymarzonego poetę. Wrażliwego, oczytanego i inteligentnego młodego człowieka, któremu w dodatku całkowicie zawróciła w głowie.

Julian miał jeszcze dużo pracy do nadrobienia w biurze. Skierował kroki w kierunku ulicy Tamka, gdy nagle przypomniał sobie, że oprócz niewielkiego kawałka chleba z masłem i cukrem na śniadanie niczego dzisiaj nie jadł. Z żalem pomyślał, że gdyby miał kilkadziesiąt groszy, mógłby zajść gdzieś na kajzerkę z serdelkiem. Eugeniusz zapewne poratuje go niewielką pożyczką, chociaż pewnie w zamian będzie chciał znowu iść po pracy na wódkę i opowiadać o swoich miłosnych perypetiach z tancerką z klubu Paradis.

Zaczął padać deszcz, więc kiedy Julian dotarł do redakcji, z ulgą wkroczył do ciepłego, zadymionego pomieszczenia, gdzie nadal rozbrzmiewał stukot maszyn do pisania i rwetes kobiecych głosów. Poczuł się, jakby wracał do domu.

– Ależ pan przemókł, panie Julianie! – uśmiechnęła się do niego panna Jadzia, która niemal wpadła na niego, szybkim krokiem wychodząc z sekretariatu. Zalotnie zatrzepotała rzęsami, co zachęciło Juliana do odwzajemnienia uśmiechu.

– Mam nadzieję, że nie zachlapałem pani uroczej sukni!

– Och, nie. – Dziewczyna zachichotała.

– Jadzia wygląda niczym wiosenny kwiat w tej żółci, żeby tylko jakaś pszczoła nie pomyliła pani z żonkilem – powiedział, aby zaraz z zadowoleniem odnotować pozytywną reakcję na komplement. Dziewczyna zarumieniła się i spuściła wzrok. W duchu roześmiał się ze swojej próby bycia po męsku czarującym. To wcale nie było zbyt trudne, a co najlepsze – działało!

Eugeniusz siedział przy swojej tablicy kreślarskiej z papierosem zwisającym z kącika ust i z furią kreślił na kartonie zarys kobiecej sylwetki.

– Serwus, wróciłem – powiedział Julian, wieszając płaszcz i zdejmując kapelusz, z którego strząsnął przy okazji krople deszczu.

– Ej, uważaj, młody, rysunek mi zniszczysz! – syknął Gienek. Był wyraźnie nie w humorze.

– Coś nie tak? – zapytał Julian.

– A co ma być tak... Cholerne modne drobiazgi! Kazali mi przygotować: żabociki, klipsy, bolerka, broszki spinające futra, papierośnice i zapalniczki z tego samego materiału, rękawiczki i paski z tożsamą ornamentacją... – Eugeniusz odczytał wskazania wypisane na kartce papieru ręką Elżbiety z działu mody. – Niech to szlag jasny trafi! Żebym ja musiał takimi banałami się zajmować, i to w sytuacji, kiedy akurat odczuwam wielką nienawiść do kobiecego rodzaju! Bolerko! – fuknął, gasząc papierosa w przepełnionej już popielniczce.

– Panie Eugeniuszu, proszę ciszej, ja mam tekst do napisania – zza sąsiedniego biurka odezwała się ukryta za stertami zalegających blat papierów redaktorka działu robótek. – I jeszcze panu przypomnę, że winien mi pan jesteś rysunek koszyczka z włóczkami, takiego...

– Pamiętam o tym cholernym koszyczku! – zagrzmiał Eugeniusz. Nerwowym ruchem dłoni zaczesał na tył głowy spadające mu na czoło kosmyki włosów.

– Te wełenki, wie pan, najlepiej, żeby to kule takie były... – Jadwiga, zupełnie niezrażona, kontynuowała swoje, aż w pewnej chwili Gienek sięgnął po zawieszoną na oparciu krzesła beżową marynarkę, złapał leżącą na biurku paczkę papierosów Prima Aida i nie żegnając się, wybiegł z pomieszczenia.

– A przecież tak bardzo leje – westchnął Julian, z żalem uświadamiając sobie, że stracił szansę na posiłek z napitkiem w wyszynku Pod Czarnym Prosiakiem. Jego żołądek domagał się jakiejkolwiek strawy.

– Nie została przypadkiem pani Jadwidze jaka kanapka czy choć kawałek chleba, nic dzisiaj nie zdążyłem zjeść, obiadów u Kwiatkowskiej w podwórzu już pewnie nie wydają... – zapytał przymilnym tonem.

– Ma pan szczęście, bo został mi jeszcze kawałek placka, który wczoraj piekłam, proszę...

– Uratowała mnie pani od śmierci głodowej! Ogromnie dziękuję!

Julian z niepohamowaną łapczywością zaczął pochłaniać kawał drożdżowego placka z kruszonką, gdy nagle zza ściany zaczęły dochodzić odgłosy damsko-męskiej kłótni.

– Znowu naczelna spiera się z wydawcą... Chodzi o panią Markowską, która mimo ślubu nadal zamierza pracować w redakcji – westchnęła Jadwiga i podeszła bliżej ściany, bez skrępowania przykładając do niej ucho.

Julian zrobił to samo. Głosy były na tyle uniesione, iż bez problemu można było przysłuchiwać się rozmowie.

– Wydawca od lat walczy z panią Stefanią, ciągle się spierają co do myśli przewodniej i charakteru „Bluszczu". A przecież nasza naczelna jest wyrobioną literatką, czytelniczki bardzo się liczą z jej opiniami i smakiem... – mówiła zatroskanym głosem Jadwiga.

– Panie Walewski, ja się nie zgodzę na to, aby pozbawiać pracy świetne dziennikarki tylko dlatego, że wyszły za mąż. Nigdy mnie pan na to nie namówisz! Wiem, co się dzieje w kraju, ta nagonka na mężatki jest obrzydliwa... – stanowczym głosem powiedziała pani Stefania.

– To jest podejście pragmatyczne i prospołeczne. Skoro ta pani ma męża, który zarabia i jest w stanie ją utrzymać, nie musi zajmować tak cennego miejsca pracy, które potrzebne są tym, którzy nie mają dodatkowych źródeł dochodów. Wszędzie się teraz tak postępuje. – Wydawca zdawał się być całkowicie nieprzekonany do argumentów naczelnej.

– Wiem i uważam taką praktykę za haniebną! Wie pan doskonale, jakie idee przyświecają naszej pracy i jakie wartości przekazujemy naszym wiernym czytelniczkom. Takie pismo jak „Bluszcz" musi wspierać nowoczesne kobiety, które pracując zawodowo, zyskują ekonomiczną niezależność, lecz nadal wypełniają obowiązki rodzinne. Nasza redakcja wielokrotnie podkreślała, że konieczny jest równomierny podział obowiązków pomiędzy mężczyznę a kobietę. Nadszedł czas, aby mężczyzna zszedł z piedestału pana i władcy! – Pani Stefania nie kryła oburzenia.

– I tutaj się nie rozumiemy, droga pani Stefanio. Ja z kolei chcę, aby „Bluszcz" szerzył kult ogniska domowego, kult matki i żony. Nie chcę widzieć w tygodniku buntowniczek, które nie zgadzają się z rolą, jaką kobiecie przypisała natura. Mówiłem nieraz i powtórzę: zarząd Towarzystwa Wydawniczego nie wyraża zgody na drukowanie radykalizujących nazwisk. Nie chcemy tego! To ma być pismo dla przeciętnej kobiety, nie dla feministki! Wielokrotnie wskazywałem pani jedyną słuszną drogę, jaką jest powrót „Bluszczu" do pierwotnych założeń, do linii nakreślonej przez jego założycielkę Marię Ilnicką!

– Panie Walewski, tego, że nie kultywuję pierwotnych założeń pisma, nie może mi pan zarzucić! Ale od tamtych czasów minęło siedemdziesiąt lat, których nie możemy ignorować!

– Mówiłem pani, że nakład jest zbyt mały. Miała pani rok na to, aby go z dziesięciu tysięcy egzemplarzy zwiększyć do dwunastu, i co? Nic się nie wydarzyło!

– Doskonale pan wie, że dopiero wychodzimy z kryzysu. Zwiększyliśmy liczbę prenumerat, dodamy nowe działy…

– Słyszę to od miesięcy! Jakie nowe działy?

– Chcemy wprowadzić Księgę zażaleń, gdzie będziemy drukować ciekawe listy czytelniczek i udzielać im odpowiedzi na ich pytania oraz doradzać w życiowych problemach – tłumaczyła zdenerwowanym głosem naczelna.

– No to może nie najgorszy pomysł… – Wydawca wydawał się już zmęczony sporem. – Teraz śpieszę się na kolejne spotkanie, jednak musimy pomówić o tych pomysłach w przyszłym tygodniu. Uszanowanie pani. – Mężczyzna zaczął się żegnać.

– Uff, pani Markowska na razie chyba może odetchnąć z ulgą, nie straci posady – z wyraźną radością stwierdziła Jadwiga, po czym otrzepała spódnicę, delikatnie poprawiła dłońmi fryzurę i wyszła z pokoju.

„Chodź, młody, zapraszam cię na kieliszek wódki! Musisz się zahartować!" – zwykł mawiać Eugeniusz, gdy obaj zostawali do późna w opustoszałym, nienaturalnie cichym biurze redakcji.

Wyszli razem na rześkie, wiosenne powietrze przesycone zapachem kiełkującej zieleni i wilgoci spowodowanej bliskością Wisły. Eugeniusz poczęstował Juliana papierosem. Paląc, skierowali się ku pustej o tej porze dnia ulicy Tamka, na której działał niedrogi wyszynk. W dali majaczył wdzierający się w niebo komin pobliskiej Elektrowni Powiśle. Okolica była zaniedbana, gdzieniegdzie zabudowana jeszcze drewnianymi ruderami, zamieszkana przez robotniczą biedotę, którą widać było na każdym kroku – dzieciaki w brudnych ubraniach, kobiety o ziemistych twarzach, umęczone beznadzieją i nieustannym poszukiwaniem zarobku.

– Czytałeś kiedy komiks? – zapytał Gienek.

– Komiks? Coś takiego jak *Przygody Koziołka Matołka*? – zdziwił się Julian.

– Bardziej jak *Błysk Gordon* albo *Myszka Miki*, widziałeś?

– Ale to jest chyba dla dzieci?

– E tam, zależy jaki komiks – machnął ręką rysownik. – Ja się tym naprawdę fascynuję! U nas to jeszcze mało popularna forma, ale w takiej Ameryce! Mówię ci, jakie tam wspaniałe rzeczy powstają! Planuję nawet narysować własny komiks!

– Ooo! A o czym?

– Historie kryminalne i dochodzenia prowadzone przez tajemniczego śledczego, coś takiego jak te sprawy opisywane w magazynie „Tajny Detektyw". Mam nawet tytuł: *Detektyw Ryba i 100 pokus*.

– Świetnie... – Julian poklepał kolegę po ramieniu, po czym wychylili po kolejnym kieliszku wódki o wdzięcznej nazwie Perła, serwowanej przez otyłego barmana.

– Tak sobie myślę, Julek, że całkiem nieźle ci wychodzą te slogany reklamowe, masz pomysły i umiesz zwięźle coś przekazać. Przyszło mi do głowy, że może byśmy razem spróbowali stworzyć komiks? Ja zająłbym się rysunkami, ty tekstami w chmurkach...

– W chmurkach?

– No widziałeś przecież, postaci w komiksach mówią w taki sposób, że tekst umieszcza się w chmurce, która niby się wydobywa z ust bohatera.

– Ach, no rzeczywiście – przytaknął Julian. Propozycja starszego kolegi bardzo mu schlebiała, mógłby wydawać je z Eugeniuszem pod jakimś pseudonimem.

– Czemu nie? Świetny pomysł! – roześmiał się Julian. – Dzięki, kolego!

– No to wypijmy za to! Spotkamy się któregoś dnia i wymyślimy, co dalej, jak się do tego zabrać. Ja już mam trochę rysunków, trzeba by było pomyśleć o tekście.

Przełykając ciepły alkohol, Julian poczuł gwałtowne mdłości. Z winem lepiej sobie radził, zwłaszcza słodkim (choć nawet Lilianna wypijała więcej niż on), ale wódka nadal budziła w nim wstręt i szybko doprowadzała do torsji.

– Co? Widzę, że nie czujesz się najlepiej? – zaśmiał się Eugeniusz. – Przy takim wątłym ciele to nie dziwne, że głowę masz tak słabą! Chudszy jesteś niż moja Marcysia! Musisz mieć jakiś podkład w brzuchu pod tę gorzałkę, zjesz coś? Mają tu niezłe cynaderki albo kaszankę – zaproponował i wrócił do swojego ulubionego tematu: – Ach, ta moja, co ona ze mną robi... Zwariuję kiedyś przez nią, stracę rozum. Te jej nogi... Boże Wszechmogący, jak ona się rusza na scenie! Doprowadza mnie do szaleństwa! Nie umiem pohamować zazdrości, nawet jak widzę ją w trakcie występu w ramionach innego tancerza, wiem, że to jej praca, ale krew mnie dosłownie zalewa!

– To ożeń się z nią i zakaż kabaretów! Ona nie chce cię za męża? – Julian wzruszył ramionami.

– To dosyć skomplikowane... Moja matka nigdy się nie zgodzi, żebym wziął sobie za żonę tancerkę rewiową. Padłaby trupem i nic bym w spadku po niej nie dostał...

– A skoro tak, to co się dziwisz, że panna nie ma ochoty słuchać twoich rozkazów.

– Ty już lepiej więcej nie pij, Julek, bo po wódce hardy się robisz. Dla ciebie wszystko jest proste. Kochasz, to się żeń, nie kochasz, to sobie odpuść. Dzieciak jesteś. W prawdziwym życiu to tak nie działa. Czy ty czułeś kiedyś prawdziwą namiętność do kobiety, powiedz? No, dalej, nie wstydź się – prowokował Eugeniusz.

– A żebyś wiedział, że owszem, że tak!

– To czemu sam się nie żenisz?

– W moim przypadku to bardziej skomplikowane, bo kocham mężatkę, tylko ciiii... – Julian przyłożył palec do ust. – I właśnie dlatego mówię, że skoro tak bardzo kochasz, to zrób wszystko, aby ta miłość miała szansę. Nie widzę w twojej sytuacji niczego, czego nie można przezwyciężyć. Spadek czy prawdziwe szczęście to naprawdę taki trudny wybór?

– Nie wytrzymam! Ty smarkaczu, ty mnie będziesz pouczał? Taki goguś zniewieściały, takie chuchro... – wysyczał Eugeniusz i złapał Juliana za koszulę, chcąc przyciągnąć do siebie.

Nie do końca świadomy, że ich dyskusja może zakończyć się bijatyką, która mogłaby go zdemaskować, Julian gwałtownie szarpnięty za klapy marynarki zwymiotował na koszulę Eugeniusza.

Nie pamiętał, co się z nim działo dalej. Był nie tylko pijany, ale w dodatku zatruł się alkoholem, bo nieczęsto zdarzało mu się wypijać takie ilości wódki, w dodatku obrzydliwie ciepłej. Nie wiedział i nawet nie chciał wiedzieć, jak to się stało, że w pewnej chwili ocknął się wyrzucony z dorożki pod bramą kamienicy przy Koszykowej.

– Jutro nie przychodź do redakcji. Jeśli naczelna cię zobaczy skacowanego, od razu cię wyrzuci na zbity pysk. Powiem, żeś zachorował… – nie kryjąc wściekłości w głosie, rzucił w jego kierunku Eugeniusz, po czym bez słowa pożegnania odjechał.

Rozdział 8

Czerwiec 1934
Szkatułka pełna pereł

Punktem zwrotnym w życiu Juliana wcale nie okazała się wymarzona praca w „Bluszczu". Gdy potem wracał pamięcią do chwili, w której skierował swoje życie w niebezpieczne rejony, nie mógł uwierzyć, że znajdując w kredensie ciotki grawerowaną szkatułę, nieświadomie uruchomił lawinę oszustw, co ostatecznie doprowadziło do tragicznego finału. Otworzył ciężko osadzone wieczko i w wyłożonym bordowym aksamitem wnętrzu zobaczył poplątane łańcuszki, sznury mlecznych pereł oraz kilkanaście innych cennych sztuk biżuterii.

Zaskoczony tym odkryciem, od razu pomyślał o Lili i o tym, że nieoczekiwanie nadarza się sposobność, by ofiarować jej coś cennego, na co dotychczas nie było go stać. Miał dla niej jedynie bukieciki róż.

Zanurzył dłoń w plątaninie klejnotów i nabierając ich pełną garść, nie opróżnił nawet połowy pudełka. Były tam jakieś broszki, stary monokl z wybitym szkiełkiem, kilka nie wiadomo do czego służących kluczyków i medalik z Matką Boską.

Patrząc na zawartość szkatułki niczym wygłodniałe dziecko na ladę pełną ciastek, bił się z myślami. Wiedział, że ciotka gardziła błyskotkami. Ubierała się skromnie, zgodnie z panującą w środowisku partii komunistycznej modą na ostentacyjny opór wobec strojności i podkreślania urody. Biżuteria tkwiła zatem zapomniana w czeluściach zawalonego szpargałami kredensu. Braku jednego małego naszyjnika ciotka nawet by nie zauważyła, pomyślał i schował jeden sznur pereł do kieszeni marynarki.

Nazajutrz, podniecony swoim podarkiem opakowanym w ozdobne pudełeczko kupione w sklepie papierniczym, biegł na spotkanie z Lilianną jak na skrzydłach. Dopiero kiedy – jak zawsze kurtuazyjnie – przywitali się na placu Napoleona, Julian – już tradycyjnie – wręczył jej kupiony u kwiaciarki bukiet róż i zaczęli kroczyć w kierunku Ziemiańskiej, z przerażeniem uświadomił sobie, że nie wie, jak ma jej wręczyć upominek. Jakich słów użyć, co powiedzieć? Kilkakrotnie tego dnia trzymał dłoń na ukrytym w kieszeni pudełeczku i już miał je wręczyć Lili, ale za każdym razem język odmawiał mu posłuszeństwa, bo bał się sztuczności swoich wyznań.

Wracał więc do redakcji szybkim krokiem, bo nagła ulewa odebrała mu całą przyjemność ze spaceru. Był niezadowolony i markotny. Mijając na Tamce mały kantorek, gdzie wisiał napis „Skup klejnotów", spontanicznie wszedł do środka i podał perły ciotki do wyceny. Suma, jaką usłyszał, wydała mu się bardzo atrakcyjna i z miejsca dobił targu.

Gotówka w portfelu poprawiła mu humor. Pomyślał zaraz, że zaprosi Lili na kolację do Simona, będzie go stać na prawdziwego szampana i wykwintne dania. Oby tylko mogła zorganizować wyjście...

Gdy wchodził powoli po schodach do redakcji, przez głowę przebiegła mu szatańska myśl, że jeszcze nadejdzie ten dzień, gdy podaruje Liliannie perły. W szkatułce było kilka naszyjników, nie tylko ten jeden, który niedługo ozdobi szyję jakiejś nieznanej kobiety. Puste pudełeczko z błękitnego papieru powędrowało do szuflady jego biurka.

Tego dnia praca szła mu jak krew z nosa. Eugeniusz też był rozdrażniony, poirytowany okładką, którą wymyślał, koniecznością przygotowania rysunków strojów do tekstu o przeróbkach sukien spacerowych z poprzedniego sezonu.

– Nowy numer zapowiada się rewelacyjnie – powiedział sarkastycznym tonem. Rysował z nieodłącznym papierosem w kąciku ust, z podwiniętymi rękawami koszuli oraz krawatem przerzuconym przez ramię. – Nudy, nudy, jeszcze raz nudy! A ten twój tekst do reklamy płynu Vesta! Julian, chyba musisz się zakochać, bo weny nie masz chłopie za grosz! „Wągry, pryszcze i pot są zgubą twojego czaru i wdzięku. Płyn Vesta temu zaradzi!". Aleś delikatny... – kpił Eugeniusz.

– Narysujesz piękną buzię i klient będzie zadowolony – wzruszył ramionami Julian.

– Narysuję, narysuję... – westchnął Gienek. – Mój Boże, któż czyta to nasze pismo, zastanawiasz się nad tym kiedy? Pewnie same stare panny, intelektualistki... Myślisz, Julek, że kobiety naprawdę się tym interesują? Nie jestem znawcą płci przeciwnej, oczywiście w pewnych sprawach jak najbardziej – zaśmiał się nerwowo – ale nie w ogólności... Ale czy zjazd pielęgniarek, stroje ludowe w Bułgarii, kobieta szewc, kobieta pilot, kobieta florecistka... Czy to ekscytuje nowoczesne kobiety?

– Może to nie jest złe, żeby polskie czytelniczki zobaczyły, jak w innych krajach postępuje emancypacja, może to którejś pomoże w wyborze życiowej drogi, kto wie? – powiedział Julian, pamiętając, że ciotkę na przykład takie kwestie zawsze bardzo interesowały.

– No nie wiem... Może jak którą interesuje polityka, choć ja takich dam nie spotkałem, to spojrzy na te rumuńskie skautki pozdrawiające króla ukłonem faszystowskim i pewnie się wystraszy, że ta zaraza cały świat ogarnia... Może ten prezes ma trochę racji, że nasze pismo się snobizuje. Insekta przed zimą, to na pewno baby interesuje, nowe suknie, jak pielęgnować kwiatki, nowości kosmetyczne, kino, znakomitości kabaretów, to powinniśmy dać kobietom, ale przecież naczelna nigdy nie pójdzie na kompromis – westchnął Gienek, zapalając papierosa. – Ty mi lepiej, młody, doradź, jak ja mam przekonać naczelną albą chociażby Elżbietę, żeby zgodziły się dać do jakiejś reklamy prawdziwy fotos, a nie tylko rysunki i rysunki. Wiem, to taniej im wychodzi, jestem tu na każde zawołanie i wszystko namaluję, ale chciałbym, żeby moja Marcysia, no wiesz, żeby jej umożliwić rozpoznawalność, której ona tak pragnie. Gdyby przy jakimś ogłoszeniu reklamowym kremu, pudru czy pończoch, o tak, pończochy byłyby dobre, Marcysia ma niesamowite nogi... Gdyby tak dać zdjęcie jej cudnej buzi, to byłoby dla niej coś! Już ona by mi się odwdzięczyła... – zaśmiał się Eugeniusz.

– To bardziej zależy od klienta, nie od naczelnej. Jeśli klient zapłaci za taką fotografię, czemu nie... – powiedział Julian.

– Masz rację, młody! Trzeba więc przekonać jakiegoś przedstawiciela przedsiębiorstwa! – Klasnął w dłonie podekscytowany Gienek. – Masz coś w zanadrzu? Jakieś nowe zlecenia na specyfiki kosmetyczne?

– Niech pomyślę... Telefonował do nas pewien producent kostiumów kąpielowych, chciał dać reklamę przed sezonem letnim, zanim czytelniczki zaczną szykować się na letnisko. Mam się z nim spotkać w przyszłym tygodniu.

– Julek, chłopie! Niech to szlag, to byłoby idealne! Kostiumy! Możliwość wyeksponowania nóg, ramion... – Gestykulując, Gienek podszedł do Julka.

– Zapewne panna Marcysia wyglądałaby bosko, z tym że tutaj producent może kręcić nosem. Chciał wziąć jedną czwartą strony, namówiłem go na połowę. Chciałby dużo jak najmniejszym kosztem. Ale może spróbujmy pokazać mu jakiś projekt, masz jakieś zdjęcie Marcysi w kusym stroju? Zaproponowalibyśmy wstępny układ ogłoszenia, z odpowiednio wkomponowaną fotografią, oraz – dla przykładu – także rysunek pani leżącej na plaży w kostiumie. Niech sobie klient wybierze. Piękna, ponętna kobieta z krwi i kości kontra rysunek. Co ty na to?

– Genialne! Szykuj jakiś tekst, ja skombinuję zdjęcie. Coś wymyślę, bo na tych, które mam. Marcysia nosi takie brokatowe wdzianko i ma boa z piór wokół szyi, to się na plażę raczej nie nadaje... Ale coś wykombinuję! Świetnie, Julian. Stawiam wódkę! A jak ta sprawa z reklamą wypali, to cię zaproszę na wytworny obiad, nawet do Simona, a co tam! A dzisiaj wpadniemy na szklaneczkę perły?

– O nie, dzisiaj nie mogę. Jestem umówiony!

Tego popołudnia Julian odbył z Lili spacer trasą przez plac Trzech Krzyży, ulicą Frascati wzdłuż nowych, modernistycznych willi, które zachwycały jego towarzyszkę, następnie Alejami Jerozolimskimi aż do Ogrodu Botanicznego graniczącego z odwiedzanymi przez nich wcześniej Łazienkami. Lilianna tego dnia miała poetyckie usposobienie. Ubrana w jasny płaszczyk i lekki kapelusz wydawała się zwiewna i świetlista jak przesycone cytrynowym światłem majowe powietrze. Gdy przysiedli na jednej z ławeczek w Ogrodzie Botanicznym, zażądała, aby Julian recytował jej swoje wiersze.

W dziwnie opustoszałym ogrodzie wszechobecna świeżość roślinności, jaskrawa, wręcz nierealna zieleń wprawiła wkrótce ich oboje w jakiś niezwykły nastrój. Ptaki wyśpiewywały swoje pieśni pochwalne na rzecz wiosny, a oni spacerowali wśród częściowo nieznanych im gatunków pnączy i kwiatów, których nazwy wypisane na tabliczkach odczytywali sobie wzajemnie na głos.

Być może intensywność kiełkujących i kwitnących roślin, a może balsamiczny zapach kwiatów podziałał na mecenasową Korczyńską w tak szczególny sposób, iż sama sprowokowała Juliana, aby ją po raz pierwszy pocałował.

W milczeniu doszli do uroczego zakątka ogrodu, oddalonego od głównych alei, gdy niespodziewanie Lili przystanęła, by dotknąć liści jakiegoś drzewa, po czym spojrzała długo i wymownie prosto w oczy Juliana. Stali tak w ciszy naprzeciwko siebie dłuższą chwilę, po czym Lilianna przymknęła powieki i pochyliła twarz. Julian zbliżył się do jej tak zachęcająco uśmiechniętych ust, a gdy przylgnął do nich swoimi wargami, wszystko wokół stopiło się, rozmyło, przez krótki moment pozwalając mu zaznać szczególnej rozkoszy.

Żegnając Liliannę na placu Napoleona nieopodal niebotyku, na który oboje patrzyli z zachwytem, Julian uroczyście poprosił o zjedzenie z nim kolacji u Simona.

– Ależ Julianie, nie chcę pana narażać na takie koszta... – krygowała się Lili.

– Proszę się nie niepokoić, jestem przygotowany – odparł Julian tonem na tyle zdecydowanym, iż jego przyjaciółka nie zadawała mu żadnych pytań w tej kwestii.

Lili nie kryła tego, jak cieszy ją perspektywa spędzenia wieczoru w słynnej restauracji, gdzie często bywali sławni ludzie.

– Może będziemy mieć szczęście i spotkamy Zofię Nałkowską albo samego Boya! – ekscytowała się Lili. – Weź koniecznie przepisane na maszynie wiersze do przekazania!

Przyjechała na Krakowskie Przedmieście dorożką, ubrana dosyć ekstrawagancko w błyszczącą, ciemnoniebieską pelerynę z lejącej tkaniny, której szeroki kaptur zakrywał jej włosy, misternie ufryzowane u najbardziej rozchwytywanego fryzjera Warszawy. Oczami skrzącymi się niezwykłym blaskiem wpatrywała się intensywnie w Juliana, który czuł się niezręcznie w tym bogatym wnętrzu, wśród bardzo eleganckich, zapewne bogatych ludzi. Pierwszy raz przebywał w lokalu, gdzie jadano srebrnymi sztućcami i pito z kryształowych kieliszków. Ceny podane w karcie przyprawiały go o nieme oburzenie. Lili czuła się zaś jak właściwa osoba na właściwym miejscu. Swobodnie wybierała potrawy, komponując dla nich zestaw dań ze szparagami pod sosem *bernaise*, perliczką i pucharem z mandarynkami na deser.

Przypatrując się – w miarę możliwości dyskretnie – siedzącym w sali gościom, nie zauważyli niestety żadnej sławy. Lilianna rekompensowała sobie wywołane tym faktem rozczarowanie szampanem, który wywoływał w niej dziwną reakcję. Julian próbował rozmawiać o literaturze, wspomniał o głośnej nowej książce *Całe życie Sabiny*, którą ostatnio komentowano w redakcji „Bluszczu", ale Lili nie była specjalnie zainteresowana pisarstwem Heleny Boguszewskiej, podobnie jak treścią powieści, w której to bohaterka na łożu śmierci podsumowuje swoje nieudane życie.

– Gdybym ja teraz miała umierać, też czułabym gorycz i żal, wiesz za czym? Żal, że nie odważyłam się nigdy... Że nie żyłam pełnią życia, rozumiesz?

Ochoczo dolewający szampana kelner zjawił się znowu, zwinnie napełniając kieliszek pijanej już Lilianny.

Julian widział, że jej ciało było niespokojne, pulsowało, oczy emanowały ogniem. Ocierając nogą o jego nogę Lili niespodziewanie zaproponowała, aby udając przyjezdnych, poszli wynająć pokój w hotelu. Myśl o podwiązkach pod jej sukienką o odkrytych plecach wywoływała w nim dreszcz. Była już mocno pijana.

– Ale twój mąż, co on na to powie, jeśli nie wrócisz zaraz do domu? Jest już bardzo późno, stąd w ciągu piętnastu minut dowiozę cię na Moniuszki, zaraz weźmiemy dorożkę...

– Nie rozumiesz, chcę żyć! Chcę cię... całować! Rozumiesz? – szeptała, aby zaraz wybuchnąć śmiechem i paląc papierosa, wyliczać tonem pełnym emocji: – Chcę iść do kabaretu, chcę oglądać ciała różnych mężczyzn i kobiet, chcę chłonąć wszystko, co mnie otacza, chcę tańczyć, chcę deklamować wiersze, chcę kochać, ulec miłości gdzieś w lesie, czując zapach ziemi, chcę być wolna, chcę jeść, ciągle jeść, poznawać nowe smaki...

Z trudem namówił ją, aby wsiedli do dorożki. Na szczęście noc była ciepła, a miodowa tarcza księżyca kołysała się nad widocznymi w dali zabudowaniami Starówki.

– No, odważ się! Chodźmy do hotelu! Mamy tu zaraz Europejski, Bristol, to parę kroków! – mamrotała jeszcze, choć miała już przymknięte oczy. Złożyła głowę na jego ramieniu.

– Dzisiaj noc kupały, panie! – powiedział dorożkarz, odwracając się do nich.

– Proszę jak najszybciej na ulicę Moniuszki, później na Koszykową! – powiedział Julian, wzdychając. *Taki skandal* – powtarzał sobie szeptem.

Z całej sumy, jaką miał dwie godziny temu w portfelu, po opłaceniu dorożki zostanie mu nie więcej niż dziesięć złotych. *Ale było warto* – pomyślał. Głowa Lili przylegała do wgłębienia pomiędzy jego ramieniem a szyją i to wystarczało, aby czuł się szczęśliwy.

Wychodząc z domu, wtarł w skórę odrobinę wody kolońskiej Men, którą kupił sobie kilka dni temu i trzymał ukrytą między stosem podwiązek i barchanowych majtek. Teraz włosy Lilianny czuć będzie męskim zapachem. *Co będzie, gdy wyczuje je mąż?* – zaniepokoił się. *Obudź się, Lili! Otwórz oczy! Jesteśmy już na placu Napoleona!* – prosił z niepokojem w głosie. Półprzytomna Lilianna ledwo mogła ustać na nogach. Kiedy doprowadził ją pod drzwi kamienicy, był już pewien, że to koniec. Po dzisiejszym wieczorze, kiedy mąż zobaczy ją w takim stanie, nie będą już mogli się spotykać, najwyżej po kryjomu, jak prawdziwi kochankowie… Ta ostatnia myśl wzbudziła w nim pewną niepokojącą ekscytację.

Dopiero gdy rozliczył się z dorożkarzem i wszedł przez bramę na podwórze kamienicy przy Koszykowej, przypomniał sobie, że Lili przecież mówiła mu o nieobecności męża, który wyjechał gdzieś w Polskę w sprawach zawodowych. Odetchnął z ulgą.

Rozdział 9

Czerwiec 1934
Chustkowa z Powiśla

Wraz z nastaniem ciepłych dni Lili niemal codziennie jeździła na korty do parku Paderewskiego ćwiczyć swój backhand. Jak lubiła podkreślać, w dzisiejszych czasach uprawianie sportu stało się wręcz koniecznością i każda osoba uważająca się za nowoczesną musi posiadać wysportowane ciało. Ona sama uznała, że najlepiej prezentuje się w kostiumie do tenisa, zwinnie poruszając się na korcie.

Pewnego razu zaprosiła Juliana, aby przyszedł poobserwować jej grę. Tego dnia zajęty był akurat przygotowaniem całostronicowej reklamy kostiumów kąpielowych Oceana. Wraz z Eugeniuszem przekonali przedstawiciela producenta, że ten tak istotny element garderoby wakacyjnej najlepiej zaprezentuje prawdziwa modelka na fotografiach – rysunki nie mogły oddać powabu nowoczesnych krojów i deseni strojów plażowych. Julian ułożył slogan reklamowy, który bardzo spodobał się zleceniodawcy: „Kostiumem mym oczarowana polecam markę Oceana".

Sesję zdjęciową w trzech różnych kostiumach wykonał w swoim atelier znajomy Eugeniusza. Modelką została zaś Marcelina, którą rysownik od dawna próbował w jakiś sposób wypromować w „Bluszczu". Marzyła jej się prawdziwa reklama z pięknymi zdjęciami i wreszcie Gienek mógł jej to zapewnić, a jej trochę jeszcze blade, lecz bardzo ponętne ciało naprawdę świetnie wyglądało na fotografiach.

Pod mozaiką złożoną z kilku zdjęć Marcysi w różnych strojach kąpielowych, umieszczono napis: „Wyroby Fabryki L. Plihal i s-ka we wszystkich pierwszorzędnych magazynach galant.

i sportowych. Także własne magazyny w Warszawie – ulica Marszałkowska 115, Chłodna 12 i Nalewki 28".

Pod pretekstem spotkania z producentem kobiecych produktów pielęgnacyjnych, chętnym zamieścić ogłoszenia w „Bluszczu", Julian wymknął się przed piętnastą z redakcji. Czuł się niekomfortowo, kłamiąc, ale stres związany z pracą został zrekompensowany widokiem Lilianny grającej w tenisa. Patrzył na nią zachwycony, czując zalewającą go falami tkliwość wobec tak drogiej mu istoty. Chciał ją tulić, zamknąć w swoich ramionach, sycąc się jej pięknem i zmysłowością. Pomyślał, że nigdy nikt nie był mu tak bliski, że wreszcie spotkał jedyną osobę, przy której jest tym, kim się czuje, a skoro ona traktuje go z życzliwością i szacunkiem, to wybór jego męskiej powierzchowności w pełni zgodnej z jego wnętrzem był właściwy.

Po kilku setach, zdyszana i zmęczona, choć jednocześnie podekscytowana, Lili przysiadła na chwilę napić się kompotu i porozmawiać z Julianem.

– Panie Julku, chciałam koniecznie zobaczyć się z panem, aby opowiedzieć o pomyśle, który podsunęła mi lektura „Bluszczu"! – powiedziała. Potem przedstawiła mu swój plan lipcowego wyjazdu na spływ kajakowy, podczas gdy jej córeczka przebywać będzie na letnisku ze swoją babcią, a Tadeusz będzie pracował, nie mogąc opuścić kancelarii. Wówczas Julian mógłby dołączyć do niej i jej młodziutkiej kuzynki Joasi, aby wspólnie z nimi zmagać się z wodami Czarnej Hańczy.

To właśnie w „Bluszczu" pisano o najnowszej modzie na kajakowanie, a Lili zrobiła już nawet listę niezbędnego ekwipunku. Julian musiałby tylko pożyczyć od kogoś namiot, bo ona z kuzynką będą spały rzecz jasna w osobnym.

Oszołomiony tą propozycją nie był w stanie odmówić, tłumaczył się tylko, że nie wie, czy w redakcji zgodzą się na jego nieobecność w tym terminie.

– Nie wiem. Naprawdę bardzo bym chciał, będę się starał... Obiecuję, że pomówię z naczelną – mówił podekscytowany na myśl o tym, że los daje mu szansę na bliskość z Lili, o jakiej do tej pory nie mógł nawet pomarzyć. Jednocześnie perspektywa zacieśnienia ich relacji budziła w nim lęk. Bał się trudności, jakie wiązały się z przebywaniem na letnisku z dwiema kobietami. Ogarnęły go nagle wątpliwości, czy to, co zamierzali zrobić, nie przekraczało pewnych granic, zza których ciężko byłoby im powrócić do normalnego życia. Ale Lili nalegała delikatnie, acz stanowczo.

– Panie Julianie, ogromnie mi zależy na tym, abyśmy mogli... wie pan... czuć się ze sobą swobodnie, porozmawiać bez pośpiechu, poleżeć sobie na łące, razem przyglądać się niebu, rzece, kwiatom... – powiedziała nieco onieśmielona wypowiadanymi słowami, ale tonem tak poufnym, iż Julian poczuł, jak oblewa go rumieniec.

Ucałował jej dłoń, obiecując, że zrobi wszystko, co w jego mocy, aby wyjazd doszedł do skutku. Pożegnali się w intymnej atmosferze, wymieniając głębokie spojrzenia, które wyrażały ich nadzieje związane ze wspólnym wyjazdem. Na Lili czekał już wysłany przez męża samochód z szoferem.

Tego samego dnia wieczorem Lili tak skutecznie skarżyła się na migrenę, iż Tadeusz pozwolił jej z powodu tej niedyspozycji zostać w domu, podczas gdy sam udał się na spotkanie brydżowe zorganizowane w domu znajomego rejenta.

Ledwie Tadeusz opuścił mieszkanie, Lili upewniła się, że córeczka spokojnie śpi, po czym otworzyła okna salonu na oścież i rozlokowała się z pudełkiem czekoladek na szezlongu tak, aby swobodnie wdychać zapach majowego powietrza. Sięgnęła do bombonierki po pierwszą z brzegu pralinkę, potem po następną. Wspominała dzisiejszy spacer, analizowała każdą sekundę pocałunku, swoje bijące serce i moment, w którym poczuła, że jej nogi były jak z waty, a ona sama roztapiała się w delikatności jego ust. Jej ręka bezwiednie sięgnęła po kolejną czekoladkę, która okazała się ukrywać w swym wnętrzu kandyzowaną wiśnię.

Myśląc o przyjemnym łaskotaniu w trzewiach, którego zaznała, ocierając się o pierś Juliana, odgryzła kawałek kolejnej pralinki i nagle poczuła, jak likier spływa jej po brodzie i kapie za dekolt jedwabnej koszuli. Szybko zebrała opuszkiem palca gęstą kroplę płynu, po czym zlizała ją, czując, pomimo lekkich mdłości wywołanych nadmiarem słodyczy, dziwny ucisk między nogami. Lepkie palce powędrowały bez zastanowienia pod warstwami spódnicy, potem halki, wreszcie majtek. Po raz pierwszy instynktownie pokierowała swoją dłonią ku temu miejscu, którego dotychczas nie śmiała dotykać. Przyjemne doznania, jakie niosło pocieranie wzgórka opuszkami palców, zaskoczyły Lili. Odkrycie tak prostej metody sprawiania sobie przyjemności ogromnie ją podekscytowało. Takie nowoczesne kobiety jak Irena Krzywicka na pewno dogadzały sobie w podobny sposób. W końcu czemu miałyby odmawiać sobie takiej rozkoszy?

Julian wracał tego dnia do domu ciotki zaaferowany odważnym pomysłem Lilianny. Myślał głównie o pieniądzach, kalkulował, ile i na kiedy musiałby zaoszczędzić, aby nabyć wszelkie potrzebne rzeczy. Może ciotka mogłaby mu pomóc? Zawsze namawiała go na wyjazd na jakieś letnisko, a nie tylko – jak rok w rok – w odwiedziny do majątku, którym zarządzał mąż jego matki.

Najbardziej jednak dręczyła go wizja intymnych relacji, które mogliby nawiązać w tak sprzyjających okolicznościach. Od kiedy poznał Liliannę, marzył, by kochać się z nią bez końca. Często wyobrażał sobie ich wspólne noce pełne wciąż niezaspokojonego pożądania. Innym razem myślał o szybkich zbliżeniach w biały dzień, gdy pragnienie podsycane jest strachem przed przyłapaniem. W snach chwytał mocno jej pełne biodra, wsuwał dłonie między jej ciepłe, miękkie uda, pieścił jej nabrzmiałe piersi i dawał jej rozkosz, jakiej dotąd nie zaznała. A teraz to wszystko mogłoby się urzeczywistnić, jeśli jemu wystarczy odwagi, aby przestać marzyć i zacząć w końcu żyć jak prawdziwy mężczyzna.

Zafrasowany tym wszystkim, wieczorem zaczął szykować się na spotkanie ze znajomymi poetami w kawiarni Zodiak. Jak zawsze odczuł swego rodzaju ulgę z chwilą, gdy mocno owijał piersi bandażem. Ból, który wtedy odczuwał, sprawiał mu przyjemność, bo wiedział, że nikt nie zauważy tego oczywistego atrybutu kobiecości. Dopiero wówczas czuł się swobodnie. Gdy zakładał męski strój, zaczesywał włosy do tyłu, utrwalając fryzurę za pomocą pomady, i pokazywał twarz nietkniętą makijażem, zaczynał BYĆ w pełni sobą. Nie odczuwał lęku. Wystarczył mu na razie ten kostium, aby mógł przeistoczyć całe swoje „ja". Nie musiał już pilnować swoich manier ani nawyków, nabywał wręcz pewności siebie, jakby garnitur, płaszcz i kapelusz stanowiły ostateczne potwierdzenie, wręcz gwarancję wolności.

Od kiedy pamiętał, zawsze jego „ja" w wewnętrznym monologu miało rodzaj męski, musiał tylko nieustannie się pilnować, aby jako Julia nie wypowiadać się, używając form gramatycznych nieprzystających do kobiety, którą się urodził. Ilekroć stawał się Julianem, ludzie na ulicy zapewne nie mieli wątpliwości co do płci osoby, którą mijali. Męski strój, kapelusz zasłaniający niespokojne oczy, dodatkowo zamaskowane okularami, które ukrywały długie rzęsy, do tego nieodłączny papieros w dłoni i szybki chód. Wszystko to wskazywało na drobnej postury mężczyznę. Blada twarz, jasne włosy dodawały jego obliczu melancholii, idealnie współgrając z tożsamością poety, którą komunikował światu. A przecież jako kobieta Julia była nieatrakcyjną, starą już panną o bladej, piegowatej twarzy i zbyt krótkich włosach. Przeistoczona w Juliana stawała się młodym mężczyzną o delikatnej urodzie i intrygującym obliczu.

Lubił myśleć o sobie jako o istocie, która nie była ani wyłącznie mężczyzną, ani wyłącznie kobietą. Wolał uważać, iż był raczej kimś pomiędzy, na pewno nie czuł się kobietą, ale z oczywistych względów nie mógł być mężczyzną. Był jednocześnie jednym i drugim albo kimś poza, czy raczej pomiędzy płciami. Nie był Julią, choć to niestety nie wystarczało, aby w pełni stać się Julianem.

Zachowywanie się jak inni mężczyźni sprawiało mu niewysłowioną przyjemność. Szarmanckim gestem podpalał kobietom papierosy, przepuszczał panie w przejściu, ustępował im miejsca w tramwaju, swobodnie stawał w jakimś szynku, aby wypić piwo, bez skrępowania gawędził z panami o polityce i śmiał się ze sprośnych żartów, niekiedy nawet sam je opowiadał.

Gdy pojawiał się w redakcji w stroju Juliana, spotykał się z klientami, czuł się komfortowo. Również gdy spotykał się z Lili, nie tracił poczucia męskości. Ani wtedy, gdy musiał wychodzić za potrzebą z siedziby „Bluszczu", by nie korzystać na miejscu z męskiej toalety. Nawet te momenty nie odbierały mu radości z bycia sobą. Na kilka godzin zapominał o niebezpiecznej maskaradzie, którą w każdej chwili ktoś mógł odkryć.

Nie uważał się za oszusta, nawet nie lękał się zdemaskowania. Niepokój i poczucie klęski zaczynało go ogarniać dopiero, kiedy dzień chylił się ku końcowi, a on zbliżał się do kamienicy przy Koszykowej. Tam, zaraz po przekroczeniu progu kuchennych drzwi, przez które wpuszczała go Andzia, musiał w ukryciu zmienić ubranie, schować garnitur i założyć znienawidzoną sukienkę w groszki.

Gdy prosto z ulicy Traugutta Julian wszedł do lokalu, zdziwił go widok czarnoskórego szatniarza, który zagadnął do niego świetną polszczyzną: „Szanowny pan pozwoli płaszcz". Zaskoczyło go też eleganckie wnętrze kawiarni, nieco zbyt wyszukane jak na miejsce, w którym spotykali się wiecznie borykający się z kłopotami finansowymi malarze i artyści.

Wacek i Witold, dwaj koledzy po piórze, rozgrywali w osobnej salce partyjkę bilardu z nieznanymi mu malarzem i młodym literatem, który z uśmiechem i bezsprzecznym urokiem szydził z przebiegu gry. Tego dnia Witold był w szczególnie złośliwym nastroju. Pewnemu w miarę znanemu malarzowi wykrzyczał w twarz: „Nie wierzę w malarstwo!", po czym wypuszczając kółka dymu z ust, czekał na reakcję podpitego artysty. Po krótkiej i żałosnej wymianie wyzwisk zaatakował z kolei jakiegoś poetę, patrząc mu prosto w oczy i mówiąc: „Nie wierzę w poezję". Ta wypowiedziana przez Witolda opinia wywołała dyskusję, która niemal nie skończyła się mordobiciem. Do wymiany ciosów ostatecznie nie doszło, ponieważ sprawca całej prowokacji, znudzony rozmowami na temat teorii sztuki, wymknął się z lokalu „po angielsku" w towarzystwie jakiegoś młodego kelnera.

Kiedy zebrane w Zodiaku męskie towarzystwo było już po kilku wódkach i kłótni o dołączeniu ich grupy poetyckiej Heksagram do kółka skupionego wokół pisma artystycznego „Formaty", panowie artyści wyszli w ciepłą noc i kazali się wieźć dorożką aż na Krochmalną, gdzie Wacek zaprowadził ich do małego pomieszczenia znajdującego się na tyłach sklepu z wędlinami. Grano tam w pokera na pieniądze. Spotkali się tu znowu z Witoldem, który już zdążył wygrać parę złotych.

Nie mając przy sobie niemal żadnych funduszy, Julian obstawił pożyczoną od Witka sumę. Ku jego zdziwieniu karta mu szła. W pierwszej partii zgarnął niemal pięćdziesiąt złotych i gdy chował banknoty do kieszeni, przyszła mu do głowy śmiała myśl, aby zapłacić jakiejś panience lekkich obyczajów, żeby pokazała mu, co i jak powinien robić, aby zadowolić kobietę, nawet jeśli – tak by to wytłumaczył – jego naturalny instrument niestety go zawodzi.

– Jakieś żarty pan robisz? Rewanż się należy! – zagrzmiał w jego kierunku łysy jegomość z wąsikiem.

– Daj pan spokój! Daj się chłopakowi nacieszyć. Pierwszy raz coś wygrał! – bronił go uczestniczący w grze właściciel sklepu o wyglądzie rasowego rzeźnika. – Na co wydasz te pieniążki? – zapytał Juliana.

– Na chustkową! – odparł bez wahania.

Mężczyźni zaśmiali się z aprobatą.

– Masz tyle, że starczy ci nawet na wizytę w jakimś zacnym przybytku!

– Idź na Freta! Tam są najlepsze burdele! Pod numerem dziewiątym mają nawet taką czarnulkę, co to aż mnie mrowi na samą myśl o jej… – zachęcał Wacek, nie zwracając uwagi na ponurą minę Witolda, który wcale się nie śmiał.

Julian wiedział, że tego typu dziewczyny można było zwykle spotkać wokół wejścia do lokali, te mające najniższe stawki – chustkowe – kręciły się ledwie kilkaset metrów od redakcji „Bluszczu", wokół robotniczych rejonów Powiśla czy blisko brzegu Wisły. Właśnie tam skierował swoje kroki, nie mając odwagi wejść do domu uciech, gdzie jeszcze rozpoznano by jego przebranie i narobiono mu problemów. Bał się, ale jednocześnie perspektywa wspólnego wyjazdu z Lili wymagała konkretnych przygotowań. Wszystkie te pytania, które nie dawały mu spokoju, zmuszały go do podjęcia konkretnych działań. Nie było wyjścia, skoro nie chciał wymigać się od spływu kajakowego.

Bardzo się martwił. Czy będzie musiał ujawnić swoją fizyczność, czy zdoła wytłumaczyć Liliannie ten potworny rozdźwięk pomiędzy swoim ciałem a umysłem? Czuł, że ona go zrozumie, ale nawet jeśli nie będzie mógł wyjawić jej prawdy, nie mógł jej zawieść. Musiał sprawić jej przyjemność, wiedzieć, jak ją dotykać i całować. Nigdy dotąd nie miał okazji, aby obcować z kobiecym ciałem i zaznać wrażeń z tym związanych.

Zawołał dorożkę i kazał się wieźć na Powiśle. Ledwie stanął nieopodal wejścia do znanej w półświatku gospody przy Zajęczej i zapalił papierosa, a już zauważył kilka kręcących się przed wejściem dziewcząt. Jedna z nich śmiało ruszyła ku niemu, od razu recytując swój katalog usług i przynależne im stawki.

– Zależy mi, żeby tylko popatrzeć, mam kilka pytań... Zapłacę tyle, co normalnie się należy – powiedział zmieszany.

Dziewczyna patrzyła na niego rozbawiona, paląc papierosa. Mimo wyzywającej miny wyglądała na wychudzoną i głodną. Julian pomyślał, że nawet jeśli niczego się nie nauczy, przynajmniej odda wygrane pieniądze komuś, kto naprawdę ich potrzebuje.

Chustkowa kazała mu iść kilka kroków za nią, po czym ruszyła wzdłuż muru okalającego fabrykę landrynek, z której dolatywał słodkawy, lekko mdlący zapach. Skręciła gdzieś, rozglądając się co chwila w obawie przed odgłosami „suki", która ostatnio ciągle nawiedzała te rejony i zabierała dziewczęta wprost z ulicy na pakę wielkiego wozu, po czym wiozła na komisariat. Julian wszedł za nią do pogrążonego w ciemnościach budynku śmierdzącego stęchlizną i gotowaną kapustą. Weszli do biednie urządzonej, ciemnej izby, gdzie, ku jego zdumieniu, przebywało kilka osób. Ktoś gotował coś na kuchni, przy stole jakiś chłopak siedział nad książką.

Spłoszony, już miał się wycofać, gdy dziewczyna złapała go mocno za rękę i pociągnęła za sobą w kąt pomieszczenia, gdzie stało niezbyt szerokie łóżko. W świetle świec, które paliły się wewnątrz izby, twarz dziewczyny wydała mu się piękna, choć włosy potwornie potargane, nieumyte, a ubranie bardziej niż żałosne.

– Nie, tak nie mogę... – powiedział zakłopotany.

Dziewczyna bez słowa zaciągnęła przymocowaną do sufitu czerwoną zasłonkę, sprawiając, iż niewielka przestrzeń wokół łóżka została odseparowana od głównego pomieszczenia. Bez słowa wyciągnęła dłoń po swoje obiecane półtora złotego.

Boże mój, przecież to ledwo starczy na kilo mąki i kilka kartofli – pomyślał Julian i powiedział:

– Postaraj się, odpowiedz na moje pytanie, a dam ci drugie tyle. Chciałbym wiedzieć, jak obcować można z kobietą, kiedy... Jak to powiedzieć... Powiedzmy: bez użycia przyrodzenia...

– Czyli kiedy nie stoi?

– No tak...

Dziewczyna położyła się na plecach na przykrytym niechlujnie pocerowaną kapą łóżku, podkasała spódnicę, pod którą nie miała majtek, po czym rozłożyła szeroko nogi. Jej dłonie pewnym ruchem dotknęły mocno owłosionego wzgórka i bezwstydnie odkryły przed Julianem najintymniejsze miejsce, ciemnoróżowe, wilgotne i błyszczące. Julian zadrżał na ten widok. Nigdy nie odważył się spojrzeć na odbicie w lusterku własnych żeńskich organów, które przyprawiały go o obrzydzenie. Jednak widok rozchylonych nóg chustkowej sprawił, iż poczuł wzbierające w nim podniecenie.

Dziewczyna zaczęła mu wyjaśniać ściszonym głosem, jak dotykać kobiecego krocza, aby sprawić przyjemność. W końcu pokazała mu maleńki, właściwie niewidoczny guziczek u szczytu schodzących się warg sromowych, mówiąc, iż jest to tajemniczy przycisk damskiej rozkoszy.

– Niewiele kobiet wie, że mają w sobie coś takiego. A wystarczy dotknąć, nawet własną ręką, żeby poczuć się tak, jakby całe smutki odeszły... – powiedziała dziewczyna. – Możesz pan, jeśli cię obrzydzenie nie weźmie, lizać to językiem. Jak pan to zrobisz, kobieta będzie zaskoczona mocą rozkoszy i będzie twoja na wieki!

Później pokazała mu jeszcze, gdzie szukać kobiecego otworu, i wyjaśniła, iż można swobodnie wkładać weń palce, a nawet jakieś wcześniej umyte przedmioty.

– Jak pan chcesz, Wiesiek, stolarz z Browarnej, może panu z drewna wystrugać taki specjalny przyrząd, wiem, że miał kilka zamówień na coś takiego.

– Na razie dziękuję, jakby coś, zgłoszę się – odparł zmieszany Julian.

Zapłaciwszy dziewczynie cztery złote, za co z wdzięczności zaproponowała mu dodatkową usługę, z której rzecz jasna nie skorzystał, Julian wyszedł z cuchnącego pomieszczenia i długo szedł chłodną nocą, biorąc dorożkę dopiero na Świętokrzyskiej. Myślał bezustannie o wszystkim, czego dowiedział się od chustkowej i co zrobiło na nim tak ogromne wrażenie. Nigdy by się nie domyślił, że kobiecy organ można obsługiwać w tak różnorodny sposób, nawet ustami...

Mimo bardzo późnej pory także tego dnia Andzia czekała na jego pojawienie się w pomieszczeniu kuchennym. *O nie! Znowu...* – pomyślał przerażony Julian. Dziewczyna stała oparta o ścianę w nonszalanckiej pozie, z ręką podtrzymującą łokieć drugiej ręki, w której tkwił tlący się papieros.

– Oj, było się w jakiejś tancbudzie. – Poruszając nozdrzami, dała mu do zrozumienia, że śmierdzi.

Patrzyła na Juliana z nieskrywanym lekceważeniem, przez co jego odczuwana wcześniej pewność siebie stopniała w ułamku sekundy. W oczach pogardzającej nim, szantażującej go służącej był głupią starą panną, która miała nierówno pod sufitem.

– Potrzebne mi pięć złotych – rzuciła w jego kierunku z hardą miną.

– Przecież dostałaś dopiero tydzień temu swoją dolę! – wściekał się Julian.

Musiał minąć Andzię blokującą przejście do małej pakamerki, gdzie w starym kufrze z nieużywanymi sprzętami ukrywał domową sukienkę.

Z głębi mieszkania dobiegały odgłosy audycji radiowej, której ciotka namiętnie słuchała, popijając kawę.

– Ciocia pytała, czy panienka już w domu – powiedziała Andzia, złośliwie akcentując słowo „panienka". – Może w końcu trzeba biedną starą kobietę uświadomić, co jej siostrzenica wyprawia... Nieszczęsna ciocia, nie zasługuje na taką hańbę... Gdyby przypadkiem któraś sąsiadka dowiedziała się prawdy!

– Jesteś okropną, zachłanną dziewuchą – syknął Julian, rzucając jej dwa złote. – Więcej nie mam! Niedługo sam ciotce wszystko wytłumaczę!

– O, na pewno! – Dziewczyna zaczęła się okrutnie śmiać. – Ciocia przecież zrozumie! A potem w domu wariatów panienkę zamkną i tyle będzie tej całej zabawy!

Jej demoniczny śmiech sprawiał, iż Julian czuł się, jakby coś oślizgłego i obcego zawładnęło jego ciałem. Czym prędzej udał się do swojego pokoju, a zamykając drzwi, przekręcił w zamku klucz. Nie mając siły się umyć, zdjął ubranie, ukrył garnitur w szafie między sukienkami i spódnicami, po czym przy uchylonym oknie zapalił papierosa. Wpatrzony w nieruchomą, ciemną czeluść ulicy Lwowskiej myślał z przerażeniem o tym, iż Andzia zaczyna stanowić największe ryzyko w całej tej grze, jaką kilka miesięcy temu podjął z losem.

Rozdział 10

Marzec 1934

Dzień przemiany

Kiedy Julian uległ swoim potrzebom po raz pierwszy, najpierw poczuł lęk, ale chwilę później wiedział już, że nigdy na dobre nie wróci do swojej poprzedniej, fałszywej kobiecości. Wystarczył jeden dzień na początku marca 1934 roku, aby jego życie zmieniło się w sposób nieodwracalny.

Może przyczyniły się do tego sugestywne sceny z filmu *Marocco*, oglądanego wspólnie z ciotką w kinie Majestic. Po seansie długo nie mógł zasnąć. Przed oczami nieustannie stawała mu – niczym objawienie – Marlena Dietrich w męskim ubraniu, piękna i silna. Scena jej pocałunku z inną aktorką była obrazem najczęściej przywoływanym w myślach w trakcie trudnych, bezsennych nocy.

Dzięki tym przechowywanym w pamięci obrazom, ilekroć widział szczególnie piękną dziewczynę, czuł podekscytowanie, któremu towarzyszyło dziwne odczucie bolesnego, a jednocześnie przyjemnego ucisku w kroczu. W myślach łączył ten stan z obrazem kobiety całującej Marlenę Dietrich.

Któregoś dnia, ubierając się, patrzył – jak czynił to często – przez dłuższą chwilę na swoje odbicie w lustrze zawieszonym na wewnętrznej stronie drzwi starej szafy. Spatynowana tafla zwykle ukazywała mu oblicze jakby nienależące do niego. Przyzwyczaił się już do tego dziwnego odczucia, które pojawiało się za każdym razem, gdy widział w przelocie swój wizerunek odbity w witrynie mijanego sklepu czy w szybie tramwaju. Spoglądał na kogoś innego, całkowicie obcego. *To nie mogę być ja* – mówił do siebie w myślach, nie dając sobie rady ze swoimi emocjami. Próbował oswoić się z własnym wyglądem, tłumacząc sobie, że dostał od Boga dziwną duszę i dziwne ciało. Swego czasu pokornie i żarliwie się modlił, chcąc pojąć, skąd bierze się to zdziwienie samym sobą. Prosił o łaskę i o to, aby nie być odrzuconym. W końcu jednak zdał sobie sprawę, że z biegiem lat nie będzie mu wcale lżej. Uwagi na temat staropanieństwa i kąśliwe przytyki odnoszące się do braku kobiecości nie były jeszcze najgorszym doświadczeniem. Dużo trudniejsza do zniesienia okazała się narastająca z każdym dniem gorycz wywołana poczuciem, iż rozszerza się przepaść między „ja" wewnętrznym a „ja" publicznym, znanym jako panna Julia Szewc-Korońska.

Przyglądał się sobie nieustannie w lustrze, studiował z uwagą odbicie swojej twarzy, w bardzo rzadkich chwilach czując, że przez dosłownie ułamek sekundy zobaczył prawdziwego siebie. Gdy tak się działo, wydawało mu się, że dojrzał w sobie jakąś istotę przypominającą anioła, która nie była ani kobietą, ani mężczyzną, a kimś pomiędzy albo nawet przewyższającym płeć jako taką.

Fizjologia nie ma znaczenia, myślał, potrzeby ciała można ujarzmić i zmarginalizować. *L'âme n'a pas de sexe**, powtarzał sobie odnaleziony gdzieś cytat osiemnastowiecznych uczonych. Ale wkrótce ciało odzywało się w nim niczym rozzłoszczone zwierzę, domagając się spełnienia swoich potrzeb. Widok ślicznej dziewczyny z równoległej klasy gimnazjalnej prawie odbierał mu rozum.

Tuż po zamieszkaniu u ciotki w Warszawie godzinami wertował książki, magazyny i broszury zbierane od ponad trzydziestu lat, a teraz zalegające stertami w wiecznym bałaganie. Jedynie „Biblioteka Boya" wiernie podziwianego przez ciotkę, mimo nasilających się ostatnio szykan i oskarżeń pod adresem twórcy, zasługiwała na porządek i została starannie ustawiona

* Dusza nie ma płci (fr.)

na regale. Pokaźny rząd przyblakłych tomów oprawionych w jasnoniebieskie płótno tkwił niczym pielęgnowany ołtarzyk pośród stert innych papierzysk. Wśród reszty książek panował totalny chaos.

Największą przyjemnością po powrocie ze szkoły do domu było zaszycie się w małym, zagraconym pomieszczeniu z mansardowym oknem, które w zależności od potrzeb nazywano biblioteką lub gabinetem, a niekiedy nawet pokojem pracy.

Przekopując się przez tony papierów, Julian nieustannie poszukiwał olśnienia, niekiedy je znajdując. Dzięki zachowanym przez ciotkę wszystkim dwudziestu siedmiu zeszytom wydawanej na początku wieku „Chimery" odkrył nowatorskie wiersze Arthura Rimbauda, które zrobiły na nim piorunujące wrażenie. Od tamtego czasu poezja zyskała zupełnie nowy wymiar, oferując mu nie tylko marzenia i sposób na nazwanie odczuć, ale również wizję życia pełnego intensywności i ryzyka. Nie znał jeszcze historii młodego poety, nie wiedział o jego szalonym związku z Paulem Verlaine'em, nie miał świadomości, że ten geniusz stworzył swoje pierwsze utwory w wieku piętnastu lat, a mając lat dwadzieścia, uciekł od poezji do Afryki, gdzie handlował kością słoniową.

Julianowi udało się w końcu poznać życiorys poety. Wtedy zawładnęło nim silne pragnienie pójścia w jego ślady, bycia wolnym wędrowcem, panem samego siebie. Chciał wędrować przed siebie, bez celu i bez zobowiązań, odważnie próbować życia, łapczywie gromadzić wrażenia, zasmakować wszelkich możliwych doznań, poddać się temu, co przyniesie los, i nie zważać na konsekwencje swoich wyborów, nawet jeśli niosłyby ze sobą cierpienie bądź śmierć. W „Chimerze" natrafił kiedyś na niezwykły wiersz zatytułowany *Pragnienie*, który przemówił do niego tak mocno, iż przepisał go sobie do ozdobnego zeszytu, tuż obok starannie wykaligrafowanych *Iluminacji* Rimbauda. Autorką była nieznana mu Maria Komornicka.

Jak nurek w ciężkim, szklanym swoim dzwonie,
Pragnę iść na dno, tonąć z swym ciężarem.
Szukam otchłani, która mnie pochłonie,
Podmorskich świateł olśniewając czarem.
Jako dojrzałe zeschłych kłosów ziarno,
Dręczone skarbem niemej tajemnicy.
Pragnę się w ziemi pierś pogrążyć czarną,
Ujść oku słońca i ludzkiej źrenicy.
Jak wód rozgrzanych opar w noce letnie,
Tak zniknąć pragnę, oddać się niebiosom,
– Aż mnie ojczysty wiatr na obłok zetnie
– Iskrą powrócę wtedy – tęczą – rosą.
Jak chce szlachetna ruda tyglów waru,
Pragnę się stopić, spalić, zwęglić, zginąć –
Zniszczeć na popiół w orkanie pożaru
– I z prochu skrzydła Feniksa rozwinąć
Pragnę z pamięci świata tak doszczętnie
Wymrzeć, by z nazwy nie zostało śladu –
By mnie nie poznał nikt po dawnym piętnie,
Gdy ląd pozdrowię z floty mej pokładu.
Chcę uciec, zniknąć, zginąć – jak nurek, ruda, mgła, ziarno;
Przeistoczenia szukać w morzu, w ogniu, w chmurach, w ziemi,
Przeistoczony wrócić w głusz mego domu cmentarną,
Z twarzy osłupionych czar ustami zdjąć budzącemi –

Zwykły śmiertelnik nie potrafi zamknąć w słowach stanów ludzkiej duszy tak, jak to czynią poeci. Julian miał wrażenie, że Maria Komornicka pisała o nim, o jego uczuciach, o jego najskrytszych przemyśleniach, jakby była jego najlepszą przyjaciółką. I choć w tamtym okresie często myślał o śmierci, postanowił, że spróbuje zmierzyć się z życiem. Głód doznań był silniejszy.

Potrzeba wydostania się poza świat zamknięty między domem, szkołą a prawie obcą mu matką czuwającą z oddali nad moralnością dziecka uświadomiła mu, jak trudno być sobą w świecie sztywnych zasad. Strój kobiecy odbierał mu jakąkolwiek nadzieję na wolność. Już wówczas zastanawiał się nad swoją życiową strategią. Przeczytawszy *Lato leśnych ludzi*, zainteresował się Rodziewiczówną, która na fotografiach wyglądała jak mężczyzna, z krótką fryzurą, ubrana w garnitur. Książka ta przypomniała mu utracony raj dzieciństwa spędzonego w majątku pod Sandomierzem, gdzie wychowywał się swobodnie, na łonie przyrody, a co najważniejsze, za kompanów miał trzech zbliżonych do niego wiekiem chłopców, z którymi całymi dniami jeździł konno, biegał po lasach, bawił się w wojnę i wdrapywał na drzewa.

Jak mówiono, Rodziewiczówna nie tylko wyglądała, ale podobno nawet żyła po męsku, ubierając się jak mężczyzna i mieszkając z kobietą. Jej wycięte z magazynu zdjęcie schował sobie pod stertą bielizny w szafie. *Można więc żyć w ten sposób* – mówił sobie Julian.

Tego pamiętnego dnia na przełomie zimy i wiosny Julian poczekał, aż ciotka wyjdzie z mieszkania na jedno ze swoich spotkań PPS-u, których było teraz bardzo wiele w związku z wyborami samorządowymi, i z bijącym sercem wyciągnął z zakurzonego, zawalonego stertą nieużywanych ubrań kufra garnitur zmarłego przed wielu laty wuja Stefana. Strój śmierdział stęchlizną i naftaliną, był w opłakanym stanie, a jednak Julian nie umiał się oprzeć. Chciał choć przez moment doprowadzić swoje wewnętrzne „ja" do zgody z tym zewnętrznym.

Zdjął z siebie prostą sukienkę z granatowej wełny i z bólem

przyglądając się niewielkim, znienawidzonym piersiom, zaczął je starannie bandażować. Kiedy tylko jego klatka spłaszczyła się pod materiałem koszuli, poczuł coś więcej niż ulgę. Wreszcie czuł się lepiej we własnym ciele.

Ja, Julian, Ja – Julian, Julian! Jestem Julian! – jego głos brzmiał stanowczo, z wyraźną nutą pewności siebie. Stał przed lustrem w półmroku mieszkania przy Koszykowej, zadowolony ze swojego odbicia. Garnitur był sporo za duży, wyglądał nieco groteskowo w zbyt obszernych spodniach mocno ściągniętych paskiem, w marynarce z szerokimi ramionami, która jednak idealnie kamuflowała niewielkie piersi. Po kilku próbach zawiązał w końcu niezbyt ładnie krawat na chudej szyi, potem włożył kapelusz i zamarł w zachwycie nad swoją powierzchownością przed taflą lustra. Nagle poczuł, że dzięki tym starym, stęchłym ubraniom odetchnął świeżym powietrzem, dotykając upragnionej wolności, którą jak najszybciej powinien wykorzystać.

Ten trzymany w tajemnicy sprzeciw wobec własnego ciała, które czyniło go kobietą w oczach innych ludzi, zamieniał w niemą wściekłość, rozgoryczenie i kierowane do Boga, absolutu, wszechświata pytanie, dlaczego był tak mocno karany. Za co? Czemu musiał się tak męczyć? Skoro mijały lata, a ciało żyło swoim życiem, absolutnie nie słuchając umysłu, nie można było liczyć na żadną poprawę jego losu.

Ponure myśli najczęściej nawiedzały go, gdy leżał w swoim łóżku, podczas gdy nad miastem zapadał zmierzch. Świadomość, iż jego cierpienie będzie trwało do końca życia, była niekiedy nie do zniesienia. Zdenerwowany, podrywał się na nogi, zapalał papierosa i stojąc przy oknie, obserwował, jak w domach po przeciwległej stronie Koszykowej ludzie szykują się do snu. *Gdyby można było poznać innych takich jak ja... Gdyby okazało się, że ktoś czuje podobnie, męczy się tak samo – byłoby o wiele lżej, wiele, wiele lżej, mimo że więzienie, jakim jest odstręczające kobiece ciało, nigdy nie pozwoli na prawdziwe uwolnienie* – myślał. Nie znał jednak nikogo, kto żyłby w podobnej udręce. Może był jedyną taką osobą na świecie? Wynaturzeniem, odmieńcem, wybrykiem natury?

Kilka miesięcy po tym, jak zaczął pracować jako biuralistka w Państwowym Urzędzie Telekomunikacyjnym, Julian zapukał wieczorem do pokoju ciotki, która leżała już w łóżku, ubrana w przepoconą koszulę nocną i czytała z zapamiętaniem pachnący jeszcze drukiem ostatni tom *Nocy i dni* Dąbrowskiej. Niezbyt zadowolona, iż siostrzenica przeszkadza jej w lekturze, mruknęła zniecierpliwiona:

– No co tam?

– Ciociu, dręczy mnie jedna rzecz, spać nie mogę – mówił niepewnym głosem Julian, łaknąc ciepła i zrozumienia, którego nie mógł dostać.

– Tak? Źle ci u mnie? Chcesz do matki wracać?

– Nie, skądże! Niech Bóg broni! Matka nie ma dla mnie czasu, zajęta swoim nowym mężem, gospodarstwem, tylko ją jedno interesuje, kiedy za mąż wyjdę. Ale chyba nawet ona już traci nadzieję...

Ciotka tylko westchnęła. Najwspanialszym aspektem życia z nią pod jednym dachem był jej całkowity brak zainteresowania potencjalnym zamążpójściem Julii. Nie próbowała jej swatać, nie szukała kandydatów, może dlatego, że sama od czasów wojny z bolszewikami, kiedy to zginął jej świeżo poślubiony małżonek, nie szukała już żadnego uczucia ani nawet męskiego towarzystwa. Samowystarczalna dzięki części spadku po ojcu, żyła skromnie jako wdowa, poświęcając się działalności w partii socjalistycznej, której była absolutnie oddana. Jedynym mężczyzną mającym dla niej znaczenie był Lenin. Mogła mówić o nim godzinami, tak jak inne kobiety mówiły o amantach filmowych. Mieszkanie z ciotką wyszło mu na dobre. Julian mógł pracować, pisać wiersze, w miarę swobodnie wychodzić z domu, korzystając z jej częstych nieobecności. Ciągle chodziła na jakieś zebrania, spotkania komitetu, przygotowywała mityngi z wyborcami, pomagała przy organizacji wyborów. Ciągle w biegu, wcale nie zwracała uwagi na dziwną siostrzenicę ani na docinki sąsiadek, dogadujące na temat staropanieństwa Julii. Jej towarzyszki partyjne nie utożsamiały się z tak burżuazyjnym podejściem. „Skoro pracuje, zarabia, nie wzdycha do nikogo, widocznie mąż nie jest jej do szczęścia potrzebny" – komentowały. Jednak Julię dręczyło coś więcej.

– Droga ciociu, nie myślisz, że coś jest nie tak z moim ciałem, taka jestem niekobieca, nie mam tego, co mają dziewczęta...

– No, nie masz typowej urody, a jeszcze dodatkowo tak krótko obcięłaś włosy, że gdyby nie spódnica, ktoś mógłby cię wziąć za mężczyznę.

– Taka fryzura mi pasuje, to teraz modne przecież – szepnęła siostrzenica. – A czy ciocia nie myśli, że we mnie jest jakaś skaza, jakaś jestem nie do końca poprawnie ukształtowana, jakaś taka... męska?

– Nie, dlaczego? Nie martw się, dziecko, jeśli dręczy cię staropanieństwo, to pomyśl o mnie, czy ja mam powody narzekać na życie, a przecież nie ma tu w domu mężczyzny! Samej mi dobrze, kochałam kiedyś, może za bardzo. Więcej nie chcę. Ale może ty przypadkiem zakochałaś się, co?

Siostrzenica zarumieniła się i zmieszała. Ciotka opacznie zrozumiała wątpliwości Juliana.

– Nie, nie, skądże, to nie to. Martwię się, że jestem jak jakiś odmieniec, nie taki, nie taka jak inni. Jako dziecko większą przyjemność dawało mi jeżdżenie konno, bieganie po lesie z synami naszego zarządcy niż kobiece czynności, jakoś tak...

– Pamiętam, straszną byłaś chłopczycą! Twoja matka tak narzekała, że wściekasz się, ilekroć cię ubierze w jakąś piękną sukienkę. Darłaś się jak opętana, aż ojciec twój – pewnie już go nawet nie pamiętasz – zanim powalił go atak serca, nieraz pasem cię łajał. I to zdrowo! Nie martw się, wszystko jest dobrze. Ja ci mówię, bez męża też można dobrze żyć. Pracujesz, masz u mnie kąt nad głową, jak mnie zabraknie, to odziedziczysz to mieszkanie. A matce i jej pragnieniu, aby wydać córkę za mąż, nie możesz się dziwić. Masz dwadzieścia dziewięć lat, jeszcze chwila i już nawet ona uwierzy, że po prostu nie znajdziesz męża! A teraz pocałuj starą ciotkę i daj mi zasnąć. Jutro czeka mnie posiedzenie Centralnego Komitetu Wykonawczego partii! Muszę się wyspać!

Od kiedy sięgał pamięcią, jeszcze jako małe, nic nierozumiejące dziecko czuł silny dyskomfort, będąc Julią, córką Aliny i Joachima Szewc-Korońskich, drobnych posiadaczy ziemskich, których majątek przepadł po śmierci ojca na skutek złego gospodarowania i niespłacanych długów.

Od zawsze myślał o sobie w formie męskiej. Kazał mówić do siebie Julek, co ogromnie irytowało matkę, zaniepokojoną dziwacznym zachowaniem córki, która nie czuła się dobrze w dziewczęcym towarzystwie, nie interesowała się tym, czym żyły jej dwie siostry. Wciąż tęsknił za ich domem pod Sandomierzem, utrwalonym we wspomnieniach jako utracona arkadia, gdzie godzinami jeździł konno, uczestniczył w polowaniach albo bawił się na powietrzu z synami zarządcy ich niewielkiego majątku.

Gdy ojciec nagle zmarł na serce i wyszła na jaw ich tragiczna sytuacja finansowa, matka przy wsparciu rodziny sprzedała dom i ziemię, a po spłacie długów zdecydowała się przyjąć konkury zarządcy majątku pod Radomiem. Najstarszą córkę

Julię wysłała do swojej siostry do Warszawy, gdzie dziewczyna zaczęła naukę w żeńskim gimnazjum.

Wraz z nadejściem trzynastych urodzin świat Juliana diametralnie się zmienił. W stolicy musiał odnaleźć się zarówno wśród grupy szkolnych koleżanek, jak i w nowych, miejskich warunkach. Ponadto przyszło mu doświadczyć wątpliwych uroków kobiecości, o jakich nie śnił w najczarniejszych snach.

Pewnego wrześniowego dnia, gdy ubrany już w szkolny mundurek pakował książki, poczuł dziwny ból w dole brzucha. Wychodząc z kamienicy przy Koszykowej, wstąpił jeszcze do umiejscowionego na podwórku wychodka. Zdejmując majtki, doznał wstrząsu, widząc czerwone ślady krwi na bieliźnie. Gwałtowne przerażenie sprawiło, iż serce zaczęło mu kołatać z zawrotną szybkością. W popłochu, trzęsącymi się rękoma naciągnął majtki i wyszedł na powietrze. Dopiero wchodząc po schodach, przypomniał sobie, o czym mówiły między sobą koleżanki w gimnazjum. Musiał i u niego pojawić się ten znak zwiastujący płodność, naturalny sygnał, że ciało uzyskało dojrzałość.

Z płaczem pobiegł do ciotki, a ta szybko odesłała go do gosposi, aby wziął od niej podkłady, które przez kilka następnych dni miał nosić między nogami. Ten pierwszy ból podbrzusza okazał się potwornie silny, trudny do zniesienia zarówno fizycznie, jak i psychicznie. *Nie chcę, nie chcę!* – krzyczał w nim wewnętrzny głos. Julian czuł wewnętrzny ból, ale jedyne, co mógł zrobić, to wyć, chowając twarz w poduszki, nie mogąc wprost uwierzyć, iż coś takiego będzie się przytrafiać w każdym miesiącu. Jak kobiety mogły znosić coś równie obrzydliwego?

Następnego dnia w szkole właściwie nie ruszał się ze swojej ławki, mając wrażenie, że brudne, cuchnące skrawki szmat włożone do majtek wypadną na podłogę i na zawsze okryją go hańbą. Po skończonych lekcjach szybko wracał do domu, by zmyć z siebie cuchnącą krew. Brzydził się sobą jak nigdy dotąd, myśląc, że niektóre kultury mają rację, uważając, iż kobieta w czasie miesiączkowania jest nieczysta. On był nieczysty. Był kobietą i nic nie mogło tego zmienić.

Jednak po pierwszej, tak boleśnie naruszającej psychikę miesiączce kolejne się nie pojawiały. Najpierw Julian wyczekiwał znajomego bólu, przygotowany, aby przejść przez najgorsze, a po kilkunastu tygodniach niemal zapomniał o okresie, jakby to był tylko zły sen, który więcej już mu się nie przyśnił. Zaczął wierzyć, że jego ciało w końcu zrozumiało imperatyw rozumu i poddało się dyktatowi męskiego pierwiastka, który domagał się manifestacji. Zdawało się, że jego prawdziwe „ja" triumfowało, odnosząc sukces w walce z fizjologią, gdy niespodziewanie, po dwunastu miesiącach od pierwszej menstruacji, podczas gry w tenisa, poczuł ból w dole brzucha. Okres pojawił się znowu, a towarzyszące mu dolegliwości były jeszcze silniejsze.

Kolejne miesiączki przychodziły nieregularnie, niekiedy co sześć, czasami nawet osiem tygodni, i zawsze był to najgorszy czas w miesiącu. Często odczuwał pogardę dla tego poddanego fizjologii „ja", które nie umiało zapanować nad własnym ciałem.

Po kilku latach Julian zauważył, że umęczenie ciała i uprawianie sportu pomagają mu w tych sprawach. Krwawienia pojawiały się jeszcze rzadziej. Zapisał się do klubu wioślarskiego, w którym było zaledwie kilka kobiet. Grał też w tenisa i pływał. Nie lubił sportów zespołowych, bo musiał spędzać czas w gronie dziewcząt, które w trakcie przebierania się epatowały rosnącymi piersiami, niekiedy chichocząc i podszczypując się w ramach żartów. W takich chwilach Julian odwracał wzrok, a czasami nasłuchał się kpin: „Patrzcie, jaka Julcia wstydliwa, czego się boisz, że zobaczymy kawałek tego, co same mamy?". Znosił to z zaciśniętymi zębami, niczego bardziej nie pragnąc, niż dotknąć cudownych, jędrnych biustów, uszczypnąć zaróżowiony po myciu pośladek. Ale gdyby to zrobił, dziewczęta zauważyłyby, że w jego przypadku to nie do końca są żarty.

Co dziwne, u innych kobiet podobało mu się to, czego nie akceptował w swoim ciele. Kiedyś w upalne popołudnie, ubierając się po kąpieli, usiadł na łóżku i rozszerzając nogi, ustawił między nimi małe lusterko ciotki. Gdy zobaczył po raz pierwszy swoją waginę, niemalże zwymiotował z obrzydzenia. Zapach wydzieliny, zmieniający się na przestrzeni miesiąca, zawsze go odstręczał, ale gdy zobaczył śliskie, pofałdowane płaty skóry, przypominające mu różowe mięso, poczuł wręcz nienawiść do samego siebie, do swojego upośledzonego ciała i swego nieszczęsnego losu.

Co było jeszcze dziwniejsze, nie myślał nigdy, że czegoś brakuje w jego ciele. Męski członek w zasadzie nie wydawał mu się potrzebny. Skołowany tym wszystkim, czując mdłości, odrzucił ze złością lusterko, które rozbiło się na drobne kawałeczki. Gdy Andzia, ich służąca, weszła do środka, aby sprzątnąć pokój, złośliwie zauważyła:

– No, ma teraz panienka siedem lat nieszczęścia przed sobą.

– Prosiłam tysiąc razy, aby Andzia nie mówiła do mnie „panienko" – syknął Julian.

– Ale przecież Julcia jest ciągle panienką – złośliwie dodała dziewczyna.

– Nie jestem żadną panienką. Proszę do mnie nie mówić w ten sposób!

– To jak mam mówić? – Służąca wzruszyła ramionami, zmrużonymi z ciekawości oczami przyglądając się zdjęciu Marii Rodziewiczówny, które wetknięte było za duże lustro toaletki.

– Proszę mówić bezosobowo!

– Jak to? A panienka to się do tej starej pani upodabnia, czy co? Też takie króciutkie włosy, stroje jakby męskie. Taka panienka jest...

– Dość, niech Andzia wyjdzie. Proszę mnie zostawić! – nie wytrzymał Julian.

Dziewczyna wyszła, z impetem trzaskając drzwiami. Miała okropny charakter.

Ciotka wzięła ją do siebie mimo nieślubnego dziecka. Jej czyn pochwalała partia i bojowniczki o prawa kobiet. Jednak nie podobało się to większości mieszkańców ich domu przy Koszykowej, którzy zarzucali ciotce, iż trzymając u siebie kogoś takiego, naraża na szwank dobre imię całej kamienicy, zamieszkanej przez porządnych obywateli.

Początkowo, chcąc wyrazić chlebodawczyni swoją wdzięczność, Andzia z wielkim zapałem myła czarno-białe kafle w kuchni, gotowała, starając się trafić w gust chlebodawczyni, smażyła jej pączki i faworki, które i tak już otyła ciotka zajadała dzień w dzień. Dziewczyna przez jakiś czas przykładała się do pracy, ale jak tylko zorientowała się, iż jej pracodawczyni – sama będąc rzadko się myjącą bałaganiarą – w ogóle nie zwraca uwagi na porządek, przestała dbać o dom.

Ciemne, ponure wnętrza rzadko wietrzono, meble zawsze pokrywał kurz, ciężkie zasłony strach było poruszyć, aby w powietrze nie wzbiła się chmura tańczących w świetle drobin pyłu. W kątach wiecznie zalegały farfocle brudu, pościel była zmieniana tylko na święta, a podłoga kleiła się do kapci. W kuchni Andzia trzymała przez kilka dni niemyte naczynia, a wokół resztek jedzenia kręciły się muchy, nocą zaś karaluchy, a nawet szczury.

Noszone przez ciotkę rzadko prane ubrania były wiecznie nieświeże i przepocone, ale ani sama stateczna wdowa, ani jej leniwa służąca nie zawracały sobie tym głowy. Julian przeciwnie, patrząc na zaniedbane, cuchnące wnętrze mieszkania przy Koszykowej, nie mógł się nadziwić, jak może żyć w takich warunkach i czemu nie docierają do niej jego uwagi na temat

Andzi. Krępował go nieświeży zapach ciotki, jej codziennych ubrań oraz wkładanego od wielkiego dzwonu futra śmierdzącego naftaliną i potem. Ale to wszystko nie miało dla niego większego znaczenia, gdyż życie tutaj, z tymi dwiema brudnymi kobietami, dawało Julianowi niepowtarzalną szansę na zasmakowanie wolności. Wolności, której nigdy by nie doświadczył przy matce. Wszystko jedno, czy mieszkałaby w Warszawie, czy poza miastem. Tylko tutaj, w domu ciotki, mógł być tym, kim chciał.

Tamtego dnia, gdy pierwszy raz założył męski strój i wyszedł w nim na ulicę, z każdym krokiem, jaki stawiał, wstępowała w niego euforia nagle zdobytej wolności. Miał wrażenie, że założenie męskiego stroju w jakiś nadprzyrodzony sposób naprawdę przemieniło go w mężczyznę.

Jakiś potrącony przez niego przechodzień krzyknął za nim ze złością: „Uważaj pan, jak chodzisz!", a jego to usłyszane z obcych ust „pan" niemal uskrzydliło. Szedł przed siebie lekkim krokiem, napawając się otaczającym go światem, nie czując niemal przenikliwie chłodnego marcowego wiatru. Zdawało mu się, iż widoczna nad mijanym Dworcem Wileńskim różowa łuna na niebie zwiastowała nie tylko przedwiośnie, ale też jakieś odrodzenie, jakie miało nastąpić w jego życiu.

Szczęśliwy myślał o tym, że już niedługo zakwitną drzewa i krzewy, sklepikarze rozciągną nad witrynami kolorowe markizy, kobiety będą prezentować nowe kapelusze, odżyją parki i kawiarniane ogródki.

Mijając jakiś szynk przy Wilczej, pomyślał nagle, że ma przy sobie ze dwa złote i może swobodnie wstąpić na jakąś zakąskę. Pchnął ciężkie drzwi i wkroczył do zadymionego pomieszczenia, gdzie zapach smażonej cebuli i kiełbasy przypomniał mu, że niewiele jadł od powrotu z pracy.

Czując się z początku nieco niepewnie, usiadł przy małym stoliku nakrytym przybrudzonym obrusem, ale zaraz odetchnął z ulgą, gdy podszedł do niego kelner i powiedział:

– Polecam dzisiaj szanownemu panu barani kotlet oraz móżdżek smażony z cytryną. Mamy też wyśmienite zrazy po nelsońsku.

Zamówił zrazy i kufel piwa. Rozejrzał się wkoło i widząc zajętych sobą gości, którzy nie zwracali na niego uwagi, poczuł rozpierającą go euforię. Kostium mężczyzny oznaczał prawdziwą wolność – jako kobieta, bez towarzystwa nie mógłby wejść do lokalu, nawet spacerując samotnie po ulicy, wzbudzałby pewne podejrzenia. Teraz był panem swojego życia. Wychylił spory łyk przyniesionego mu piwa i przypominając sobie o notesie schowanym w kieszeni marynarki, wyjął go teraz wraz z małym ołówkiem i zaczął notować swoje spostrzeżenia, jakieś metafory, skrawki zdań, z których może kiedyś powstanie wiersz.

A więc mężczyzna mógł siedzieć sobie w lokalu i po prostu pisać. Nikt nie był specjalnie zdziwiony ani jego samotnością, ani faktem, iż pochylony smarował coś w małym notesie.

Kiedy zjadł smaczną porcję zrazów i wypił piwo, już miał się zbierać do wyjścia, gdy usłyszał, jak przy stoliku obok dwaj mężczyźni – młodszy o urodzie Rudolfa Valentino i nieco starszy, bardziej podobny do Adolfa Dymszy – dyskutują żarliwie o dekonstrukcji formuły tradycyjnego wiersza. Słysząc tak bliskie jego sercu terminy, jak „epifora" i „conversio", bez zastanowienia, wciąż jeszcze pewny siebie dzięki odnalezieniu furtki wiodącej go ku wolności, zwrócił się do dyskutujących:

– Przepraszam panów, słysząc – chcąc nie chcąc – dyskusję o zastosowaniu epifory w wierszu, nie mogłem się nie wtrącić, też jestem początkującym poetą. Czy mogę się przyłączyć do rozmowy? Próbuję nieco swoich sił w poezji... Jestem Julian Szewc. – Wyciągnął rękę do panów patrzących na niego oczami mętnymi po dziesięciu kuflach wypitego piwa.

Swoje nowe nazwisko wypowiedział spontanicznie, skracając to prawdziwe, które brzmiało Szewc-Korońska.

– Pan też jesteś poeta? – westchnął starszy mężczyzna, zapalając papierosa. – Taki młody, a już ma nie po kolei w głowie... – Machnął ręką na Juliana i zaśmiał się.

– Peiper czy Lechoń? – zadał pytanie młodszy.

– Przyboś czy Iwaszkiewicz? – zawtórował mu drugi z mężczyzn, podejrzliwie zerkając na intruza.

– Zdecydowanie Przyboś!!! Mój imiennik – uśmiechnął się Julian.

W taki właśnie sposób poznał Wacka i Witolda – dwóch nieustannie spierających się ze sobą poetów awangardowych, którzy zamierzali rozpocząć działalność grupy poetyckiej Hekatomb i właśnie omawiali zasadniczą kwestię – który z wierszy powinien być ich manifestem programowym.

– To co, panowie? Jeszcze po kuflu lwowskiego? – westchnął Wacek, dwudziestopięcioletni mężczyzna o elektryzującej urodzie. Przypatrujący mu się groźnym wzrokiem spod ściągniętych, krzaczastych brwi Witold sprawiał wrażenie szalonego. Był kilkanaście lat starszy od Juliana, a na palcu nosił obrączkę.

Julian od razu odgadł, iż tych dwóch łączy coś więcej niż poezja.

Po kilkudziesięciu minutach dyskusji na temat nieistniejącej już grupy literackiej Kwadryga, której twórczość fascynowała Juliana, panowie poeci umówili się na wspólne spotkanie pod koniec tygodnia. Julian obiecał przynieść i przeczytać swoje futurystyczne wiersze.

Już po zmroku wracał do domu opustoszałą Marszałkowską, napawał się poczuciem triumfu, które zrodziło się w momencie, gdy opuścił lokal i pożegnał się z nowo poznanymi kompanami. Był oszołomiony wiosenną nutą w powietrzu, a także nigdy dotąd niezaznaną swobodą. Julian wszystkimi zmysłami odczuwał radość na myśl o otwierających się przed nim perspektywach na przyszłość. Już nie bał się wyznaczać sobie nowych celów do realizacji. Chciał być mężczyzną i zostać poetą. Niespodziewanie te pragnienia wydały mu się możliwe do spełnienia.

Rozdział 11

Kwiecień 1934
Andzia żąda pieniędzy

Gdy tylko Julian usłyszał odgłos zamykanych za ciotką drzwi, natychmiast porzucił czytaną właśnie książkę, będącą sensacją literacką ostatnich miesięcy – opowiadania *Sklepy cynamonowe* napisane przez prowincjonalnego nauczyciela Brunona Schulza, po czym szybko wyciągnął spod łóżka pudło, w którym trzymał szyty na zamówienie garnitur, idealnie pasujący do jego drobnego ciała.

Krój spodni i dwurzędowa marynarka maskowały lekko zaokrąglone biodra, a kamizelka spłaszczała niewielki biust. Nowy, dopasowany do filigranowej postury garnitur w prążki niczym czarodziejska różdżka przeistoczył jego zdradzieckie, niewspółpracujące z umysłem ciało w kogoś prawdziwego, kto wewnętrznie od zawsze był sobą, czyli prawdziwym mężczyzną. Uszyty został u krawca na Nalewkach. Julian celowo wybrał się na ulicę Chłodną, chcąc zlecić uszycie ubrania w miejscu, w którym nikt z kręgu jego czy też ciotki znajomych często nie bywał. Ilość różnego rodzaju sklepów, wielość szyldów, handlarzy ulicznych oraz rzesze kupujących oszołomiły go. Bez trudu jednak dotarł na Chłodną, gdzie spośród kilku zakładów krawieckich wybrał ten najskromniejszy, którego drewniane okiennice zdobiła tabliczka z napisem po polsku i w jidysz: „J. Zejman. Krawiec. Tanio i solidnie". Szyjący ubrania Żyd w tradycyjnym stroju o nic go nie pytał i zachowywał się, jakby szycie kobiecie garnituru było jego chlebem powszednim.

Po dwóch wizytach przeznaczonych na przymiarki garnitur był gotowy. Odbierając strój, Julian założył go od razu w zakładzie, stary, zbyt obszerny i sfatygowany garnitur zostawiając krawcowi. Wyszedł z zakładu na gwarną, pełną ludzi ulicę, czując się jak inny człowiek. Mijał wpatrzonych w wystawy sklepów z zabawkami chłopców, starych Żydów w tradycyjnych strojach, idące pod rękę roześmiane dziewczyny w sukienkach w kwiatki, panów z teczkami w dłoniach, piękne elegantki o ciemnych włosach i śniadej cerze, stare kobieciny w chustkach na głowie, które przyjechały ze swoim towarem ze wsi na handel. Julian szedł pośród tej różnorodnej masy ludzkiej, czując się jak pan świata.

W te kwietniowe dni powiew wiosny niósł ze sobą bezpodstawną nadzieję, której nie niweczyły nawet niepokojące doniesienia prasy na temat sytuacji międzynarodowej, totalitarnych zapędów Hitlera ani braku dostatecznego ożywienia gospodarczego.

Przemiana, której Julian odważył się poddać, sprawiła, że idąc ulicami, czuł niemal, jak rosną mu skrzydła u ramion. Nie było dla niego rzeczy niemożliwych. Niekiedy nawet odważnie myślał o przeniesieniu się do Krakowa, gdzie mógłby dołączyć do awangardowych grup poetyckich, do futurystów, którymi był bardzo zainteresowany, albo pojechać na Śląsk, gdzie industrialny krajobraz inspirował wielu twórców, tak jak on zafascynowanych nowoczesnością, masami, zbiorowością i architekturą przemysłową.

Mógłby wyjechać i rozpocząć życie jako samodzielny, cieszący się swobodą mężczyzna. Kiedyś nawet, gdy uzbierałby niezbędną kwotę, mógłby spełnić swoje marzenie i popłynąć do Ameryki, zobaczyć kubistyczne budowle i wieżowce Nowego Jorku, których zdjęcia pokazywane w prasie pobudzały jego wyobraźnię. Nie bał się niczego.

Nieustannie przypominał sobie w myślach ten moment, kiedy po raz pierwszy w lokalu Rex zobaczył siedzącą przy jednym ze stolików Lili. Od razu przykuła jego wzrok, kojarząc mu się z dziewczyną z plakatu widzianego gdzieś na mieście. „Wycieczki morskie. Gdynia–Ameryka. Linie Żeglugowe S.A." – informował napis, a ponętna kobieta, oczywiście blondynka, ubrana w białe szorty, odchylała głowę w tył, siedząc na burcie statku. Julian spojrzał wówczas na Lili i niespodziewanie przyszła mu do głowy myśl, iż oto ma przed sobą uosobienie tak długo wyczekiwanej wolności, może wręcz przepustkę do Ameryki?

Właśnie skrapiał swoją szyję odrobiną wody kolońskiej, gdy bez żadnego uprzedzenia drzwi do jego pokoju otwarły się na oścież i stanęła w nich Andzia z dzieckiem na rękach i wydała okrzyk zdumienia. Patrzyła z kpiną w oczach na osobę, którą widziała dotychczas wyłącznie w kobiecym stroju, starą pannę o nieciekawym wyglądzie i mało interesującym usposobieniu. Julian z nieskrywaną paniką wrzasnął:

– Czemu Andzia tu wchodzi?!

– Co tu się wyprawia, na litość boską?

– To nie Andzi sprawa!

– Moja może nie, ale gdyby ciocia panienki widziała, co się tu wyprawia... – mówiła dziewczyna z przebiegłym wyrazem twarzy. – Cóś podobnego... Świat czego podobnego nie widział! Nie płacz, moja malutka, to tylko panienka Julka tak się jak przebieraniec wystroiła... Ale się ciotka panienki zmartwi takimi fanaberyjami!

– Proszę nic cioci nie mówić! Kategorycznie zabraniam! Musiałam... To znaczy moja sytuacja życiowa wymaga takiego kamuflażu, chwilowo tylko! – tłumaczył się wyraźnie zdenerwowany Julian.

– Za takie milczenie należy się nagroda! Chcę dostawać w pierwszym tygodniu każdego miesiąca dwadzieścia złotych, inaczej wszystko w jednej chwili ciotce panienki opowiem. I to ze szczegółami! – powiedziała hardo.

– Dwadzieścia złotych! – krzyknął Julian – Wolne żarty! Myślisz, że krocie zarabiam, czy co?

– Dziesięć! To ostatnie moje słowo! No już, bo pranie namoczyłam! Albo będzie panienka bawić się w swoje przebieranki, albo jeszcze dzisiaj wszystko wygadam!

Julian zerknął na zegarek – miał tylko piętnaście minut, aby dotrzeć na plac Napoleona, gdzie ponownie umówił się z Lilianną. Nie chcąc za nic w świecie się spóźnić, wyjął z portfela dziesięć złotych i bez słowa podał je Andzi, która łapczywie złapała banknoty i schowała je do kieszeni fartucha.

– Jeśli chcesz dostawać pieniądze, masz mi pomagać! Będziesz wpuszczać mnie drzwiami kuchennymi, w komórce trzymać moją sukienkę, tam się będę przebierać, a ty będziesz pilnować, żeby ciotka w niczym się nie zorientowała! Rozumiesz? – powiedział ostro.

Andzia pokiwała tylko głową, patrząc zdumiona na osobę, której nigdy dotąd nie znała. Objawił się jej zupełnie nowy człowiek.

– I proszę nigdy więcej nie mówić do mnie „panienko"! – powiedział Julian, wychodząc z mieszkania.

Wiosną dotychczasowa praca na posadzie biuralistki w Państwowym Urzędzie Telekomunikacyjnym przy Nowogrodzkiej stała się dla Juliana nie do wytrzymania. Popołudniowa zmiana image'u przestała mu już wystarczać. Czując się z dnia na dzień coraz pewniej w ukazywaniu się światu jako mężczyzna, nieustannie myślał o pójściu o krok dalej i podjęciu jakiegoś innego zatrudnienia, gdzie od początku funkcjonowałby w swojej właściwej roli.

Spędzając w pracy długie godziny, musiał wciąż być tylko Julią i nagle to, co do tej pory było jego rzeczywistością (bo przecież całe życie w swoim mniemaniu przebrany był za kogoś, kim nie był), nagle stało się męką. Właściwie od początku czuł się nieswojo w biurze mieszczącym się w nowoczesnym budynku, gdzie otwarto największą w kraju centralę połączeń. Zajmując stanowisko młodszego referendarza, redagował pisma, przepisywał dokumenty na maszynie, w chwilach przerwy unikał innych pracownic, z którymi nie umiał znaleźć nici porozumienia.

Nie licząc kilku starych panien, raczej wycofanych i niechętnych do zawierania nowych znajomości, rozmowy i marzenia większości pracujących w urzędzie dziewcząt koncentrowały się wyłącznie wokół mężczyzn i przyszłego zamążpójścia. A kiedy któraś już powiedziała sakramentalne „tak", niemal natychmiast składała wymówienie i opuszczała biuro, żegnana przez koleżanki marzące tylko o tym, aby i dla nich nastał kiedyś podobny, szczęśliwy dzień.

Nawet jeśli podobała im się samodzielność i praca zarobkowa, dla przyszłości kobiety ważny był tylko i wyłącznie ślub. Małżeństwo nadawało sensu kobiecej egzystencji. Ilekroć któraś z młodych dziewcząt obwieściła zaręczyny, krąg zafascynowanych koleżanek dzień w dzień z wielkim przejęciem dyskutował o każdym elemencie ślubu i wesela, które panna szykowała. Nieustające rozmowy o sukniach, podróżach poślubnych, przyjęciach weselnych – wszystko to wywoływało w Julianie niemy sprzeciw.

Kiedy więc w trakcie wieczornych spotkań z nowo poznanymi kompanami w knajpie U Wróbla albo w Piwnicy u Fukiera, na które Julian chodził teraz niemal każdego wieczoru, ktoś wspomniał o tym, że w redakcji „Bluszczu" poszukują pilnie pracownika odpowiedzialnego za redagowanie i sprzedaż ogłoszeń reklamowych, Julian postanowił spróbować szczęścia.

Minęło kilka tygodni, już przekwitały delikatne kwiaty magnolii i ustawione wzdłuż chodników donice wypełnione były kwitnącymi bratkami, a on nie mógł wprost uwierzyć, iż nie dość, że dzięki swojemu nowemu wcieleniu zmienił pracę na znacznie bardziej zajmującą (do tego płatną o pięćdziesiąt złotych tygodniowo więcej), to dodatkowo zdołał umówić się na spacer z piękną panią Lilianną, poznaną w trakcie wieczoru spędzonego w kabarecie, dokąd zabrali go znajomi. Kiedy dopiero co spotkana piękność usłyszała, że Julian jest poetą, rzuciła spontanicznie:

– Och, ja uwielbiam wprost delektować się poezją, najbardziej ubóstwiam Staffa! – Uśmiechnęła się do niego oczami, po czym odchyliła głowę do tyłu, potrząsając lekko włosami w taki sposób, iż przeszedł go dreszcz.

Wierszami Staffa gardził, zdecydowanie odrzucając tego typu klasyczną poezję, ale oczywiście nie powiedział tego Lili (bo tak kazała na siebie mówić), która upojona szampanem zaproponowała mu spotkanie.

– Chciałabym porozmawiać z panem o poezji! – powiedziała, gdy towarzyszący jej zabawny Francuz nakłaniał ją już do opuszczenia lokalu.

– Jak panią znajdę? – wyjąkał Julian, zaskoczony tą propozycją.

– Niech pan czeka w piątek o trzeciej pod pomnikiem na placu Napoleona! – rzuciła ku niemu, podczas gdy jej towarzysz zarzucał jej na ramiona futro.

Julian patrzył jeszcze, jak Lili podtrzymywana przez swojego kompana wychodzi nieco chwiejnym krokiem z lokalu. Pomyślał wówczas, że ktoś taki jak Lilianna – piękna, dojrzała kobieta – mógł zwrócić uwagę na wątłego, niepewnego siebie Juliana jedynie pod wpływem dużej ilości alkoholu. Jednak stawił się w umówionym miejscu, choć był niemal pewny, że po wytrzeźwieniu wcale o nim nie pamiętała. Ku jego wielkiemu zdziwieniu naprawdę przyszła, aby się z nim spotkać!

Była najpiękniejszą istotą, jaką kiedykolwiek miał okazję poznać. Od widoku jej brzoskwiniowej, pokrytej drobniutkim meszkiem skóry kręciło mu się w głowie. Nie potrzebował niczego więcej od życia. Wszystko stało się nowe.

Wydawało mu się, że na zawsze zapamięta ten zachwyt, jaki poczuł, gdy drepcząc umówionego dnia wokół drzew usytuowanych w centralnym miejscu placu, zobaczył ją idącą ku niemu od strony Poczty Głównej, otuloną w popielaty płaszcz z kołnierzem z listów przysłaniającym dół jej twarzy. Jej widok onieśmielił go do tego stopnia, iż witając się, nie mógł zapanować nad drżeniem rąk.

– Ależ panu trzęsą się ręce! Tak mi głupio, zmarzł pan, czekając tu na mnie! Świeci co prawda słońce, ale wciąż jest chłodno... Przepraszam za spóźnienie, córeczka długo się ze mną żegnała i grymasiła, widząc, że wychodzę.

Lili uśmiechnęła się do niego ujmująco, a on wcale się na nią nie gniewał. Przeciwnie, był szczęśliwy, że spędzą razem kilka godzin. Pomyślał, że Lilianna jest nie tylko niezwykle piękną damą, ale też – co najważniejsze – serdeczną i ciepłą. W jej towarzystwie czuł się naprawdę swobodnie. Była jedyną ze znajomych mu osób, przy której nie czuł żadnego dyskomfortu związanego ze swoim sekretem.

Podał jej wówczas ramię i, uśmiechając się do siebie, nie ustalając wcale, dokąd i po co idą, zgodnie ruszyli w kierunku ulicy Szpitalnej.

Rozdział 12

Czerwiec 1934
Gorące noce na letnisku

Naczelna „Bluszczu", nie kryjąc niechęci, dała Julianowi pięć dni bezpłatnego urlopu, narzekając, że nastały czasy, gdy ludzie myślą tylko o rozrywkach i wypoczynku, a pracować nie ma komu.

– Pracuje pan dopiero od kilku miesięcy, a już chce pan brać wolne? Ja jestem przyzwyczajona, że ludzie proszą o urlop najwcześniej po przepracowaniu u mnie roku... – westchnęła.

Julian chciał powiedzieć, że przecież w tekstach zamieszczanych w piśmie sami zachęcają czytelników do wyjazdów na wypoczynek, byle dalej od miasta, aby podreperowali zdrowie i zaczerpnęli świeżego powietrza. Ostatecznie powiedział błagalnym tonem:

– Pani Stefanio, nie prosiłbym, ale moja matka jest ciężko chora, muszę ją odwiedzić. Mieszka w folwarku pod Sandomierzem – kłamał jak najęty.

– No skoro tak pan zapewniasz, że tu chodzi o chorą matkę... – westchnęła. – Ale mówimy o przyszłym tygodniu, teraz dopilnujesz pan numeru, który idzie do druku!

W letnich miesiącach ogłoszeniodawcy byli na wagę złota i ciężko było Julianowi pozyskać klienta, który zechciałby zamieścić w piśmie reklamę.

– Co pan proponuje w związku z tym? Mam nakazać dziennikarkom opracować więcej tekstu, dodać jakieś wykroje? To można zrobić, aby wypełnić numer... Potrzebuję szybko, jak najszybciej, jakiegoś tekstu i grafiki! Dzisiaj po południu numer idzie do druku – westchnęła panna Krystyna z działu robót. Jej jedwabna bluzka z żabotem miała mokre plamy pod pachami, na czole widoczne były kropelki potu. Upały, jakie panowały w te dni, czyniły pracę w ciasnym biurze wręcz nieznośną.

– Może zachęcić czytelniczki, żeby teraz, w sezonie, nie zapomniały o przygotowaniu przetworów z owoców – zaproponował spontanicznie Julian. Ciotka akurat bardzo pilnowała, aby przygotować przetwory na zimę. Lubiła w zimne miesiące dodawać łyżkę konfitur do herbaty czy smarować dżemem ciasto drożdżowe.

– Dobry pomysł, zaproponuje pan takie ogłoszenie, nawet na całą stronę – przytaknęła Krystyna, otarła chustką pot z czoła i przeszła do innych tematów.

Julian wrócił do swojego biurka i włożył do maszyny pustą kartkę papieru. Nic nie przychodziło mu do głowy.

– Nie da się pracować w takich tropikach! Skoczę po kwas chlebowy do sklepu, może mają schłodzony – westchnął Eugeniusz.

– Czekaj, narysuj mi tylko jakieś dziecko – poprosił Julian.

– Po co ci to potrzebne? Ktoś ogłasza, że ma najlepszy krem do dziecięcego tyłka?

– Krystyna kazała mi szybko zapełnić stronę czymkolwiek, opracowuję ogłoszenie o konfiturach... – westchnął Julian. Skóra pod opinającym piersi bandażem niemiłosiernie go swędziała. Sam myślał o tym, żeby wyskoczyć z biura pod jakimś pretekstem i schronić się gdzieś, gdzie chociaż na chwilę mógłby zdjąć z siebie szorstkie pasy materiału i swobodnie odetchnąć.

– Krystyna... Widziałeś? Ta to ma zad jak kasztanka komendanta! – powiedział Eugeniusz, po czym tak jak stał, w rozpiętej koszuli z podwiniętymi rękawami, wyszedł z pomieszczenia, z korytarza, wołając, że zaraz przyniesie kilka butelek kwasu. Julian nie umiał wyczuć, czy jego słowa wyrażały odrazę, czy fascynację aparycją panny Krystyny.

Myśląc tylko o tym, aby jak najszybciej pozbyć się wywołującego swędzenie bandaża, w kilkanaście minut opracował tekst: *Troszkę konfitury uspokaja malca i służy jego zdrowiu. Matki, zapełnijcie latem pustą spiżarnię słodyczami z owoców. Przypominamy – zbliża się sezon smażenia konfitur i przygotowywania soków oraz kompotów z truskawek, czereśni, poziomek, róż, agrestu, malin, porzeczek, moreli i wiśni itp.*, który Eugeniusz musiał rozrysować odpowiednią czcionką, dodając twarzyczkę rozkapryszonego chłopca, który w formie komiksowego dymku mówi: „Ja ce finfituly".

Kilka godzin później, szukając arkusza brystolu w małym pomieszczeniu służącym za składzik materiałów biurowych, Julian niespodziewanie natknął się na Gienka, który obściskiwał Krystynę, dysząc niczym zwierzę. Zmieszany, iż przyłapał kolegę na niecnej zabawie, przestraszony Julian czym prędzej zamknął za sobą drzwi i wrócił do swojego pokoju.

Po kilkunastu minutach zjawił się Eugeniusz, spocony i z potarganymi włosami. Pani Markowska spojrzała na niego znad maszyny do pisania i tylko westchnęła. Gienek odwrócił się do niej plecami i na migi pokazał Julianowi, aby ten trzymał język za zębami. Julek kiwnął głową, nie zamierzając wydać kolegi, ale ilekroć teraz mijał na korytarzu pannę Krystynę, z trudem hamował chęć, aby klepnąć ją w pośladek ukryty pod materiałem obciskającej biodra sukienki. Ta reakcja sprawiała mu przyjemność, gdyż czuł się dzięki temu jeszcze bardziej mężczyzną.

Czasami zastanawiał się, czy Lilianna nie oczekiwała od niego bardziej radykalnego zachowania, takiego, jakie stosował Gienek wobec kobiet, które wzbudzały w nim namiętność.

Julian opuścił redakcję z mieszanymi uczuciami. Czuł się niezręcznie, okłamując panią Stefanię, osobę co prawda wymagającą, ale uczciwą i życzliwą wobec swoich pracowników.

Pomyślał, że ogromnie lubi tę pracę, nieustający rozgardiasz, chaos i gorączkę. Nie chciał stracić posady, dzięki której mógł się utrzymać, ale i rozwijać zawodowo. Z drugiej strony czekała na niego Lili, a on mimo rozmaitych obiekcji chciał, by wreszcie ziściły się jego marzenia o spełnionej miłości.

Dźwigał na plecach spory ekwipunek, w tym namiot pożyczony od znajomego malarza, z którym grywał w bilard w Zodiaku, kuchenkę gazową, śpiwór i prowiant. Do tego zaopatrzył się w używane przez każdego mężczyznę akcesoria, takie jak pędzel, brzytwę, krem do golenia, wodę kolońską, prawidła do butów, piersiówkę ze śliwowicą ciotki, papierosy, a nawet zapas tabaki.

W pociągu nie mógł przestać myśleć o tym, że podczas jego nieobecności Andzia wypaple coś ciotce. Gdy w końcu dotarł do Augustowa i szukał domu, w którym Lili i jej kuzynka od kilku dni wynajmowały pokoje, był tak spocony i zdenerwowany konsekwencjami pobytu na letnisku, że kilka razy nachodziły go myśli o natychmiastowym powrocie do Warszawy. Przerażała go ta szansa na bliskość, której tak pragnął, równocześnie marząc o ucieczce na myśl o tym, że jego marzenia miały się wkrótce ziścić. A jeśli Lilianna odkryje jego sekret? Jak będzie w stanie w taki upał na spływie kajakowym zamaskować na tyle skutecznie swoje ciało, by nie zdradziło jego płci?

Przerażony i zmęczony, dotarł w końcu późnym wieczorem do urokliwie położonego, obrośniętego pachnącymi kwiatami drewnianego domostwa, na którego ganku siedziała Lili, paląc papierosa.

– Jest pan! Nareszcie! – przywitała go z niezwykłym entuzjazmem. – Już myślałam, że pan się rozmyślił! A ja tu z nudów umieram dosłownie! Całą okolicę obeszłyśmy, kąpałyśmy się nad rzeką, plotłyśmy wianki, w szachy nawet grałyśmy. Pogoda piękna, ale same z Joasią nie możemy się odważyć, by wsiąść do kajaków. Potrzeba nam męskiego wsparcia. – Uśmiechała się tak błogo, że Julian nie mógł uwierzyć, iż ledwo kilkanaście minut wcześniej chciał stąd uciekać. – Jutro ruszamy rozstawiać namioty, ależ będzie ciekawie! – ekscytowała się Lili. – Idę się położyć, a gospodyni zaraz panu pokaże pokój, który czeka już naszykowany. Śpi się tutaj kamiennym wprost snem. Gwiazd tyle widać na niebie, że można w nie patrzeć bez końca, ale mimo ich blasku ciemność tak gęsta, czarna, jakiej w mieście nigdy się nie spotyka. Świerszcze cykają, nie sposób tu cierpieć na bezsenność. A gospodarze tacy mili, wszystko tak smaczne, śmietanka świeża, mleko od krowy, zobaczy pan, panie Julianie, odżywi się pan, odpocznie od pracy przez te parę dni!

Nazajutrz w towarzystwie onieśmielonej obecnością mężczyzny młodziutkiej panny Joasi ruszyli we trójkę rozbić biwak w bezpiecznym miejscu nad rzeką, nieopodal domu gospodarza, który dostarczał im prowiant i wodę pitną.

Wypożyczyli też kajaki i pod okiem wprawionego w tym nowym sporcie miejscowego pływali aż do wieczora. Zmęczeni, ale też pełni radości, jaką daje obcowanie z czymś nowym i ekscytującym, tuż po kolacji zasnęli w swoich namiotach.

Julian długo walczył z uporczywą potrzebą snu, starając się jak najdłużej przywoływać obraz Lilianny w białym kostiumie kąpielowym złożonym z mocno przylegającej do ciała bluzki oraz krótkiej, odsłaniającej uda spódniczki. Ten niecodzienny strój nieco ją zawstydzał. Była onieśmielona i niepewna swojej urody, przez co wydała mu się jeszcze bardziej pociągająca.

Julianowi udało się nie wzbudzić podejrzeń swoim mocno zakrywającym ciało ubiorem. Wytłumaczył się uczuleniem na promieniowanie słoneczne oraz obecnością wśród nich młodej panny, której nie chciał narażać na widok półnagiego mężczyzny.

Kolejny dzień był tak upalny, że organizm w oddaleniu od wody, w której mógł się ochłodzić, odmawiał współpracy. Nie chciało im się ani jeść, ani przenosić obozowiska, a kiedy nadszedł upragniony wieczór, z rozczarowaniem zorientowali się, że noc będzie parna i duszna, bez odrobiny wiatru i chłodu.

Joasia była najbardziej z ich trójki zmęczona i zaraz po skromnej kolacji przygotowanej razem z Lilianną udała się na spoczynek do namiotu. Julian był tej nocy wyjątkowo milczący i rozpaczliwie smutny. Wpatrywał się nieustannie w wielką, miodową tarczę księżyca w pełni, jakby szukał w tym widoku jakiejś pociechy albo odpowiedzi.

Rozpalili niewielkie ognisko, aby rozproszyć mrok nocy. Lili leżała na kocu ubrana w cieniutką sukienkę z kwiecistego materiału. Zerkała na Juliana, zafrasowana smutnym spojrzeniem jego niezwykle jasnych oczu, utkwionym gdzieś poza nią i otaczającym ich światem. Czuła niepokój, wiedząc, że oto nadchodzi ten moment, do którego dążyła od miesięcy. Trwała tak w milczeniu, oczekując.

– Przydałaby się jakaś muzyka w taką noc... Chyba dziś wcale nie usnę – westchnęła w końcu.

– A mnie pasuje ta cisza, ten księżyc, te gwiazdy, to zatrzęsienie gwiazd...

– Dlaczego więc jesteś taki smutny? – zapytała delikatnie.

– Przypomniał mi się taki piękny, ale okrutny wiersz, który mówi o tym, że już kiedy się rodzimy, zaczynamy umierać, wszystko to jeden krąg przemijania. I jak tak patrzę na ten żółty księżyc, myślę sobie, że takich ludzi jak my były i są miliony i każdy z nich marzył i kochał, i cierpiał, aby odejść w zapomnienie, ot, nieistotny pył, materia, która rozproszyła się w organicznej tkance ziemi. I nikt ich nie pamięta, chociaż gdy żyli, byli dla siebie samych centrum świata, sami byli wszechświatem...

Lili westchnęła, zaniepokojona jego nastrojem. Moment był tak dogodny, aby mogli zbliżyć się do siebie, a jego właśnie teraz dręczyły egzystencjalne problemy. Nie była jednak w stanie okazać swojego przyzwolenia ani jakoś go zachęcić. Wstydząc się swojego pożądania, z bijącym mocno sercem czekała, aż on przejmie inicjatywę. Napięcie rosło z każdą chwilą, potęgowane przez parne powietrze i atmosferę letniej nocy, w której może zdarzyć się wszystko.

– Przypomina mi się druga elegia duinejska Rilkego, którego uwielbiam, mówiłam ci... Brak jest jakichkolwiek dowodów na to, że istniejemy. Wydychamy powietrze i nic poza tym. Żadnych śladów, niczego... – powiedziała, cicho wzdychając.

Julian spojrzał w jej stronę i jakby wreszcie zebrał się na odwagę, wstał z koca, podał jej rękę, aby podniosła się z ziemi, i patrząc jej prosto w oczy, z wielkim spokojem powiedział:

– Chodź ze mną.

Przez moment Lili stłumiła chęć zaprzeczenia swoim pragnieniom i choć wydawało się jej, że powinna zachowywać się tak, jakby udawała, że nie wie, o co mu chodzi, pohamowała pytanie, które mogło wszystko zniszczyć. Poszła za nim do jego maleńkiego namiotu, w którym było niewiarygodnie gorąco. Z uwagi na niewielką przestrzeń Julian położył się na plecach i pociągnął ją ku sobie, tak aby położyła się na nim. W ciemności szybko odnalazła jego delikatne, małe wargi, do których przylgnęła. Jego skóra pachniała skórką dojrzałej gruszki, była zadziwiająco gładka i miękka, zupełnie inna od owłosionej, szorstkiej skóry Tadeusza.

– Gorąco, strasznie gorąco... – szepnęła i siadając na moment okrakiem na jego udach, jednym ruchem zdjęła sukienkę, a zaraz potem lekką halkę i objawiła mu się całkowicie naga, mleczna i miękka. Położyła się znowu na nim, zatapiając się w pocałunkach, jakich nigdy dotąd nie doświadczyła. Popadając w błogostan, na moment przestała istnieć, jednocześnie czując rozlewającą się wzdłuż kręgosłupa rozkosz.

Drżała, gdy delikatnym ruchem głaskał jej ramiona, po czym dłonie sunęły w dół, milimetr po milimetrze przesuwając się wzdłuż wcięcia w talii, do jej szerokich bioder, w końcu do pośladków, których dotykały całą powierzchnią. Pojękiwała cicho, nie mogąc opanować rozlewającej się po ciele rozkoszy, gdy Julian gwałtownie – jakby odgadnął nagłą potrzebę jej ciała – męskim ruchem zsunął ją z siebie na śpiwór, tak iż leżała na brzuchu, sam zaś ukląkł nad nią i poczuła, że jej krocze i wnętrze wypełnia się z impetem, napierając tak mocno, iż krzyknęła, czując nagle tę niespodziewaną przyjemność. Rozkosz, która wzrastała z każdą chwilą, zakończył silny i nieprzewidziany skurcz.

Lilianna leżała, dysząc i jęcząc, jeszcze chwilę, podczas gdy Julian całował jej plecy, mówiąc łagodnie: „Kocham cię, Lili, bardzo cię kocham, jesteś tak piękna, tak doskonała, rozczulająca…". Szeptał na tyle długo, aż zasnęła spokojnie błogim, twardym snem.

Nazajutrz Julian wstał, czując pewne zakłopotanie i obawiając się reakcji Lili. Była trochę zawstydzona i unikała jego wzroku, nieustannie paplając o czymś z kuzynką, plotąc z nią wianki na łące i śmiejąc się nie wiadomo z czego. Bał się, że może jednak zorientowała się, że jest z nim coś nie tak, ale kiedy ten pełen niepokoju dzień dobiegł końca, a on leżał samotnie w namiocie, nieoczekiwanie Lili przyszła do niego, bez słowa przylegając ustami do jego ust.

Ta wizyta wprawiła go w euforię i sprawiła, iż z zapamiętaniem zerwał nocną koszulę, zdecydowanym ruchem rozchylił jej uda i z bijącym sercem dosięgnął jej owłosionej waginy, która pachniała odurzająco, słodko, mdło, a przy tym skrajnie podniecająco. Przypominając sobie instrukcje chustkowej z Powiśla, delikatnie sunął językiem wzdłuż warg, z każdą chwilą nasilających się jęków Lili czując coraz większą odwagę. Poruszał się coraz szybciej, w końcu zachłannie liżąc całą powierzchnią języka miękką, śliską skórę. Gwałtowny krzyk, który wyrwał się z ust kobiety, na moment go przeraził.

– Czy zrobiłam... zrobiłem ci krzywdę? – zapytał zaniepokojony.

– Nie, nie... Och, Julianie, nigdy nie spodziewałam się, że można czuć coś takiego – powiedziała, oddychając ciężko. On zaś osunął się na śpiwór, szczęśliwy z tego, czego udało mu się dokonać.

– Serce bije mi jak oszalałe... – Uśmiechnęła się jeszcze, mrużąc oczy.

Julian przylgnął wargami do jej spoconego ramienia i zamknął oczy, chcąc przedłużyć chwilę w nieskończoność. Leżeli obok siebie ze złączonymi dłońmi, wsłuchani w powoli zwalniające oddechy, przez które przebijały się odgłosy cykad.

– Czuję się tak błogo... Mój najdroższy Julek... – szepnęła Lili, unosząc się na łokciu, aby delikatnie pogładzić jego twarz. Wkrótce jej dłoń zaczęła muskać dekolt i powoli rozchylać poły koszuli, co natychmiast wzmogło jego czujność. Szybkim ruchem zerwał się z posłania i sięgnął do plecaka, w którym po omacku, nerwowo zaczął czegoś szukać.

– Mam coś dla ciebie, chciałem ci to dać od dawna, od momentu kiedy pierwszy raz mnie pocałowałaś, ale było mi jakoś niezręcznie – powiedział wesołym tonem, po czym odwróciwszy się w stronę Lilianny, uwolnił zamknięty w pięści sznur pereł, które kilka tygodni wcześniej zabrał ze szkatułki ciotki. Aż do tej chwili czekał na odpowiedni moment, by podarować Lili coś materialnego, coś, co w przyszłości będzie stanowiło pamiątkę ich znajomości.

Delikatnie założył naszyjnik na szyję ukochanej. Błyszczące w ciemności perły oplotły jej duże piersi, które Julian zaczął delikatnie całować.

– Julek, och, dziękuję ci, dajesz mi tak wiele, że żaden prezent nie jest mi już potrzebny... – powiedziała Lili, mrucząc z rozkoszy.

Nazajutrz wrócili do domu samochodem przysłanym po Liliannę przez męża. Lili sprytnie usadziła Joasię na przednim siedzeniu obok kierowcy, dzięki czemu ona i Julian mogli w niektórych momentach podróży przysunąć się do siebie i poczuć swoją bliskość, delikatnie muskając dłonią o bok dłoni.

Kiedy dotarli do granic Warszawy, miasto przywitało ich rozgrzane lipcowym upałem, nadzwyczajnie przystrojone kwiatami, pełne wiwatujących na ulicach ludzi.

– Co się stało? – pytali, stojąc w korku, który niespodziewanie utworzył się w Alejach Jerozolimskich.

– Bracia Abramowiczowie przelecieli wczoraj północny Atlantyk!!! Zaraz lądują na Okęciu! – zawołał ktoś radośnie.

Przez zator uliczny, w którym utknęli, Julian pożegnał się z paniami wcześniej, niż zamierzał, i wysiadł z szewrolety przy placu Trzech Krzyży, nawet nie przypuszczając, iż nie zobaczy swojej ukochanej przez pozostałą część lata, a spotkają się dopiero w ostatni dzień sierpnia na eleganckiej plaży Braci Kozłowskich na praskim brzegu Wisły.

– Całe prawie lato myślałam o tobie i... naszych nocach – miała wyznać mu wówczas zarumieniona Lili, a on poczuł się tak, jakby wyrosły mu skrzydła.

Zrobiłby wszystko, aby wywołać ponownie ten wyraz nieśmiałej wdzięczności na jej obliczu. Nie bacząc na innych bywalców plaży, miał ułożyć swoją głowę na ramieniu Lilianny i poczuć się tak, jakby spełniły się wszystkie jego marzenia.

Kiedy Julian po powrocie z wakacyjnego wyjazdu z samego rana pojawił się w redakcji „Bluszczu", trafił właśnie na odbywające się w biurze zgromadzenie kilkunastu pracownic, które wianuszkiem otaczały redaktorkę Halinę Hohendlingerównę, opowiadającą pełnym przejęcia głosem o wizycie na Polesiu w Hruszowej, w majątku Marii Rodziewiczówny. Materiał zebrany w trakcie wyprawy miał posłużyć do opracowania obszernego artykułu o darzonej powszechnym szacunkiem, popularnej pisarce z okazji przyznania jej nagrody imienia Elizy Orzeszkowej.

Słysząc nazwisko tak ważnej – również z osobistych powodów – postaci, Julian przybliżył się do grupy pań i z zaciekawieniem zaczął przysłuchiwać się relacji.

– Ciężka była ta wyprawa... Tyle godzin pociągiem, umęczona jestem i panna Krystyna, która ze mną się tam wybrała, również. Ale to było bardzo krzepiące spotkanie, dało mi wielką siłę, jakiś balsam wlał się w moją duszę...

– Opowiadaj wszystko, każdy szczegół! Jak wygląda to miejsce? Ładnie tam?

– Ładnie to mało powiedziane, tam jest przepięknie! Hruszowa to magiczne wprost miejsce... – Pani Halina roztkliwiła się nieco na świeże wciąż wspomnienie widoków poleskiej wsi. Wszyscy słuchali jej w skupieniu. – Sam dwór ziemiański prezentuje się bardzo majestatycznie. Dwór jak pałac jakiś, dużo ludowych mebli i sprzętów, pamiątek. Od razu bije w oczy, że jest ostoją polskości. Mieszka tam podobno duszek domowy, zapisałam gdzieś, jakoś się dziwnie nazywa... Wszędzie pełno kwiatów, zwłaszcza róż, cudnie pielęgnowanych przez kuzynkę Skirmuttównę, która mieszka z Rodziewiczówną. Na ścianach talerze ludowe, dużo ludowej ceramiki, malowane skrzynie, ale też dawne portrety przodków. Szczególnie mi się spodobał szwedzki pokój z wielkim drewnianym łóżkiem, z trzech stron otoczonym ścianami, z jednej strony jakby woalką. Pomalowane to wszystko w jaskrawe kwiaty. Sam zaś bok łóżka tworzy kredens. Piękne to bardzo!

– A ona, Rodziewiczówna? Jaka jest? O niej opowiedz!

– Przywitała nas ubrana w ludowy strój poleski: bluzę sportową z własnego lnu i kostium z własnej wełny. Promieniuje z niej jakaś moc, jakaś siła, miłość wielka, taka wzniosłość, powaga, a przy tym wielka serdeczność. Łatwo z nią rozmawiać, wspaniale jej słuchać. To naprawdę nie jest poza, całe życie i twórczość Rodziewiczówny to nieustanna praca dla narodu i Kościoła. Kiedy się jej słucha... To jakby, nie przesadzam, jakaś błogość człowieka ogarnia...

– A widziałyście może słynny domek leśnych ludzi? – zapytała któraś z redaktorek.

– O tak! Nie stoi już w puszczy, przeniesiono go na teren gospodarstwa w Hruszowej. Ta chatka to cudowne miejsce, tak sielskie, słoneczne, sanktuarium spokoju, zbiór przeróżnych ptasich jaj i gniazd. Taka jakby kołyska z wikliny w rozmiarach jak dla dorosłego, zawieszona u pułapu na sznurach.

– Jeszcze, jeszcze coś opowiedz! Ja tak uwielbiam *Wrzos* i inne jej książki! – ekscytowała się panna Hania.

– Co jeszcze... Poziomkami nas karmiła, mówiła, że ma taką odmianę, która daje owoce nawet do listopada! Co więcej? Uwielbia swoje jamniki, ma trzy. Nazywają się tak śmiesznie: Dziamdzia, Gasio i Olo, nie, Ulo! – ze śmiechem mówiła pani Halina. Wesołą atmosferę przerwało pojawienie się w pokoju naczelnej, która poprosiła, aby dać pani Halinie chwilę spokoju. Wszyscy niemal natychmiast rozeszli się i wrócili do swoich obowiązków.

Tego dnia Julian dużo myślał o Rodziewiczównie, zestawiając informacje na jej temat, jakie w ostatnich latach przeczytał w prasie czy też usłyszał, z relacją redaktorki, która bezpośrednio miała okazję poznać znaną pisarkę. Mijając na korytarzu panią Halinę, spontanicznie zagadnął ją o to, czy to prawda, co mówią, że Rodziewiczówna wygląda i żyje jak mężczyzna.

– Wie pan, ja nie chcę potwierdzać czy też kwestionować plotek. Rodziewiczówna nie przypomina typowej kobiety, rzeczywiście nosi się po męsku, krótkie włosy, gesty i pozy, wszystko to typowo męskie. Jest władcza, silna, a w naszym świecie powszechnie uznaje się te cechy za atrybuty typowo męskie. A może niesłusznie? Rzeczywiście mieszka z nią kuzynka, panna Skirmuttówna, podobno mają wspólną sypialnię i wcale tego nie kryją. Ale o czym to może świadczyć, panie Julianie? Według mnie osoba na takim poziomie rozwoju duchowego i religijności nie musi się obawiać plotek z powodu swojej przyjaźni. A że nie stroi się jak większość kobiet? W końcu zarządza posiadłością, w spodniach to zawsze wygodniej, prawda? Ja tam zresztą myślę, niech każdy żyje sobie po swojemu, tak jak mu pasuje. O ile nie szkodzi innym, nikt nie powinien mieć do niego pretensji, prawda?

– Jak najbardziej, zgadzam się w zupełności! – przytaknął Julian.

Wracając tego dnia do domu, szedł w upalny wieczór ulicami opustoszałej Warszawy i rozmyślał o tym, jak wspaniale Rodziewiczówna ułożyła sobie życie zupełnie wedle swoich upodobań, nie ściągając na siebie nieprzychylnych sądów. Jak tego dokonała? Jej pragmatyzm budził w nim zdumienie. To nie było z pewnością łatwe, nie było doskonałe, ale jednak możliwe...

Ledwo otworzył gospodarcze drzwi do mieszkania ciotki, od razu wpadł na Andzię, która musiała czekać na jego powrót i z kpiącą miną, zaczepnym tonem powiedziała:

– A PANIENKA co? Na bal przebierańców się wybrała, czy co? Przecie dopiero lato w pełni, do karnawału daleko! – zaśmiała się szyderczo.

Julian z galopującym gwałtownie sercem minął dziewczynę, bez słowa kierując się do spiżarki, gdzie za szafką miał schowaną sukienkę, w którą zamierzał się przebrać, a garnitur przemycić do pokoju.

Andzia jednak zagrodziła mu drogę. Stanęła w futrynie i powiedziała władczo:

– Tak łatwo się mnie panienka nie pozbędzie! Ciotka jest schorowana, coraz mniej ma sił, jakieś krople widziałam zażywa. Zmartwi się biedna, że na stare lata taki ciężar na siebie wzięła – siostrzenicę wariatkę!

– Puść mnie! – Julian ze złością próbował zdjąć jej dłoń z futryny.

– Bo będę krzyczeć!

– Czego chcesz, pazerna dziewucho?

– Te pięćdziesiąt złotych, co od panienki dostałam, dawno poszło na medyka dla dziecka, chore było. Potrzebuję więcej! Wczoraj zaczepiła mnie ta stara Grabowska spod piątki i zaczęła mnie wypytywać, czy do mnie jaki elegancki kawaler przychodzi w konkury. Musiała panienkę widzieć i teraz będzie węszyć. I co mam mówić?

– Potwierdzaj, że masz absztyfikanta i tyle...

– Ale za to należy się dodatkowa zapłata!

– Skąd mam wziąć pieniądze? W redakcji zarabiam na razie marne grosze, jestem na próbę! Nie mam więcej. Da mi Andzia spokój...

– Ja się nie wtrącam, co tam panienka wyprawia, gdzie się wałęsa sama po nocy, i to przebrana za chłopa! Mnie się to w głowie nie mieści, ale nie pytam. Spać za to nie mogę, myślę, że powinnością moją powiadomić chociaż matkę panienki! Gdybym była piśmienna, dawno już bym list napisała! Ale jeśli mam milczeć i nie słyszeć moich wyrzutów sumienia, to musi mi się to opłacać, ot co!

Julian westchnął, był zmęczony i jedyne, o czym marzył, to położyć się w łóżku, otulić pościelą i przypomnieć sobie, jak piękna była tego wieczoru Lili w blasku świec i jak bardzo rozbudziła jego zmysły. Wyjął więc z portfela ostatnie piętnaście złotych i dał je Andzi.

– Więcej nie mam – szepnął i odwróciwszy się na pięcie, zniknął w spiżarce, gdzie woń wędzonej kiełbasy i kiszonej kapusty przyprawiła go o mdłości. Ściągnął garnitur, koszulę, zdjął bandaż ściskający piersi i przebrał się resztką sił w okropną, szarą sukienkę. Rozczochrał zaczesane do tyłu włosy, nasuwając dłuższe kosmyki na boki twarzy, i poczuł, że jest żałosny. *Na nic to wszystko* – pomyślał. Zrazu opanowała go bolesna świadomość bezcelowości wszystkiego. *Kiedyś przyjdzie mi za to słono zapłacić* – przemknęło mu przez głowę.

Kiedy leżał już w swoim łóżku, wsłuchując się w bijące z niepokojem serce, przyszła mu do głowy absolutnie szalona myśl. A gdyby tak oświadczyć światu, że wybiera bycie mężczyzną – po prostu. Taką podejmuje decyzję i chce być zgodnie z tą decyzją traktowany. Uznano by go za wariata, skończyłby w zakładzie, jak nieszczęsna Maria Komornicka, która tak odważnie próbowała być Piotrem Odmieńcem Włastem. Niedawno rozmawiał o niej w Zodiaku przy partyjce bilardu.

W trakcie dyskusji na temat roli poezji wspomniano nowatorstwo tego, co prezentowała młodopolska „Chimera", aż temat zahaczył o autorkę *Biesów* i skłonił Wacka do komentarza na temat okrutnego losu, jaki spotkał tę osobę o niezwykłym talencie, która oświadczyła pewnego dnia, że nie będzie nosić sukien, i nakazała zwracać się do siebie jak do mężczyzny. Rodzina umieściła ją w zamkniętym ośrodku, nikt nawet nie wiedział, czy zdołała w ogóle z niego wyjść. Niczego więcej już nigdy nie napisała.

W takcie rozmowy Julian czuł, jak oblewa go zimny pot, a poczucie grozy, niczym bolesne mrowienie, paraliżuje jego członki. Kiedyś jadąc do stryjenki na Starówkę, wysiadł z tramwaju na Bednarskiej, gdzie mieścił się zakład dla umysłowo chorych. Zmuszony był przejść wzdłuż muru tej instytucji, gdzie zawodzący i pokrzykujący do przechodniów chorzy sterczeli w oknach, wysuwając przez kraty ręce bezradnie chwytające powietrze. Ich wykrzywione przez cierpienie twarze do dzisiaj prześladowały go, nie dając o sobie zapomnieć. Ilekroć zaczynał myśleć o możliwej demaskacji, przypominał sobie wygląd tamtych jęczących wariatów i zaczynał panicznie się bać umieszczenia w takim zakładzie, wśród nienormalnych, bez prawa do bycia wysłuchanym.

Ta wizja możliwego rozwoju wypadków zaczynała ostatnimi dniami przybierać na sile. Niemal co noc dręczyły go lęki. Leżał już swobodnie w swoim łóżku, na szeleszczącym sienniku, pod kołdrą w kwiecistej poszewce, uwolniony od bandaży, którymi co rano skrupulatnie się owijał, ale sen nie przychodził. Z każdą minutą nocy powoli opadała euforia związana ze spotkaniem Lilianny i ogarniały go nowe wątpliwości, odczuwał gniew wobec swojego znienawidzonego ciała, a w końcu dopadał go strach i wizje życia w zakładzie psychiatrycznym. Zasypiał wreszcie o trzeciej czy czwartej nad ranem, udręczony analizą swojej trudnej sytuacji, aby po kilku godzinach snu wstać z poczuciem całkowitego wyczerpania.

Rozdział 13

Wrzesień 1934
Bolesne piękno jesieni

Lato 1934 roku przeminęło w mgnieniu oka. Ledwo Lili zamartwiała się szkodliwym wpływem upałów i zbyt mocno zbrązowionym ciałem spieczonym na plaży w Juracie (co podobno powodowało przedwczesne więdnięcie skóry), a już drzewa w alejach pożółkły i wieczory stały się chłodne.

Nagle, niczym nożem uciął, skończyły się ciepłe dni. Z żalem pomyślała, że może już nie będzie miała w tym roku okazji założyć swojego wytwornego jumpera z ręcznie robionej koronki, którego biel tak wspaniale eksponowała złoty odcień jej karnacji. Jesień wzbudzała w niej nie do końca zrozumiały niepokój.

Pierwszego września było dżdżyście i ponuro. Lili, jak zawsze czytając poranną prasę, zjadła śniadanie składające się z jajka na miękko, bułeczki z masłem i miodem oraz mlecznej kawy, wydała dyspozycje gosposi co do sprawunków i wyprawiła dziecko na spacer z opiekunką. Około dziesiątej została wreszcie sama w domu, mając dla siebie co najmniej godzinę, zanim jej pomoc Marysia wróci z Hali Mirowskiej z zakupami i w drzwiach usłyszy wesoły szczebiot córeczki. Z utęsknieniem czekała na moment, gdy w mieszkaniu zapanowała cisza, włączała wtedy gramofon męża i słuchała płyt. Najczęściej wybierała jedną z płyt z muzyką graną przez jazzband, które podarował jej kuzyn (tak jak ona meloman i wielbiciel nowoczesnego jazgotu), i zaczynała tańczyć, wykonując na środku salonu całkowicie nieskrępowane ruchy, będąc tylko i wyłącznie sobą.

Gdyby zobaczył ją kiedyś Tadeusz, oniemiałby z wrażenia – taka rozpierała ją energia, tyle w niej było żarliwości i zachłanności na życie. Ruszała się tak do utraty tchu, uwalniając się od myśli i od siebie samej, aby w momencie gdy kończyła się jedna strona płyty, paść na szezlong i odpoczywając, zapalić papierosa i myśleć o czekających ją ekscytujących chwilach, wieczornym wyjściu czy nowych sukniach.

Zdyszana po intensywnych ruchach ciała, otworzyła na oścież okno i mimo słonecznego światła zalewającego front kamienicy naprzeciwko poczuła zapowiedź jesiennego chłodu. Liście kasztanowców już zaczynały rudzieć – nie zauważyła tego wcześniej. *Zatem to już* – szepnęła, czując się zaskoczona szybkim przemijaniem czasu. *Kiedy jest dobrze, nigdy nie jesteśmy gotowi na świadomość końca* – powiedziała sama do siebie. Przypomniał się jej ojciec. Gdy kilka lat temu leżał powalony ciężką chorobą i jego stan jeszcze się pogorszył, zdziwiony, nie dowierzając, również powiedział sam do siebie: „To już?". Tej samej nocy zmarł.

Jej błogą chwilę dla siebie przerwał telefon od matki, która podejrzliwym tonem dopytywała, czy to prawda, że Lilianna była widziana u Simona na kolacji w towarzystwie jakiegoś młodego mężczyzny. Próba zbagatelizowania sprawy nie przyniosła rezultatów, wręcz zachęciła starszą kobietę do pouczania córki. „Pamiętaj, jak raz zaczną na twój temat plotkować, to końca nie będzie. Stracisz reputację! Co powie Tadeusz, na litość boską! Jako matka chcę przemówić ci do rozumu! Mężatki nie przyjaźnią się z mężczyznami, i to do tego wolnymi! Znajdź sobie koleżankę w podobnym wieku, o stosownej pozycji, i z nią idź sobie na ciastko do kawiarni, ale nie na kolację z obcym mężczyzną!!!" – mentorskim tonem przestrzegała ją matka.

Z powodu tej rozmowy, którą Lili dosyć szybko i oschle zakończyła, przeszła jej ochota na tańce i marzenia. Szła jesień, trzeba było przygotować odpowiednią garderobę dla Tosi, ubrać się zgodnie z modą na nadchodzący sezon i pomyśleć o nowym futrze. Tak, nowe futro, najlepiej sobolowe z ogonami, było jej absolutnie niezbędne. A to wymagało wiercenia dziury w brzuchu mężowi, nie był bowiem skłonny lekką ręką wyłożyć kilkuset złotych.

Marzyła jej się tak teraz modna zawadiacka furażerka, jaką widziała u kilku pań na ulicy i wydało jej się to wprost śliczne. Tylko czy jej okrągła twarz będzie dobrze wyglądać w takim modelu? A nowy styl mankietów, rękawów? Nowe połączenia barw, czerwony z *beige*, brąz z żółtym? Tyle fascynujących przejawów mody warto było włączyć do swojej garderoby.

Już tylko parę dni do urodzin matki, a prezent dla niej wciąż nie był przygotowany. Trzeba zaplanować zakąski na spotkanie brydżowe. Bardzo ją ostatnio męczyły te posiedzenia, a karty nudziły. Może poda coś wykwintnego, na przykład suflet z gorzkich i słodkich migdałów? Ale czy gosposia poradzi sobie z sufletem? Jeśli jej nie wyjdzie, a o to nietrudno, całe przyjęcie będzie zmarnowane...

Wszystko wydało jej się ponure i trudne. Tyle spraw było do ogarnięcia. Znowu nadejdą te ciemne, deszczowe dni, koniec z przesiadywaniem na jej ulubionym tarasie domu handlowego przy Brackiej i w kawiarnianych ogródkach, koniec ze spacerami na drugą stronę rzeki.

Siadając przy stole, sięgnęła do sterty gazet i wybrała kobiecy magazyn, gdzie zaczęła szukać odpowiedniego wzoru haftu, jakim zamierzała ozdobić komplet batystowych serwetek, które chciała podarować matce na urodziny. Kartkując pismo, nie mogła wybrać, czy bardziej odpowiedni będzie haft Toledo, czy wołyński, gdy jej wzrok padł na wiadomość o potwornym wypadku samochodowym, która przejęła ją trwogą. Kierowcą była kobieta. Osierociła dwójkę małych dzieci, zabiła nie tylko siebie, ale również męża.

Boże! – myślała Lili – ona *miała pewnie idealną rodzinę, pieniądze, odwagę, aby żyć pełnią życia, miała wszystko...* Wpatrywała się w fotografie eleganckiej kobiety. Życie potrafiło być tak okrutne. Czy można chcieć za wiele? Czy nie powinna cieszyć się tym, co ma? Człowiek rozumie, że był szczęśliwy, dopiero kiedy jest już za późno... Może przeczytana wiadomość to znak, iż nie powinna snuć tak odważnych planów, pragnąć ciągle czegoś więcej? Ale raz zasmakowana miłość, te obezwładniające chwile rozkoszy, jakiej nigdy wcześniej nie zaznała przy mężu, od dłuższego czasu nie dawały jej spokoju. Wieczorami marzyła o doznaniach, o których istnieniu dowiedziała się dopiero niedawno. A skoro Julek – tak młody i niedoświadczony życiowo – potrafił dać jej tyle rozkoszy, jak wiele mogła uzyskać od kogoś bardziej zorientowanego i biegłego w miłości?

Nie mogąc się otrząsnąć z trwogi, jaką wywołała w niej poruszająca informacja o zmarłej kobiecie, kilka razy myliła się i niepoprawnie rysowała wzór haftu Toledo na materiale. Jednak było w tym chłopcu coś, co nie dawało jej spokoju. To intensywne spojrzenie szarych oczu, ten dotyk tak delikatny, miękkość ust, obdarzających ją pocałunkami, wprawiającymi ją w ekstazę, wszystko to sprawiło, iż nareszcie po trzech latach małżeństwa zaczęła odżywać. Było szaleństwem snucie wizji na temat wspólnej z nim przyszłości, a jednak Lilianna nie umiała przestać tego robić, co więcej, odczuwała jakąś grzeszną przyjemność w wyobrażaniu sobie intymnych chwil, które jeszcze mogliby razem spędzić.

Coraz częściej myślała o tym, że nie należy ukrywać (przynajmniej przed sobą samą) smutnej prawdy. Jej małżeństwo było nieudane i nie było żadnych widoków na poprawę tego stanu w przyszłości. Tadeusz był człowiekiem, który nigdy się nie zmieni. Ceniła jego uczciwość i mądrość, odpowiedzialność i prawość, ale szacunek, jaki dla niego żywiła, nie miał nic wspólnego z miłością, której z biegiem lat potrzebowała coraz bardziej. Rozumiała też, że musi zacząć wreszcie działać i dokonać zmian w swoim życiu. Zdawała sobie sprawę, iż minie jeszcze rok, dwa, pojawi się drugie dziecko, na które mąż coraz częściej nalegał, i droga odwrotu zostanie odcięta na zawsze. A wówczas ona, coraz bardziej sfrustrowana i przygnębiona skutkami upływającego czasu, zostanie skazana na wieczny żal i rozgoryczenie, iż nie zdobyła się na odwagę, aby odmienić swój los.

Po raz pierwszy myśl o definitywnym rozstaniu z Tadeuszem zakiełkowała w jej głowie podczas powrotu ze spaceru do parku Ujazdowskiego, w jedno z ciepłych wrześniowych popołudni. Stali z Julkiem przed ulubioną rzeźbą *Ewa*, przedstawiającą zmysłową postać półleżącej kobiety. Niebo tego dnia uraczyło ich barokowym wręcz przepychem, z różowymi niczym lody malinowe chmurami na tle przeplatających się warstw migdałowego i błękitnego tła.

– Kiedy patrzę na coś takiego, taki spektakl piękna, czuję smutek, jakieś niespełnienie, jakby ten zachwyt nie miał ujścia, jakby nie wiadomo było, co zrobić z tym wielkim pięknem... – powiedziała Lili, czując, iż z niewiadomej przyczyny łzy napływają jej do oczu.

Julian objął ją wówczas ramieniem i ruszyli w kierunku zachodniej, bardziej ustronnej części parku, gdzie znaleźli ukrytą wśród gęstych wciąż krzewów ławeczkę i siedząc na niej, pocałowali się. Jego język poruszał się w jej ustach tak powoli, iż zadrżała na myśl, że to jest moment, w którym nie ucieka przed tkliwością i nie kamufluje uczuć.

Kiedy wracała do domu dorożką, popołudniowe światło sprawiało, iż sylwetki drzew pokryła rdzawa poświata. Wspomnienie pocałunków Juliana potęgowało jej marzenia. Pomyślała o rozwodzie. Czyż nie była dość silna, aby znieść opór rodziny (bo ten zapewne byłby ogromny), przetrzymać całą tę procedurę i przyjąć stygmat rozwódki? Postanowiła, że musi porozmawiać z kimś, kto udzieli jej niezbędnych informacji na temat samego procesu rozwodowego. Interesowały ją zwłaszcza kwestie dotyczące opieki nad dzieckiem oraz podziału majątku. Obiecała sobie, że spotka się z dawną znajomą z konserwatorium, która niedawno rozwiodła się i była bardzo zadowolona ze swojego prawnika. Miała się z nią zobaczyć tuż po powrocie z weekendu i nie mogła się już doczekać, ale najpierw czekały ją obowiązki przykładnej żony.

Wyjazd na polowanie do Puszczy Kampinoskiej, do majątku hrabiego Tuszyńskiego, którego Tadeusz był pełnomocnikiem, ostatecznie przekonał Liliannę do idei rozstania z mężem i podjęcia próby samodzielnego życia. Uzmysłowił jej, jak bardzo pragnęła uciec od roli potulnej żony, jaką przyszło jej odgrywać. Nie chciała być tylko dodatkiem do męża, obnoszonym po salonach i polowaniach.

Jesień osiągnęła właśnie swoje apogeum i wystarczyło wyjechać z miasta, aby widok kolorowych liści na drzewach wywołał zachwyt zapierający dech w piersiach. Lili jechała samochodem wraz z Tadeuszem, jego współpracownikiem i kierowcą, wpatrzona w widoki za oknem, nie mogąc zaangażować się w dyskusję o obozie w Berezie Kartuskiej. Zazwyczaj interesowała się polityką, zwłaszcza ostatnio, gdy doniesienia ze świata stawały się coraz bardziej niepokojące, jednak tego dnia nawet poczynania Hitlera nie były w stanie wyrwać jej z melancholijnego nastroju i nieokiełznanej erupcji marzeń.

Udawała, że zaczytuje się w magazynie mody. Hitem nadchodzącego sezonu ogłoszono pelerynkę. „Okrycia wieczorowe – przebój sezonu, czyli płaszcz wieczorowy lub tzw. cape, jest pewnego rodzaju nadprogramem w garderobie dzisiejszej kobiety. Wszak nie każda bywa na balach, a nawet tej, która bywa, wystarczy na suknię narzucić futro lub palto, które przy wejściu zostawia w garderobie. Taki płaszcz wieczorowy jest więc zbytkiem i sprawia go sobie tylko ta pani, która nie ma ograniczonych środków, a sezon karnawałowy spędzi hucznie. Oczywiście efektownie jest wejść na salę w pelerynce aksamitnej podbitej futrem lub w powłóczystym płaszczu obramowanym lisami, ale niech się pani nie martwi. Bez takiego zbytku będzie pani wyglądała i tak ładnie w modnej, balowej sukni. Trzeba tylko nauczyć się majestatycznie kroczyć, gdyż modne są w tym roku treny" – czytała. Na widocznych w piśmie fotografiach pokazano dwa stroje – modelkę w dwóch sukniach. „Wieczorowa suknia z białej tafty. Rękawy tworzą pelerynkę" i „Suknia wieczorowa z modnej tkaniny przetykanej celofanem. Duża zmarszczona falbana u dołu tworzy tren. U góry zmarszczona falbana tworzy pelerynkę". Niczym syrena, pomyślała Lili, uznając, że koniecznie musi sobie sprawić taką *cape* przed sezonem przyjęć i bali. Ale ani myśl o nowej garderobie, ani polityka czy obawy o przyszły los świata nie mogły zwalczyć powracającego wciąż obrazu Juliana, który nieustannie stawał jej przed oczami.

Ton jego głosu, grymas ust, który oznaczał uśmiech, zapach jego skóry – wszystko to było tak wyraźne, iż Lilianna miała wrażenie, jakby jej niewidzialny dla wszystkich wokół kochanek był nieustannie obok.

Gdy już dojeżdżali do miejsca, gdzie na skraju puszczy położony był myśliwski dworek hrabiego, w oddali zauważyła zmierzający na zachód cygański tabor – szereg rozklekotanych wozów ciągnionych przez konie, ludzi idących obok – w powolnej wędrówce ku lasom.

Widok taboru podsycił w niej myśl o ucieczce ku wolności i miłości. Chciała mocno pragnąć i doczekać zaspokojenia, które byłoby wstrząsem silnym i pięknym, nadającym sens jej nudnej egzystencji. Otaczające ją towarzystwo, które przybyło na polowanie, nużyło ją. Panie towarzyszące mężom podziwiały wybitnie sportowy, prawie męski kapelusik z nieodzownym piórkiem, jaki tego dnia miała na sobie Lilianna, ale mimo to wszyscy ci ludzie byli jej całkowicie obcy i marzyła o samotności.

Kiedy tylko nadarzyła się sposobność, wymówiła się bólem głowy od partyjki wista, w którą zamierzały grać panie niebiorące udziału w polowaniu, po czym oddaliła się od zabudowań pałacyku myśliwskiego. Spacerowała po lesie, chłonąc obfitość jesiennych kolorów, całkowicie zanurzona w swoich marzeniach. Zapach wilgotnych, opadłych liści oraz widok miękkiego mchu drażniły jej zmysły. Myślała o tym, jak bardzo pragnęłaby lec na tym mchu i poddać się całkowicie wrażeniom, jakie wzbudziłby w niej dotyk i głos Juliana. Tego dnia tęskniła za nim tak mocno jak nigdy dotąd. Zdawało się jej, że on jeden na całym świecie rozumie ją teraz najlepiej. Widziała oczami wyobraźni jego delikatną twarz i wpatrzone w nią oczy. On wiedział… Znał ją, rozumiał całe bogactwo, jakie w sobie nosiła, podczas gdy ci obcy ludzie, choć uprzejmi i teoretycznie podobni do Lilianny, ze swoimi pustymi stwierdzeniami albo historiami z polowań nie byli warci jej uwagi. Chciała rozmawiać o poezji (tomik Tuwima pod tytułem *Biblia cygańska i inne wiersze* miała ze sobą w torebce), chciała analizować ludzkie uczucia i emocje, dyskutować o Prouście…

Po powrocie z polowania w Puszczy Kampinoskiej Lilianna włączyła płytę z tangiem, do którego urocze słowa napisał Tuwim. Popłynął rzewny głos Fogga. Lili nuciła wraz z nim:

Nasza jest noc i oprócz niej nie mamy nic,
Prócz tej nocy ciemnej,

Ślad bzów, szeptów, marzeń i mgły wiosennej.
Niech szał w naszych sercach obudzi moc,
Nasza jest noc i oprócz niej nie mamy nic.
Więcej nam nie trzeba.
Ni skarbów ziemi, ni cudów nieba,
Bo po to Bóg stworzył świat,
Żeby nam dać tę noc.

Przestawiała igłę gramofonu kilkanaście razy, odsłuchując piosenkę – jak w transie – od nowa i od nowa. W myślach widziała wyraźnie twarz Julka. Zamykała oczy, aby odnaleźć w pamięci delikatny zapach wody toaletowej o leśnym, nieco bagiennym aromacie, która na jego skórze pachniała niczym zroszony deszczem ogród w letni wieczór.

Orgia kolorów, jaką pokazywała teraz przyroda, pociągała Lili tak mocno, iż odtąd niemal każdego dnia spotykali się z Julkiem w którymś z parków, aby choć przez kilkanaście minut być blisko siebie i wspólnie chłonąć to piękno niezwykłego spektaklu, jakim była słoneczna, złota jesień. Ich ulubionym miejscem był graniczący z Łazienkami Ogród Botaniczny Uniwersytetu Warszawskiego. O tej porze roku miejsce to wydawało się zawieszone poza czasem – lato i jesień trwały tam jednocześnie, zachwycając ostatnią przed zimą eksplozją piękna przyrody. Przysiadali przy fontannie, podziwiając karminowe liście klonu, chodzili oglądać ostatnie róże oraz dalie o łososiowych i karminowych główkach, aby w końcu dotrzeć na pagórek za Świątynią Opatrzności, gdzie w zacisznym kącie, tuż przy ogrodzeniu, było na tyle pusto, iż bez specjalnego ryzyka mogli oboje przylgnąć do siebie i wymienić pocałunki.

Znajoma z konserwatorium przekazała Lili adres kancelarii adwokackiej przy Wiejskiej 16, w której przyjmował dyskretny i pomocny mecenas Żurek. Jego skutecznym działaniom kobieta zawdzięczała sukces, jakim zakończył się jej rozwód z mężczyzną, który – jak się okazało dopiero po ślubie – oszukał ją, ukrywając swoją prawdziwą tożsamość oraz fakt, iż kiedyś zawarł już związek małżeński poza granicami kraju.

Zdeterminowana i gotowa do działania Lilianna umówiła się z adwokatem Żurkiem w mało uczęszczanej przez grono jej znajomych cukierni, gdzie, zapewniona o pełnej dyskrecji i nie wyjawiając swojego prawdziwego nazwiska, przedstawiła mecenasowi swoją życiową sytuację oraz oczekiwania, jakie miała w związku z rozważanym przez nią wystąpieniem o rozwód.

Mecenas Żurek był młodym prawnikiem i nie wyglądał na wybitnego specjalistę od rozwodów, jednak Lili musiała zaufać w tej kwestii swojej znajomej.

– Nie wiem jeszcze, czy rzeczywiście będę żądać rozwodu, chcę tylko znać swoje prawa, gdyby do takiej sytuacji jednak doszło – zaczęła mówić wyniosłym tonem, przyjmując pozę, która miała zatuszować zażenowanie, jakie czuła, mówiąc o takich sprawach. Gdyby jej matka ją teraz usłyszała, zapadłaby się pod ziemię ze wstydu...

– Rozumiem, że małżonek szanownej pani nadużywa pani zaufania i nie spełnia tym samym zobowiązań, jakie podjął, składając małżeńską przysięgę. – Mecenas Żurek niemal pożerał ją wzrokiem, nie mając widocznie zbyt często do czynienia z damą takiej klasy jak mecenasowa Korczyńska.

– Cóż, nie chodzi o to... Nie chcę teraz wyjaśniać, na skutek czego zastanawiam się nad ostateczną separacją – westchnęła.

– Ale te przyczyny, proszę szanownej pani, są kluczowe!

– Mnie interesuje najbardziej, jak wyglądają przepisy prawne dotyczące opieki nad dziećmi. O to chciałam się pana przede wszystkim zapytać.

– Ach, więc ma pani dzieci? W jakim wieku?

– Czy to ważne? – Lili czuła się coraz bardziej nieswojo, brnąc w rozmowę. Pomyślała, że postąpiła nad wyraz roztropnie, nie podając adwokatowi swojego prawdziwego nazwiska.

– Jeśli chodzi o kwestię opieki nad dzieckiem, tutaj niestety sprawa nie jest tak prosta – powiedział adwokat. – Nasz kodeks cywilny z niewielkimi tylko zmianami kopiuje kodeks Napoleona, według którego kobieta ma pewne... proszę wybaczyć... upośledzenie umysłowe. Pewne drastyczne przepisy zniesiono trzynaście lat temu, ale niestety mimo wielkich zmian społecznych prawo nie uwzględnia aktualnej roli kobiety. Prawo rodzinne opiera się na jeszcze bardziej archaicznych przepisach prawa rzymskiego. I tak artykuł 337 Kodeksu Cywilnego Królestwa Polskiego mówi, iż w ciągu pożycia małżeńskiego oboje rodzice sprawują władzę rodzicielską, w razie jednak różności zdań zdanie i wola ojca przeważają!

– A więc nasze prawo preferuje ojca, nie matkę, która rodzi dziecko, potem wychowuje, poświęca całe swoje życie, bo przecież w przypadku mężczyzn ich wysiłek sprowadza się do zapewnienia rodzinie środków do życia! – Lili nie potrafiła ukryć oburzenia.

– Cóż, interes żony i dziecka, krótko mówiąc, jest podporządkowany interesowi ojca rodziny, jedynie jeśli ojciec jest ograniczony w prawach lub nieobecny, matka ma przyznane prawo do opieki nad dziećmi. Gdyby małżeństwo zostało rozwiązane, opieka nad dzieckiem zależna jest od tego, kto z rodziców jest stroną tak zwaną winną lub jest „złej wiary". Jeżeli oboje małżonkowie są niewinni, to ojciec jest z samego prawa opiekunem, jeśli zaś jedna ze stron jest winna, opieka przysługuje stronie niewinnej.

– A gdy oboje są winni? – dopytywała Lili.

– Wówczas to rada familijna decyduje, komu powierzyć dzieci.

– Rada familijna?! Ależ to nonsens! To wbrew interesowi dziecka, dla którego dobra niezbędna jest matka! – Lili podniosła głos.

– W nowym projekcie prawa małżeńskiego przewidziane jest całkowite równouprawnienie małżonków co do praw i obowiązków w zakresie władzy rodzicielskiej, ale to przyszłość. Na razie mamy takie przepisy, a nie inne – tłumaczył mecenas Żurek.

– A czy to bardzo daleka przyszłość, ten kodeks?

– Trudno powiedzieć, na pewno nie jest to perspektywa najbliższych miesięcy, pewniej lat.

– Ach tak... – zafrasowała się Lilianna.

Podziękowała mecenasowi i wyszła z kawiarni w podłym nastroju, nie mając nawet ochoty na zjedzenie ulubionej bezy z kremem *cointreau*. Kawa po wiedeńsku podniosła jej ciśnienie i wychodząc na chłodne powietrze, Lili poczuła zawroty głowy.

Postanowiła chwilę pospacerować. Nogi bezwiednie poniosły ją ku pobliskiej Dolince Szwajcarskiej, gdzie przysiadła na jednej z ławeczek i zdenerwowana z trudem powstrzymała się od płaczu. Najgorsze w zaistniałej sytuacji było to, iż nie miała ani jednej osoby na świecie, której mogła powierzyć swoje dylematy.

Jedynym pocieszeniem tego popołudnia mógł być tylko seans filmu *Ich noce* z ulubionym Clarkiem Gable w roli głównej. Widziała ten zachwycający obraz już dwukrotnie z Julianem, tym razem postanowiła obejrzeć go sama. Kupiła w kinowym bufecie torebkę cukierków i patrząc na ubóstwianego aktora, nie potrafiła pohamować łez. Gdyby taki silny mężczyzna jak Gable zjawił się nagle w jej życiu... Ktoś taki rozwiązałby jej problem, zapewnił dostatnie życie, pełne namiętności i atrakcji, i na pewno nie pozwoliłby na odebranie jej praw do dziecka.

Gdy Lili opuściła budynek kina, na dworze zapalono już latarnie, bo zrobiło się niemal zupełnie ciemno, choć była dopiero szósta. Zamierzała wziąć dorożkę, aby jak najszybciej dostać się do domu, gdy przypomniała sobie nagle, że przecież na ten dzień przypadało spotkanie brydżowe, organizowane przez Tadeusza dla jego współpracowników i potencjalnych klientów. Musiała zadbać o gości męża, choć myśl o przygotowywaniu przyjęcia nie napawała jej entuzjazmem. Idąc Marszałkowską, wstąpiła do sklepu Braci Pakulskich. Jesienne dekoracje, skrzynki z jabłkami, dynie i późne kwiaty zachęcały do wejścia do wnętrza wypełnionego aromatem korzennych przypraw, wędzonych ryb i wędlin.

Lilianna kupiła stare tokajskie wino, zajęczy comber, marcepanowe babeczki i słoik doskonałego kawioru do udekorowania małych kanapeczek, cieszących się dużym wzięciem, gdy gra przeciągała się do późna. Rano Tadeusz wspominał, że tego dnia na brydżu gościć będą ważnego przedsiębiorcę, którego powinni przyjąć w jak najlepszy sposób.

Dzięki przyniesionym do domu sprawunkom Lili z łatwością wytłumaczyła mężowi swój późny powrót do domu.

– Chciałam koniecznie kupić wykwintne wino i doskonały kawior dla twojego ważnego gościa – wyjaśniła.

Mężowi pozostało jedynie podziękować za jej starania.

– Wydam Marysi dyspozycje i pójdę się przebrać – powiedziała, w duchu postanawiając, iż tego wieczoru musi wyglądać szczególnie pięknie. Oczaruje ważnego gościa, sprawi, że Tadeusz oszaleje z radości, a jeśli zdobędzie nowego klienta dla swojej kancelarii, zapewne nie odmówi żonie wyjazdu na południe Francji albo do Szwajcarii, gdzie mogłaby nieco odpocząć od jesiennej słoty. Tylko tyle mogła wydobyć z tego małżeństwa, postanowiła więc, że ograniczy się do tej namiastki szczęścia, skoro na razie nie mogła sobie pozwolić na zmiany, których pragnęła.

Rozdział 14

Październik 1934
Kompromitujący list

Rozmowa z adwokatem wpędziła Lili w przygnębienie. Ryzyko utraty władzy nad własnym dzieckiem stanowiło granicę, której nie była w stanie przekroczyć. Jej prawa w razie rozwodu były więcej niż wątpliwe, tym bardziej że Tadeusz był prawnikiem. Nie było takiego marzenia, dla którego mogłaby zaryzykować utratę ukochanego dziecka. W tej sytuacji nie pozostawało jej nic innego, jak tylko prowadzić podwójne życie, odważyć się na romans i pogodzić z koniecznością ukrywania go przed mężem.

Ogarnęła ją melancholia pozbawionych złocistego światła jesiennych dni, które niespodziewanie stawały się tak krótkie. Przez dwa ostatnie październikowe tygodnie nie miała ochoty spacerować z Julianem i katować się pragnieniami, których nie mogła spełnić. Wolała spędzać czas w domu, zajęta robótkami ręcznymi i otulona pledem na szezlongu, wsłuchana w smutne tanga i bolera, pocieszając się marcepanowymi słodkościami, po które posyłała Marysię do Lourse'a.

W jeden z tych ponurych, deszczowych dni, szukając gumki do wycierania, potrzebnej do korekty wzoru haftu, który odrysowywała na batystowej tkaninie, Lilianna weszła do gabinetu Tadeusza. Na blacie jego biurka, obok oprawionej w ramkę jej fotografii z okresu narzeczeństwa, od razu spostrzegła w przyniesionej z rana poczcie dziwnie wyglądający list. Jej wzrok natrafił na kopertę zaadresowaną do męża wyraźnie kobiecym charakterem pisma, ale tak niepewnym i pokracznym, iż musiała je kaligrafować jakaś niewykształcona osoba. Zaintrygowana tą przesyłką, pomyślała z przerażeniem, że może do Tadeusza wysłano donos opisujący jej wyjazd na letnisko z Julianem. Może któryś z wieśniaków, który ich widział na biwaku albo w trakcie spływu, chciał teraz wyłudzić od Tadeusza jakieś pieniądze?

Całe przedpołudnie kręciła się po domu, nie mogąc znaleźć sobie miejsca. Haft jej się nie udał, gosposia zirytowała ją swoją niegospodarnością, a Tosia zdenerwowała marudzeniem. W końcu, gdy zbliżała się godzina powrotu męża do domu, Lili weszła do jego gabinetu i zabrała list do kieszeni swetra, po czym wróciła do swojej sypialni, delikatnie otworzyła kopertę i przeczytała tkwiącą w środku kartkę marnego papieru, na którym widniały pokraczne litery.

Drogi Panie!

Moja tragiczna sytuacja zmusza mnie, bym pisała do szanownego Pana. Gdyby nie głód, jaki cierpi moje dziecko, nie przypominałabym o usługach mojego ciała, z jakich Pan korzystał w ostatnim roku. Przeżyłeś ze mną chwile zadowolenia, za które dopłacić proszę dodatkowe 200 złotych. W przeciwnym razie powiadomię o tych czynach Pańską żonę, a jako że pamiętam szczegóły naszych nocy, zapewne żona Pana nie będzie mi mogła nie uwierzyć.

Jeśli nie zapłacisz Pan, zyskasz tylko skandal i wyrzuty zdradzonej żony. Pamiętaj, masz czas do piątku. Przekaż pieniądze do „Kuriera Warszawskiego" na numer ogłoszenia 943229 „Pieska małego, myśliwskiego kupię".

List podpisano *Szalona Blondynka.*

Lilianna zatrzęsła się z oburzenia. Chodząc nerwowo po gabinecie, kipiała ze złości. Pierwszym impulsem było sięgnięcie po słuchawkę aparatu telefonicznego i opowiedzenie o wszystkim mamusi. Ona na pewno byłaby równie poirytowana i doradziłaby jej, co robić.

Zrezygnowała jednak z telefonu, bojąc się, że służąca zacznie podsłuchiwać, zaniepokojona jej tonem głosu pełnym emocji, których nie byłaby w stanie ukryć. *Jak mógł, jak mógł tak mnie poniżyć*! – powtarzała sobie po cichu, tłumiąc wściekłość. Przez moment przyszło jej do głowy, aby natychmiast udać się do kancelarii i od razu rozmówić się z mężem. Dopiero gdy wychyliła kieliszek koniaku, uspokoiła się na tyle, aby schować list do stanika i opuścić pokój.

Nie chcąc wzbudzać podejrzeń służby, oświadczyła, iż zabiera Tosię na spacer do Ogrodu Saskiego. „Niech sobie niania odpocznie!" – dodała wspaniałomyślnie, każąc szykować małą do wyjścia.

Na domiar złego Marysia, jej gospodyni, zmierzyła ją od stóp do głów i widząc, że pani ubiera się w pośpiechu, powiedziała:

– Jak wielmożna pani chce, ja szybko polecę po te marcepany! Skoro taka potrzeba, to nie ma co się wstrzymywać. Jak to mówią, trza jeść za dwoje, jeśli jest się w błogosławionym stanie, choćby i marcepany…

– Niech się Marysia zajmie swoją robotą i przestanie myśleć o głupotach!

Nie kryjąc złości, Lili wyszła z domu, zakładając pierwszą rzecz, jaka wpadła jej w ręce, nie przemyślawszy swojego wyglądu, co nie zdarzało się jej niemal nigdy. Aluzja gosposi co do ciąży sprawiła, że Lilianna wręcz trzęsła się z poirytowania i gdyby nie dziecko, zrobiłaby służbie karczemną awanturę. Temat kolejnego dziecka szczególnie działał jej na nerwy – nie było od ostatnich miesięcy żadnego spotkania rodzinnego, na którym matka nie zapytałaby, czy przypadkiem nie jest przy nadziei, bo przecież nadszedł już najwyższy czas na kolejne dziecko.

Tosia słodko szczebiotała coś o pszczółkach, należycie

prezentując się w rozkloszowanym, lekkim płaszczyku z materiału w haftowane wisienki i w czerwonym kapelusiku. Wciąż zdenerwowana Lili przeszła przez jezdnię ulicy Królewskiej, trzymając małą za rączkę, po czym wkroczyła na alejkę otuloną cieniem liści rozłożystych kasztanów. Nieustannie myślała o tym, jak rozegrać sprawę z mężem, wiedząc, że może wreszcie wynegocjować z nim zasady współżycia małżeńskiego, o jakich zawsze marzyła. Teraz nie będzie mógł niczego jej odmówić! Coraz bardziej odważnie zaczęła planować wyjazd do Paryża.

Dzień był pochmurny i zaraz mogło lunąć, spacer nie był więc najlepszym pomysłem. Mała jednak z chęcią kroczyła obok mamusi, z którą rzadko bywała sam na sam. Śpiewała coś sobie, zrywała mlecze i bawiła się dmuchawcami.

– O! Mamo, mamo! Biedjonka, to biedjonka! – piszczała z zachwytu.

– Tak, tak kochanie! – odpowiadała słodkim głosem Lili.

Nagle pomyślała, że w takim miejscu zaraz spotka kogoś znajomego, jakąś małżonkę klienta Tadeusza, i będzie musiała prowadzić uprzejmą rozmowę, a jest niespecjalnie (według swoich standardów) ubrana, trzeba więc jak najszybciej wracać. Mogła chociaż włożyć nowe pantofle i lepszy kapelusz. Ach, szkoda...

Patrząc na drewnianą konstrukcję Teatru Letniego, przypomniała sobie, że chciała przed końcem sezonu przyjść tu jeszcze raz z Julianem. Grano zbierającą świetne recenzje sztukę pod tytułem *Zwyciężyłem kryzys*. Czy tego tytułu nie powinna potraktować jak znaku?

Nagle przyszła myśl, że Julian mógłby wyjechać razem z nią do Paryża, towarzyszyć jej w trakcie spacerów, w lokalach. Widziała siebie w podobny dzień jak ten obecny, tyle że ozłocony jesiennym słońcem, jak idzie powolnym krokiem wzdłuż platanów i rzeźb ogrodu Tuileries, piękna, jeszcze piękniejsza niż teraz, z uroczą Tosią w aksamitnym płaszczyku. Wieczorami obraca się w ciekawym towarzystwie, bywa w kawiarniach, na koncertach, nawet w kabaretach. Nocami zaś, gdy za oknem Paryż kąpie się w blasku milionów świateł, ona zaznaje tych niewypowiedzianych rozkoszy, których królestwo otworzył przed nią Julian. Może inni mężczyźni, starsi i bardziej doświadczeni, umieliby jeszcze sprawniej doprowadzić ją do tego stanu, który był czymś pomiędzy bólem i przyjemnością, czymś nie do wytrzymania, co jednak w efekcie przynosiło tak olbrzymią rozkosz, iż Lili zdawało się przez moment, że znika, rozpływa się wręcz w tej rozlewającej się na całe ciało ekstazie – od kręgosłupa po czubki palców.

Życie zdawało się otwierać przed nią możliwości, których niedawno jeszcze nawet sobie nie wyobrażała... Trzeba było tylko zacząć działać.

Nagle do drzwi mieszkania zastukał goniec z przesyłką dla mecenasowej Korczyńskiej. Lili z zaciekawieniem otworzyła elegancko opakowane pudełko, w którym znalazła zachwycający upominek. Była to niezwykłej urody papierośnica w kształcie dłoni z salonu samej Elsy Schiaparelli. Przedmiot wykonany był z pozłacanego mosiądzu, a paznokcie zdobiła karminowa emalia. Do tego efektownego cacka dołączony był bilecik o niestosownej treści od Żorżyka. „Pozdrowienia z wiosennego Paryża. Czy kiedyś będziemy mieć możliwość zobaczyć go wspólnie?".

Lili pomyślała, że to może jakiś znak świadczący o tym, że powinna wyjechać do Paryża. Fakt, iż przebywa tam Żorżyk, nie był bez znaczenia. Wyswobodzony ze szponów nałogu (tak przynajmniej nauczyła się myśleć), był bardzo pomocny i czarujący. Delikatnie, nigdy nachalnie, adorował kuzynkę, co sprawiało, iż bardzo dobrze czuła się w jego towarzystwie.

Rozdział 15

Październik 1934

Wyznania i deszcz

Ich spacery na prawy brzeg Wisły i do parku Paderewskiego nabrały z czasem cech pewnego intymnego rytuału, którego powtarzalność zaczęła sprawiać, iż Julian myślał o relacji z Lilianną jak o rozwijającym się związku.

Jeśli było ciepło i nie obawiali się deszczu, spacerkiem przekraczali rzekę przez most Poniatowskiego i szli dalej, do głównej alei parku. Z nastaniem chłodniejszych dni o mniej przewidywalnej pogodzie Lili podwożona była szewroletą przez szofera z kancelarii męża. Julian odpowiednio wcześniej podjeżdżał tramwajem przez Aleje Jerozolimskie na Saską Kępę i tam czekał na nią pod główną bramą wejściową do parku. Lilianna zwykle przybywała spóźniona, zawsze jednak przepraszała, a on lubił ten pełen skruchy wyraz jej miękkiej, zaróżowionej twarzy, którą otaczały wystające spod zawsze innego kapelusza złote fale.

– Idziemy dzisiaj w stronę stawu łabędzi czy stawu kaczego? – pytał Julian, podając jej ramię, a ona dokonywała wyboru, który zależał wyłącznie od jej kaprysu.

Zaczynali powolnym krokiem iść w lewo bądź w prawo, bez dalszych uzgodnień, kierując się do określonych – w zależności od wybranej tego dnia trasy – punktów na planie parku.

Julian zdecydowanie wolał bardziej dzikie, gęsto porośnięte stare Łazienki Królewskie. Park Paderewskiego był jeszcze zbyt młody, przesadnie obłaskawiony, uporządkowany, ulegał jednak woli Lilianny, która wolała to miejsce, uważając je za bardzo nowoczesne, świetnie rozplanowane, pełne różnorodnych atrakcji. Tak ciekawych rozwiązań krajobrazowych nie było w całym mieście, nigdzie nie stosowano takich udogodnień, jak na przykład automaty z czekoladkami z pobliskiej fabryki Wedla albo publiczne toalety. Julian zdawał sobie też sprawę, że w dni powszednie, przebywając w tych okolicach, Lilianna mniej ryzykowała, iż ktoś zobaczy ją w męskim towarzystwie. Oboje pamiętali tylko, aby omijać teren kortów tenisowych, gdzie mogły grać panie z towarzystwa i znajome Lili.

Tego dnia Lili miała ochotę pójść w lewo, więc opuszczając główną aleję, skierowali się w kierunku stawu łabędzi. Drzewa wciąż jeszcze opierały się powoli nadchodzącej jesieni. Liście ledwo zmieniały barwę, szykując się na ten ostatni spektakl kolorowej euforii, która wkrótce miała nadejść. *Będziemy oglądać to razem* – pomyślał Julian ze spokojem, marząc już o oszałamiających barwach liści i tańczącym wśród nich miodowym świetle, które na pewno wprawiać będą Liliannę w absolutny zachwyt. Lubił ją właśnie taką, jej euforia podkreślała tylko słodycz i łagodność rysów twarzy, podczas gdy ogarniająca ją niekiedy melancholia wywoływała w nim niepokój. Myśli i pragnienia Lili w trakcie jej smutnych dni były trudniejsze do odgadnięcia, nieprzeniknione, a przez to czyniące ją jeszcze bardziej niedostępną.

W ten październikowy dzień była jednak radosna, pełna wigoru, a nawet podekscytowana.

– Wiesz, że byłam w tym parku ledwie w ubiegłą sobotę. Towarzyszyłam Tadeuszowi w raucie z okazji pokazu samochodów. On się bardzo interesuje motoryzacją. I muszę ci powiedzieć, że w tym otoczeniu czułam się bez ciebie tak nie na miejscu, tak mi tu czegoś, raczej kogoś, brakowało! Ten park bez ciebie nie ma już dla mnie uroku – wyznała śmiało, co przepełniło Juliana wewnętrznym zadowoleniem, tak wielkim, iż musiał się hamować, by nie wyznać, jak bardzo każdej nocy tęsknił za nią, żywiąc się wspomnieniem jej miękkiego ciała, jej zapachami, skórą przypominającą w dotyku owoc brzoskwini. Tęsknił za wonią jej intymnych stref, tą mdłą słodyczą, której nie mógł znieść u siebie, a która u niej była przyprawiającą go o drżenie ambrozją.

Przeszli jak zwykle koło ustawionej tuż nad brzegiem stawu rzeźby *Kąpiącej*, następnie odbiegającymi od głównej alei ścieżkami zagłębili się w zarośla, aby w końcu przystanąć na zbudowanym z głazów mostku nad strumieniem, który według Lili był najbardziej urokliwym zakątkiem w parku. Lubił się przyglądać, jak po prostu stała tam przez kilkanaście minut oparta o balustradę, wpatrzona w widoczne tuż przy brzegu nenufary i pływające w oddali łabędzie. Ilekroć docierali do tego miejsca, wspominała zawsze obrazy widziane kilka lat temu na wystawie impresjonistów w Paryżu. „Co za niezwykła kompozycja! Zupełnie jak obraz Moneta!" – mówiła, nie kryjąc zachwytu.

Następnie, powolnym krokiem, po niemal pustej o tej popołudniowej porze alejce, podeszli ku różance, gdzie przysiedli na ławeczce wśród krzewów obsypanych brązowiejącymi powoli kwiatami. Mówił jej o swoich odczuciach, gdy pierwszy raz zobaczył w gazecie wydrukowany wiersz swojego autorstwa, z którego zapamiętał kilka ledwie wersów. Opowiadał o sile marzeń i lęku przed samym sobą i drzemiącą w człowieku siłą.

Nie powiedział tego rzecz jasna Lili, ale ten jego debiut, przypadający na dziewiętnaste urodziny, opublikowano w sekcji „Nowe talenty" pod przybranym męskim nazwiskiem. Miał wówczas wielkie ambicje, niekiedy wręcz przeświadczenie, iż stanie się wielkim poetą, a taki status wymagał męskiej tożsamości. Tak zwana poezja czy literatura kobieca zawsze napawała go wstrętem jako pewna niedoskonała, siłą rzeczy, twórczość. Wtórna wobec tego, co tworzyły wielkie męskie postacie.

Poezja Konopnickiej czy Pawlikowskiej wydawała mu się żenująca, maluczka. Ale przecież były kobiety potrafiące wznieść się na wyżyny z reguły dostępne mężczyznom. Choćby taka Gertruda Stein!

Przez długi czas siedzieli blisko siebie na ławeczce, nic nie mówiąc, patrząc przed siebie na rzeźbą kobiety nazwaną przez autora *Tańczącą* i otaczające ich róże. Julian pierwszy dotknął spoczywającej na brzegu ławki dłoni Lili w rękawiczce z ciemnozielonego zamszu. W odpowiedzi na ten gest Lilianna uwolniła dłoń, kładąc ją – tak ciepłą i delikatną – na dłoni Juliana. Ich ręce najpierw delikatnie muskały jedna drugą, aby zaraz się spleść i tkliwie pieścić wzajemnie. Jej smukłe, drobne palce prześlizgiwały się w zagłębieniu jego dłoni. Taniec ich rąk sprawił, iż czas zatrzymał się w miejscu, jakby ta jedyna możliwa forma kontaktu dwóch ludzkich ciał wyzwoliła w nich poczucie bycia poza czasem. Lilianna niekiedy zwracała ku niemu twarz, posyłając bez słowa subtelny uśmiech, który mówił mu: *Tak, ja też to czuję*. Julian w uniesieniu pomyślał, że to, co ich łączy, nie jest zwyczajną miłostką, skoro sam dotyk dłoni wystarczał, by czuł niewysłowione szczęście. Czas zatrzymał się w miejscu, zamarły poruszane wiatrem gałęzie drzew, spacerowicze w alejkach i obłoki na niebie.

Ten ciąg błogich chwil przerwała gwałtowna ulewa. Deszcz zaczął padać w ułamku sekundy. Zaskoczył ich tak bardzo, iż stanęli obok siebie jak zamurowani, nie wiedząc przez moment, co robić w takiej sytuacji, bez parasola, na odkrytej przestrzeni parku, skąd do kawiarni czy przystani kajakowej było kilkaset metrów.

Julian spojrzał na Liliannę, wpatrzoną w pomnik przedstawiający zastygłą w ruchu filigranową tancerkę, która z rozpostartymi ramionami i przechyloną głową porusza się z wdziękiem w rytm niesłyszalnej muzyki.

– Spójrz, Julianie! – zwróciła się do niego. – Jak cudnie deszcz spływa z jej rąk uniesionych w pozie łabędzia! Nigdy nie widziałam czegoś tak pięknego!

Julian zdjął z siebie czym prędzej swój przyduży płaszcz i trzymając go nad Lili i sobą, krzyknął: „Szybko, biegnijmy!", po czym ruszyli przed siebie, ku pustej alei, na którą spadała ściana wody.

– Poczekaj, nie dam rady! Zatrzymaj się! – zawołała wreszcie, dysząc ciężko, Lilianna. Stanęła w deszczu, oddychając z trudem. – Julianie, najdroższy... – mówiła, wczepiając się w jego ramiona. Stali oboje w całkowicie przemoczonych płaszczach. Jej liliowe nakrycie przybrało barwę bakłażana, z ronda małego kapelusika wprost lała się woda.

– Julianie, muszę ci coś powiedzieć, wymyśliłam dla nas przyszłość, wszystko mam już opracowane! Wyjedziemy stąd obie, to znaczy ja z córką, do Paryża. Tam wszyscy będziemy wolni! Tadeusz już się zgodził, nie miał wyjścia, odkryłam przypadkiem jego kompromitujący sekret, nie mógł mi odmówić. Muszę tylko wszystko przygotować, wyjadę za miesiąc czy dwa, a ty do mnie dołączysz! Będziemy nareszcie razem, cieszysz się?

Julian stał osłupiały, dygocąc z zimna, przerażony faktem, iż Lili tkwi nieruchomo, wpatrzona w niego, całkowicie przemoczona. Jeszcze przypłaci ten spacer chorobą!

– No powiedzże coś! Nie cieszysz się, mój miły? – spytała z niepokojem w głosie, wpatrując się w niego z taką intensywnością, iż nie wiedząc, co odpowiedzieć, przybliżył swoje wargi do jej ust i pocałowali się na środku parkowej alei.

– Szczęście odebrało mi głos! Ale teraz czym prędzej wracajmy, jeszcze mi się rozchorujesz, moja ukochana! – powiedział, przywołując dłonią strażnika parku, który nadchodził od strony głównej alei. – Proszę szybko taksówkę zawołać! Pani mecenasowa zmokła okrutnie! – zawołał.

Ulewa słabła, kiedy Julian patrzył, jak spod bramy parku Paderewskiego odjeżdża samochód. Kompletnie przemoczony, nie zważając na deszcz, zaczął iść w kierunku mostu. Pomysł Lili uruchomił lawinę marzeń, ale i wątpliwości. Skąd wziąć pieniądze na Paryż? Grać w pokera, pożyczyć od jakichś zbirów i uciec? Nie wiedział, co robić.

Kiedy przekroczył próg kuchennych drzwi, niemal wpadł na Andzię, która czekała na niego z informacją, że do ciotki przyszedł gość i bardzo mu zależy, żeby spotkać panienkę Julię. Niezadowolony z powodu tej nieoczekiwanej wizyty Julian przebrał się czym prędzej w sukienkę, tym razem wybierając tę bardziej odświętną, czarną w białe groszki, z koronkowym kołnierzykiem. Zaczesał włosy na policzki, a usta pociągnął czerwoną szminką, chcąc samego siebie upewnić, iż przywdział kostium, w którym zaraz odegra rolę kogoś, kim nie jest. Spryskany wodą kwiatową Lady (flakon dostał od producenta, z którym omawiał zasady zamieszczania ogłoszeń reklamowych w „Bluszczu"; wydawał się zbyt mało wyrafinowany na prezent dla Lili, a zarazem zbyt frywolny dla ciotki, która tępiła wszelkie zbytkowne produkty mające na celu podkreślanie kobiecości), cicho zbliżył się do drzwi wiodących do salonu, zza których dochodził męski, pewny siebie głos.

Gdy wszedł do tonącego w półmroku pomieszczenia, mężczyzna podniósł się z krzesła. Julian nawet nie spojrzał w jego stronę, choć kątem oka od razu zanotował sporą tuszę i sumiasty wąs gościa.

– O! Jest Julcia! – zawołała na jego widok ciotka. – Niepokoiłam się już, gdzie ty się podziewasz. Pamiętasz pana Cyryla? Mieszkał tu z pięć czy sześć lat temu, pod czwórką, pamiętasz? Wypłynął daleko za pracą. Tak żeśmy tu wszyscy się martwili, jak też się mu powodzi... Pamiętasz, prawda?

Julian nie odpowiedział, nie bardzo kojarząc grubego jegomościa, który na oko miał ponad czterdzieści lat, nieciekawy wąs, nosił okropny garnitur z sukna w kasztanowym kolorze i poplamiony krawat w ukośne zielone pasy. Na jego czole widać było kropelki potu.

– Dokładnie sześć i pół roku temu! – zagrzmiał pan Cyryl. – Uszanowanie pannie Julii! – Ukłonił się i złożył mokry, obrzydliwy pocałunek na wierzchu dłoni Juliana. – Nie było mnie kilka długich lat, ale oto powróciłem do kraju, gotowy pozostać tu już na zawsze! – oświadczył pompatycznie, po czym usiadł na krześle, które rozpaczliwie skrzypnęło pod jego ciężarem.

– Pan Cyryl był w Ameryce! Właśnie miałam przyjemność wysłuchać niesłychanych wprost opowieści o tym dalekim kraju! Pracował ciężko, a teraz wrócił i zamierza otworzyć własny interes! – Ciotka zachowywała się nadzwyczaj dziwnie. Jej entuzjazm od razu wzbudził w Julianie pewne podejrzenia.

– Tak jak mówi szanowna ciocia pani, rzeczywiście spędziłem sześć lat w Szykago. Wiele by opowiadać! Wiele, oj wiele widziałem... Jak tylko tam mój statek przypłynął, zatrzymałem się u stryja i już myślałem, że zaraz wracać będzie trzeba, kryzys nagle się zaczął. Widziałem, jak ludzie z wieżowców skakali! Widziałem, jak elegancko ubrani panowie w śmietnikach czegoś do jedzenia szukali! Takie czasy nastały! Ale ja jestem robotny, żadnej pracy się nie boję! Po dwanaście, nawet szesnaście godzin dziennie pracowałem. Jako wyrobnik byłem i w fabrykach, i w zakładach, terminowałem też u jednego złotnika. Ale opłaciło się, bo dolary, które przywiozłem, nie chcąc się chwalić, to niezła sumka. – Zaśmiał się, zadowolony z siebie, a ciotka mu zawtórowała, wołając zaraz Andzię, aby podała więcej wiśniowej nalewki i kolejny dzbanek herbaty.

Julian siedział, uśmiechając się zamkniętymi ustami, czując się w całej tej sytuacji wyjątkowo niezręcznie. Marzył tylko, aby niespodziewany gość jak najszybciej wyszedł, a on mógł zaszyć się, jak co wieczór, w swoim pokoju. Minęło sporo czasu, od kiedy przebywał w towarzystwie, które widziało w nim Julię – starą pannę.

– Nie zapytasz, Julciu, pana Cyryla, jakie ma plany w Warszawie? – spytała ciotka ze słodkim uśmiechem, jaki rzadko mogli widzieć domownicy, wyraźnie podekscytowana wizytą. – Pan skosztuje jeszcze jednego pączka, drogi panie Cyrylu – zwróciła się do gościa.

– Zatem jakie ma pan plany? – westchnął Julian.

– A owszem, mam plan! Chcę kupić zakład jubilerski przy Targowej, na Pradze – odparł, nie kryjąc dumy w głosie. – Zawsze się starałem dojść do czegoś, a dla mnie dojść do czegoś to znaczy mieć własny interes, no nie? Żeby dla mnie ludzie pracowali, a nie żebym ja miał u ludzi pracować i słuchać pańskiego dzwonka!

Ciotka pokiwała głową, dogadując:

– Słusznie, bardzo słusznie!

– Mam na oku korzystnie usytuowany punkt. Obrączki, łańcuszki, pierścionki, ludzie wszędzie na takie towary mają zapotrzebowanie, prawda? W końcu każdy chce się kiedyś ożenić, he, he – zaśmiał się, łypiąc kątem oka na Julię, która z przerażeniem spuściła wzrok. – Należał do starego człowieka, który zmarł, a syn jego nie chce przejąć interesu, tylko hulać po świecie, he, he... – Ponownie zarechotał, wgryzając się w wielki pączek, tak iż na jego wąsach osadziły się okruchy lukru.

– Ooo! Panie Cyrylu, mieć własny zakład, w takim miejscu... No, no! Opłaciła się panu ta Ameryka!

Cyryl z zadowoleniem wytarł pełne usta serwetką, niezdarnie krusząc drobinkami lukru. Julian, rozumiejąc już przyczynę dziwnego spotkania u ciotki, nie zamierzał ani odrobinę pomóc gościowi w ujawnieniu celu tej nieoczekiwanej wizyty.

– Przepraszam pana najuprzejmiej, bardzo jestem zmęczony, to znaczy zmęczona, i muszę się położyć spać. Jutro czeka mnie ciężki dzień, dajemy numer „Bluszczu" do druku. Muszę pana przeprosić. – To mówiąc, Julian wstał i podał rękę nieco zbitemu z tropu Cyrylowi.

– Julia tak ciężko pracuje, nie chce być ciężarem dla rodziny. Jest biuralistką w redakcji pisma „Bluszcz" – zaczęła wyjaśniać ciotka, nie starając się nawet, aby w bardziej subtelny sposób podkreślić atrybuty siostrzenicy.

– Cóż, może niedługo panna Julia nie będzie już musiała trwać na posadzie biuralistki – pożegnał się Cyryl, spoglądając znacząco na ciotkę, która obdarzyła go uprzejmym uśmiechem.

Julian zniknął za drzwiami salonu, gdzie oczywiście czatowała już Andzia, podsłuchując przebieg rozmowy.

– Co, szykuje się kandydat do żeniaczki? A to ci historia! Jak się biedny Cyryl dowie, kogo sobie upatrzył... – Andzia śmiała się bezczelnie.

– Zamknij się, słyszysz!? – Julian, nie mogąc pohamować emocji, przyparł dziewczynę do ściany, grożąc jej zaciśniętą pięścią.

– O, widział go kto! Portki zaczęło to nosić i od razu schamiało...

– Ostrzegam! – rzucił jeszcze przez ramię w kierunku Andzi, a z jej twarzy zniknął głupawy uśmiech.

Rozdział 16

Październik 1934
Smosarska w męskim stroju

Wraz z nadejściem jesieni Juliana ogarnęło poważne zwątpienie co do przyszłości. Wyjazd do Paryża, na który nalegała Lili, nie dawał mu spokoju, coraz bardziej spędzając sen z powiek. Całe dnie rozmyślał o tym, jak zdobyć pieniądze, bez których realizacja tego szalonego przedsięwzięcia była tylko kolejną mrzonką, na miarę marzeń Lili o tym, że kiedyś zamieszkają razem w modernistycznym apartamencie na szesnastym piętrze niebotyku, który codziennie oglądała z okna.

Niepokoiła go przy tym świadomość, iż straci pracę w „Bluszczu". Mimo wykonywania zadań, które rozmijały się z poezją, było mu żal tej gorączkowej atmosfery w redakcji, współpracy z Eugeniuszem, sympatycznych dziewcząt w biurze. Czuł się tam zadziwiająco dobrze i, jak sądził, nigdy nie będzie miał już szansy znaleźć tak wspaniałego miejsca pracy.

Z drugiej zaś strony wspólny wyjazd jawił mu się niczym wkroczenie do wielkiej oazy wolności. Tak naprawdę bardziej niż o Francji marzył o Ameryce. Fascynowało go masowe społeczeństwo, ta wszechobecna nowoczesność, śmiały pęd ku nowemu, który, choć na skutek wielkiego kryzysu osłabł (jak donosiła prasa, najgorsze gospodarka miała już podobno za sobą), wciąż zadziwiał materialnymi efektami. Z wielkim przejęciem oglądał w prasie zdjęcia pokazujące ustawione niczym klocki jedne obok drugich niewyobrażalne wysokościowce, wielopasmowe autostrady, estakady, przez które pędził świetlisty wąż samochodów.

Opuszczając kraj, musiałby zrezygnować z pracy, a ponadto wyjaśnić swój wyjazd ciotce, która ostatnio coraz bardziej niedomagała, napisać list do matki, która zapewne poważnie się zaniepokoi, będzie wypytywać, drążyć, pewnie przyjedzie do Warszawy nakłaniać córkę do pozostania w kraju. Poza tym, co im powie? Na jak długo tam się udaje? Sam nie wiedział...

Co będą tam tak naprawdę robić? Będą chodzić razem po muzeach i kawiarniach? Nie mógł uwierzyć, że to właśnie wypełni im życie. Lili będzie musiała zająć się córką, zapewne wciągnie ją życie towarzyskie Żorżyka i jego rodziny. A co on będzie robił? „Będziesz wreszcie miał czas skoncentrować się na poezji, przecież to najważniejsze, prawda?" – tłumaczyła mu naiwnie Lili. Ale przecież potrzebował środków, aby się utrzymać. „Będziesz mieszkał w tym samym hotelu co ja, dzięki temu będziemy mogli do woli się widywać" – mówiła mu z zalotnym uśmiechem, rumieniec barwił jej słodką, tak słodką twarz.

Ale przecież nie mógłby jako mężczyzna pozwolić, aby ona finansowała jego potrzeby. To on powinien zapewniać jej zbytek, prezenty, rozrywki, nawet jeśli jej mąż (z powodów nie do końca zrozumiałych) miał płacić za nieokreślony w czasie pobyt za granicą żony i córki. Skąd wziąć pieniądze? Prosić matkę? Pożyczyć? Znowu grać w pokera z podejrzanymi typami? Raz dali mu wygrać, ale kolejny raz nie pójdzie mu tak łatwo.

Całe noce leżał w łóżku, nie mogąc zasnąć, kręcąc się, aż niekiedy budził którąś z domowniczek odgłosami wydawanymi przez skrzypiące sprężyny łóżka. Rano wstawał nieprzytomny i osłabiony. Obwiązywał piersi bandażem, ubierał się w garnitur, wiązał krawat, myśląc, że to dzisiaj jest ten dzień, w którym ktoś go zdemaskuje. Złe sny o świcie i złe przeczucia rujnowały mu każdy kolejny dzień.

Podkrążone oczy, bladość skóry i drżenie rąk nie uszły uwadze Andzi, która przynosząc rano do pokoju kawę z mlekiem i chleb z serem, dogryzała mu, mówiąc: „Co się dzieje? To ten ciężar kłamstwa tak przygniata? Ciężko być musi tak ciągle oszukiwać wszystkich, żeby choć dzień móc odpocząć, nie? Założyć sukienkę, poleżeć sobie na łące? Może do matki swojej szanownej, na wieś, trzeba pojechać się podkurować?". Wypowiadając te słowa kpiącym tonem, zerkała na Juliana spod brwi, zapewne czekając tylko na kolejne oznaki jego słabości, gotowa do eskalacji swoich żądań.

– Odczepi się Andzia ode mnie! Andzia nie jest lepsza, szantaż jest gorszy niż oszukiwanie! – odpowiadał jej ze złością.

– Ja muszę o dziecku myśleć, o przyszłości! – odpowiadała dziewczyna zuchwałym tonem.

Był pewien, że ta dziewucha nie ma żadnych skrupułów i tylko czeka, aż nadarzy się okazja, aby sprzedać komuś swoje rewelacje na temat Julii.

W redakcji „Bluszczu", czy to pracując nad treścią ogłoszeń, czy wraz z Eugeniuszem opracowując kolejne anonse, coraz bardziej zapętlał się w swoich wątpliwościach. Myślał o Lili bezustannie. Folgował swojej wyobraźni, natrętnie marzył, że jak bohater Prousta zamknąłby ją gdzieś – niczym ten Albertynę – odseparował od świata, aby najpiękniej ubrana, przygotowana tylko dla niego, całymi dniami czekała, tkwiła w uroczym pokoiku, bez możliwości wydostania się, i czekała, czekała, czekała, czekała na niego, na swoje zbawienie, na swojego jedynego łącznika z rzeczywistością. A kiedy wchodziłby do jej „więzienia" i widział ją znudzoną czekaniem, niewyobrażalnie piękną, byłaby nienasycona i szeptałaby albo krzyczała to, co tak lubił słyszeć z jej ust, kiedy była półprzytomna z rozkoszy: „Weź mnie, weź mnie mocno, chcę, żebyś mnie wziął!".

Niekiedy wspomnienie wyrazu jej twarzy w chwili, gdy stanowczym gestem rozchylał jej nogi i nurkował w czeluści jej gęsto owłosionego wzgórka, przyprawiało go o podniecające mrowienie w kroczu.

Ale jak będzie w Paryżu? Z jednej strony czekałaby go niewyobrażalna wolność – możliwość bycia sobą niemal w pełnym wymiarze, bez ludzi, przed którymi trzeba się ukrywać i których trzeba ciągle okłamywać, bez tego brzemienia demaskacji, które tam byłoby znacznie mniejsze. Taka dawka swobody wydawała się wręcz nierealnym do spełnienia marzeniem! Dręczyło go jednak najbardziej (nie licząc kwestii pieniędzy) pytanie o ten moment, gdy będą leżeć razem z Lili w łóżku, mając przed sobą całą noc, i nie będzie już wymówek przed pokazaniem się w negliżu, a co więcej, przed właściwym obcowaniem. Był gotów zrobić wszystko, aby zaznała jak największej rozkoszy, ale w końcu jego możliwości unikania stosunku się wyczerpią. Nie chciał posługiwać się dziwnymi przedmiotami, tymi sztucznymi męskimi narządami, o których mówiła mu prostytutka. Nie chciał aż takiej maskarady.

Lili zasługiwała na prawdę, więc pobyt w Paryżu oznaczał dla niego konieczność powiedzenia jej o swoim problemie, o tym, jak niesprawiedliwie potraktowała go natura, jak bardzo został skrzywdzony. Czy zrozumie? Jeśli go naprawdę kocha, tak jak zapewniała niejednokrotnie, powinna zrozumieć. Ale czy zaakceptuje go takim, jaki jest naprawdę? Czy tam, w Paryżu, nie wystraszy się, nie wyrzuci go, nie będzie miała żalu?

Tyle pytań mnożyło się w jego umyśle. Ale wielką niewiadomą i wielki strach równoważyła też nuta ekscytacji, bo gdyby wszystko ułożyło się pomyślnie, gdyby miał odpowiednie środki zapewniające materialną niezależność, gdyby Lili go zrozumiała i zaakceptowała, wówczas mogliby żyć szczęściem tak niewyobrażalnym, że wręcz bał się szczegółowo wyobrażać sobie jego bezmiar! Gdyby, gdyby... Wątpliwości i lęki coraz bardziej zatruwały mu umysł.

– Moja Marcysia zdobyła świetny angaż w najnowocześniejszym klubie Café Dancing Paradis! – Eugeniusz nie przestawał się uśmiechać, obwieszczając wspaniałą nowinę.

– To świetnie! A gdzie się mieści ten lokal?

– Kojarzysz taki modernistyczny, wysoki na pięć pięter budynek przy Nowym Świecie 3, niedaleko placu Trzech Krzyży? Powstał w zeszłym roku.

– A tak, taka prosta, nowoczesna bryła!

– Właśnie! Musisz koniecznie przyjść wieczorem i obejrzeć to cudo w środku! Parter i podziemie lokalu połączono w zespolone wnętrze poprzez okrągły otwór na wyższym poziomie, któremu odpowiada kolisty parkiet taneczny na dole. A jakie zastosowano efekty oświetleniowe! Boazeria na ścianach w jasnych kolorach, pięknie odbijający światło ekran nad orkiestrą! Coś wspaniałego! Przychodzi tam tłumnie młodzież, oficerowie, grają najlepsze zespoły, orkiestry jazzowe, wspaniałe szlagiery i najmodniejsze piosenkarki. Teraz występuje nowa, wzbudzająca entuzjazm pieśniarka Wera Gran. Jaki głos! Zakochasz się w jej bostonach!

– Może rzeczywiście się wybiorę… – Julian w myślach wyobrażał sobie towarzystwo Lili, która tak lubiła nowoczesną muzykę, wszelkie nowości, a zwłaszcza jazz.

– Marcelina jest bardzo szczęśliwa z tego angażu, będzie miała własny numer taneczny, wyobraź sobie! Już szyją jej kostiumy. Musiałem sypnąć trochę groszem, bo chciała koniecznie francuskie cekiny i barwione strusie pióra, ale co tam. – Machnął ręką. – Tylko myślę ciągle nad jej wizerunkiem, wiesz, blondynek jest wiele, ona musi się wyróżniać. Chciałaby być jak Ina Benita, ale kopia tamtej to nie jest sposób na sławę. Wpadłem dzisiaj na pomysł, że może przefarbuje włosy na rudo! Taki mocny kolor, a do tego odpowiedni pseudonim… Bo przecież nie może być na scenie Marcysią czy Kryśką, nie?

– Święta racja, Gieniu! Może... Ira? Ira del Red? Takie nawiązanie do rudych włosów, co myślisz?

– Ależ ty, Julian, masz łeb! Chłopie! Genialny jesteś! – Uszczęśliwiony Eugeniusz klepnął kolegę w plecy i roześmiał się. Z papierosem zwisającym z ust zapisał sobie na skrawku papieru nowy pseudonim swojej tancerki. – Nie wytrzymam, wyjdę na chwilę, żeby jej powiedzieć o naszym pomyśle! – zawołał, łapiąc bez chwili zastanowienia za płaszcz i narzucając go na koszulę. – Jakby co, to poszedłem kupić materiały kreślarskie, okej?

Kilkanaście dni później, gdy tylko zostali sami w ich pokoju, Eugeniusz pokazał Julianowi wydrukowany na eleganckim papierze program październikowy lokalu. Pod nakreślonym z rozmachem napisem „Café Dancing Paradis" i rysunkiem tancerki wymieniono w ramkach występujących artystów. Jako pierwsza, od godziny dziesiątej, rozgrzewać publiczność miała niejaka Anita Lyon w tańcach klasycznych, jako druga zaś wskazana była Ira del Red w tańcach akrobatycznych. Jako trzecia artystka występowała Gira w tańcach fantazyjnych, a w finale przewidziane były piosenki Wery Gran z towarzyszeniem orkiestry Juliana Fronta.

– Gratuluję, bracie! – zawołał Julian po przeczytaniu programu i ucałował roześmianego i dumnego Eugeniusza w oba policzki.

– No, teraz ma, czego chciała, występy w porządnym, drogim lokalu, nie w jakiejś tam mordowni. Już nie będzie mogła mi niczego odmówić... Nie po tym, jak wystarałem się o to wszystko... – westchnął Eugeniusz, po czym z entuzjazmem zawołał: – No młody, czas do roboty, dawaj no te swoje teksty o mydle i powidle. Dorysujemy jakieś słodkie dziewczątko, które po użyciu pasty do zębów znalazło księcia z bajki!

Gienek podwinął rękawy koszuli, przerzucił krawat przez ramię i usiadł przy desce kreślarskiej, gotowy, jak nigdy, do nakreślenia czegoś miłego dla oka.

– No dawaj, dawaj! – niecierpliwił się. – Co tam masz? Mydło? Wodę toaletową? Proszek do zębów? Nie mam czasu, muszę lecieć ucałować przed występem rączki i stópki mojej Marcysi.

– Mamy dać ogłoszenie samochodu marki Citroën. I to na całą stronę!

– No nareszcie coś innego, nie tylko płyny na pot i wągry albo kremy na piegi! Dawaj tekst!

– Producent życzy sobie, aby jego wozem zainteresować wytworne panie, bo to one teraz, podobno coraz częściej, decydują o tym, jaki samochód kupi ich mąż, a przede wszystkim same stają się kierowcami! Napisałem więc taki tekst: „Citroën to samochód eleganckiej pani. Dzięki swej wytwornej, nieskazitelnej linii i pięknemu doborowi kolorów jest odbiciem elegancji właścicielki. Posiada również indywidualne cechy, dla każdej pani inne, harmonizujące z wytworną sylwetką współczesnej kobiety. Łatwość prowadzenia oraz niezawodność działania motoru czynią zeń naprawdę idealny wóz dla pań". I jak?

– Nieźle. Dużo tekstu. Zaraz tu dorysujemy jakąś elegantkę i jej auto. Tylko, cholera, Julek, jak dokładnie wygląda ten citroën?

– Czekaj, dali mi fotografie jakieś... – Julian zaczął szperać w stercie zalegającej jego biurko papierów.

Wciąż rozmyślając nad wyjazdem do Paryża, zamiast spędzić wieczór przy słuchowisku radiowym w towarzystwie ciotki, Julian udał się do kina Capitol. Lilianna zadzwoniła niespodziewanie przed południem do redakcji „Bluszczu" i podekscytowanym głosem poprosiła Juliana, by o godzinie szóstej przyszedł na Marszałkowską, gdzie miał się odbyć premierowy pokaz nowego filmu z Eugeniuszem Bodo i Smosarską, na który otrzymała darmowe zaproszenia.

Julian zamierzał co prawda spędzić trochę czasu z zaniedbywaną przez niego od jakiegoś czasu ciotką, ale nie umiał odmówić Lili. Wystarczyła myśl o jej bliskości w ciemnej sali kinowej, gdzie może uda mu się choćby musnąć jej nogę, dotknąć ręki, a na pewno zbliżyć się na tyle, aby poczuć ciepło jej skóry, pachnącej słodko niczym owoc brzoskwini.

Kiedy przemoknięty i zziajany pojawił się przed budynkiem kina, jego mina zrzedła na widok stojących pod jednym parasolem Lilianny i jej kuzynki Joasi. *A więc nie będziemy sami...* – pomyślał, czując żal i rozczarowanie. Nad wejściem do budynku wisiał dużych rozmiarów szyld z wymalowanym na nim napisem: „Czy Lucyna to dziewczyna?". Weszli we trójkę do wypełnionego ludźmi holu. Kobiety z przejęciem rozmawiały o tym, że podobno w filmie, którego tytuł widniał na wielkim afiszu, Jadwiga Smosarska będzie przebrana za mężczyznę! Przysłuchujący się ich rozmowie Julian poczuł paniczny lęk. A więc po to kazała mu się stawić! Zaraz być może zostanie zdemaskowany... Poczuł, jak grunt usuwa mu się spod nóg i brakuje mu tchu.

– Spójrz, Julianie! – Lili pokazała mu zdjęcie, zakupione przed chwilą od filuternie ubranej panienki, sprzedającej słodycze i fotosy filmowe z tacy zawieszonej na jej szyi na pasku. – Uwierzysz, że to Jadwiga Smosarska?

Fotografia przedstawiała aktorkę ubraną w męski strój: marynarkę, koszulę, krawat, a nawet zawadiacko przechylony na jedną stronę kapelusz. Jednak nikt patrzący na ten fotos nie mógł mieć wątpliwości, iż widzi przed sobą kobietę jedynie przebraną za mężczyznę.

Lili patrzyła Julianowi badawczo w oczy. *To pytanie ma drugie dno, chodzi jej o mnie* – pomyślał ten z przerażeniem. Mruknął zdawkowo „A niech mnie!" i poluźnił sobie krawat. Czuł, że nie wytrzyma seansu.

– Źle się pan czuje? Zbladł pan potwornie – zatroskała się Joasia.

Julian machnął ręką i spojrzał na Liliannę, która z jakimś zatroskanym wyrazem twarzy wpatrywała się w męski wizerunek Smosarskiej. *Nawet jeśli o tym dotąd nie myślała, teraz nie ma sposobu, aby nie nabrała podejrzeń* – myślał, czując dławiącą rozpacz. Walczył z chęcią odwrócenia się na pięcie i ratowania się ucieczką, gdy nagle otwarto drzwi wiodące do sali kinowej i tłum zapełniający hol ruszył zajmować miejsca.

Fabuła filmu była typowa dla popularnych, krajowych komedii, które tak krytykowano na łamach „Bluszczu", i koncentrowała się wokół burleskowej wizji miłości. Tytułowa bohaterka, Lucyna, wraca ze studiów w Paryżu (*Wszędzie ten Paryż, jak jakiś znak* – pomyślał Julian) z tytułem inżyniera i chce pracować, na co nie godzi się jej rodzina. Dziewczyna przebiera się jednak za mężczyznę i znajduje zatrudnienie w fabryce swojego ojca jako młody pomocnik inżyniera, którego gra Eugeniusz Bodo. W nim to oczywiście Lucyna się zakochuje i po wielu perypetiach wszystko kończy się szczęśliwie.

W ciemnej sali kinowej Julian chwilowo się uspokoił, częstowany miętowymi pastylkami przez siedzącą koło niego Liliannę. Ale kiedy ubrana po męsku Smosarska przedstawiła się w jednej ze scen jako inżynier Juliusz Kwiatkowski, ogarnęła go wręcz panika. Z lękiem spojrzał na pogodną, zapatrzoną twarz Lilianny, której uśmiechu nie umiał rozszyfrować. *Julian, Julian!* – krzyczał głos w jego głowie. Wydawało mu się, że nigdy dotąd nie czuł takiej paniki jak w trakcie tego seansu.

Teraz musi się domyślić, po prostu musi jej przyjść to do głowy – myślał, ale Lili wydawała się dobrze bawić oglądaniem zabiegów przebranej Smosarskiej, by zdobyć serce Eugeniusza Bodo. Co chwila nachylała się w stronę siedzącej po jej prawej stronie Joasi i zasłaniając usta ręką, komentowała przebieg akcji.

– Przesadzili z tą postacią, jest zbyt groteskowa – szepnęła w pewnej chwili do Juliana, gdy na ekranie pojawiła się ciotka bohaterki, grana przez Mieczysławę Ćwiklińską.

– Cała ta historia to absolutna groteska – odparł Julian, już po chwili żałując swoich słów. Jeśli Lili domyślała się czegoś, po co pogarszać sytuację fałszywymi stwierdzeniami? Może lepiej było potwierdzić swoją tożsamość, powiedzieć, że on właśnie, tak jak ta Lucyna, włożył męski kostium, szukając porządnej pracy?

W końcu stwierdził, iż wyjawianie półprawdy, i to w takich okolicznościach, nie miało sensu. Do takiego wyznania potrzebna byłaby intymna sceneria, moment gdy będą ze sobą tak blisko, jak to tylko możliwe. Zrobi to w Paryżu, tak! Tam, gdzie obyczaje są dużo bardziej frywolne i kobiety pozwalają sobie na wiele więcej, w tamtej atmosferze Lili nie będzie tak przestraszona i może nie ucieknie? Najtrudniej będzie jej zapewne zaakceptować, iż ona sama ma stosunki cielesne z – fizycznie rzecz biorąc – drugą kobietą. Ale podobno w Paryżu to nawet modne...

Kiedy film wreszcie się skończył i razem z tłumem ludzi wyszli z Capitolu, ulice lśniły od deszczu. Lilianna i Joasia roześmiane komentowały różne sceny z obejrzanej komedii, co nieco uspokoiło Juliana. Wysłany przez Tadeusza samochód szybko zabrał panie spod kina.

Wracając opustoszałą z powodu gwałtownej ulewy Marszałkowską w kierunku Koszykowej, myślał o swojej sytuacji, którą dopiero teraz, po kilku miesiącach odczuwania niepojętej euforii wolności, zaczął sobie w pełni uświadamiać. Nie wiedział już, kim był i kim być zamierzał. Do czego prowadziło to wszystko? Pochłonięty uczuciem do Lili, nie pracował nad poezją, sprowadzając swoją twórczość do dysput przy piwie czy wódce, jakie odbywał z innymi poetami z grupy Hekatomb. A przecież przez lata marzył o debiucie z prawdziwego zdarzenia. Teraz nadarzała się wreszcie okazja, aby podjąć próbę wydania pierwszego tomiku wierszy jako mężczyzna, co dawało szansę bycia potraktowanym z należytą powagą. Miał możliwość zasłużenia na miano prawdziwego artysty, a tymczasem żył mrzonkami o miłości, zamiast skupić się na pracy, na wykorzystaniu znajomości, jakie nawiązał w Zodiaku, gdzie zdarzało mu się grać w bilard z kilkoma zapowiadającymi się na sławy pisarzami jak Rudnicki czy ten dziwak Gombrowicz.

Co takiego było w tej kobiecie, że gotów był zrobić wszystko, zaryzykować swoje życie dla jej pobłażliwego uśmiechu, jej gorących ud, jej ciepłego wnętrza? Wielokrotnie tłumaczył sobie, że ta znajomość nie ma szans na przetrwanie, jest zapewne jedynie kaprysem znudzonej mężatki, która poszukuje bezpiecznych dla jej związku sposobów urozmaicenia sobie codzienności. Nie miał wielkich złudzeń co do charakteru ich zażyłości i wiedział, że nie może żądać zbyt wiele. Ale ilekroć Lilianna była blisko, wszystkie racjonalne argumenty, jakimi starał się stłumić coraz gorętsze uczucie, rozwiewały się w mgnieniu oka. Tracił rozum, był gotów na wszystko – przekonany, iż dostęp do niej i zaznanie choćby chwilowej bliskości, zaspokoiłyby jego złaknione uczucia i akceptacji serce. W miłości pragnął wszystkiego i nie był w stanie ograniczyć się w swoich marzeniach. Chciał, by go kochała, by był dla niej wszystkim, by nie było na świecie nikogo, absolutnie nikogo, kogo pragnęłaby bardziej niż jego.

Przejeżdżający koło rozświetlonego biura Linii Lotniczych Lot wielki czarny chrysler ochlapał go wodą z kałuży, przerywając potok gorzkich myśli. Było dosyć późno. *Ale nie aż tak, aby nie wypić setki wódki w Zodiaku* – pomyślał nagle, odwracając się na pięcie, aby pójść w odwrotnym kierunku. Po chwili zauważył nadjeżdżający tramwaj i podbiegł w stronę przystanku. Wskoczył do czerwonego pojazdu, usiadł zdyszany i pomyślał, żeby tylko miarkować alkohol. Niestety nie był w stanie dotrzymać kroku innym pijącym bywalcom lokalu i ledwie po dwóch, czasem trzech kieliszkach wódki czuł się mocno zaprawiony. I w tym aspekcie jego niedoskonałe ciało sprawiało mu zawód.

Nazajutrz w redakcji Julian z trudem ukrywał skutki nocnej popijawy. Skacowany i przygnębiony jesienną aurą, jedynym, na co mógł zdobyć się w pracy, było przygotowanie półstronicowego ogłoszenia reklamującego niedzielny dodatek satyryczny, który wprowadzał właśnie „Kurier Poranny":

«Duby Smalone» to laboratorium uśmiechu, obserwatorium humoru, prosektorium głupstw, świństw i snobizmów. Redakcję nowego działu obejmie znakomita artystka i doskonała znawczyni humoru Mira Zimińska".

Gdy do biura przyszedł Gienek, zastał kolegę niemal pokładającego się na biurku. Blada twarz i podkrążone oczy zdradzały nocne dyskusje przy wódce.

– Bracie, ale się doprawiłeś... Nie będę cię męczył, chciałem cię prosić o opisanie fotografii, jakie zrobiłem dwóm pannom, które wygrały loterię ogłoszoną w naszym piśmie kilka tygodni temu. Sam sobie poradzę.

– Nie, nie... dam radę... – jęknął Julian.

– Napiszę: „Zwycięska para z Poznania. Jak wiadomo, główna wygrana pierwszej klasy obecnej loterii padła w Poznaniu. Poniżej zamieszczamy fotografie szczęśliwych triumfatorek". Co? Może być? – Eugeniusz był pełen wigoru i w wyjątkowo dobrym nastroju.

– Lepiej bym tego nie ujął!

– Tę w kapeluszu, roześmianą, damy po lewej stronie, filuterna jest, widać, że chętna do przygody... – zaśmiał się Eugeniusz.

– Jak się nazywa?

– Pani Korzybska – odczytał Gienek z napisu na tylnej stronie zdjęcia. – Pracuje w jednym z magazynów mód w Poznaniu.

– A ta druga, poważna jakaś, mniej sympatyczna?... – zapytał Julian.

– To pani Nowaczykowa, ekspedientka w poznańskim magazynie bławatnym. Od razu widać, że to typowa stara panna... – zaśmiał się Eugeniusz.

– Czasami stare panny nie są tymi, za które wszyscy przywykliśmy je uważać. Mówię ci, Gienek, czasami stara panna to po prostu ktoś, kto nie wyobraża sobie życia z mężczyzną, bo sama na ten przykład chciałaby mieć płeć męską i żyć z kobietą, i tylko takie małżeństwo jest sobie w stanie wyobrazić...

Zaskoczony Eugeniusz bacznie spojrzał na młodszego kolegę, który mamrotał dziwne rzeczy, rękoma zasłaniając twarz.

– Oj, Julian, Julian... Żeby pić, to trzeba mieć pewną wprawę. A tyś się znowu bezrozumnie spił i teraz kac ci w głowie miesza. Poczekaj, skoczę po kefir dla ciebie, patrzeć nie mogę, jak się męczysz, mizerny taki, blady jak śmierć... – westchnął Gienek i bez namysłu sięgnął po płaszcz i kapelusz.

– Kiedy prawdę mówię, najprawdziwszą prawdę... I wiem, wiem, co mówię... – mamrotał Julian, jednak jego słowa nie dotarły do uszu kolegi, który zdążył już opuścić biuro.

Rozdział 17

Grudzień 1934

W sklepie jubilerskim Cyryla

Ciotka nie dawała Julianowi spokoju z zaproszeniem, jakie wystosował pan Cyryl. Powiadomiła listownie nawet jego matkę, komunikując jej, że trafił się pewien zamożny człowiek zainteresowany kandydaturą Julci na żonę. Matka planowała rychły przyjazd do Warszawy, aby rozmówić się z niechętną temu pomysłowi córką.

– Zastanów się dobrze, dziewczyno! Masz swoje lata, zdajesz sobie z tego sprawę? Inny kandydat może się już nie trafić! Ja nie jestem wieczna. Jak będziesz żyła? Do matki na wieś pojedziesz, gdzie cię będą jak popychadło traktować? Wiesz, jakie życie wiodą zgorzkniałe stare panny? A ten Cyryl, może nie jest najprzystojniejszy, nie najmłodszy już, ale ma własny interes, sam sobie jest panem! Czy to w ogóle rozumiesz, jak wielkie szczęście los ci zsyła?

– Ciociu, przecież pracuję, sama się utrzymam. Wynajmę sobie mieszkanie i będę sama żyć, nie każda musi mieć męża – próbował tłumaczyć Julian, coraz bardziej poirytowany przebiegiem rozmowy. Ciotka okazała się konformistką, jak matka. Jej socjalistyczne ideały w zderzeniu z rzeczywistością przestały mieć nagle znaczenie.

– Ale jak to wynająć samodzielnie? Co ty wymyślasz? Żadna panna nie mieszka sama! Masz ostatnią może szansę na bycie matką, ja nigdy tego w pełni nie zaznałam, straciłam, jak wiesz, dziecko zaraz po porodzie i to była tragedia prawdziwa, a śmierć męża odebrała mi chęć na bycie jeszcze kiedykolwiek żoną. Ale ty? Ty? Czemu sobie odbierasz to prawo? Spotkaj się z nim, proszę, idź chociaż, zobacz ten zakład jubilerski, może jak przemyślisz sobie, że to wszystko może być twoje, to zmienisz zdanie. Ja proszę, a nawet nie, nie proszę, żądam tego! Jeśli po tym spotkaniu z nim powiesz mi, że to małżeństwo cię nie obchodzi, dłużej nie będę nalegać!

– Teraz, w sezonie świątecznym, mam tak wiele pracy, jak się obrobię z gwiazdkowymi ogłoszeniami, może wtedy... – tłumaczył się Julian, zwlekając z odbyciem tak niemiłej mu wizyty.

Rzeczywiście na przełomie listopada i grudnia Julian miał wyjątkowo dużo pracy. Chętnych, by dać ogłoszenie, było tak wielu, że musiał nawet odmówić kilku drobnym reklamodawcom, w pierwszej kolejności sprzedając miejsce na stronicowe i półstronicowe ogłoszenia w piśmie.

Każdego niemal dnia zostawał w redakcji do późna, a kiedy wychodził, na ulicach panował już mrok. Lili miewała migreny i jakieś problemy domowe, rzadko więc znajdowała czas na spotkanie. Okres intensywnych spacerów i pocałunków wraz ze złotą jesienią odszedł na dobre.

Eugeniusz zajęty był swoimi problemami z tancerką, która miała teraz solowy występ w klubie Paradis i drażniła ukochanego niezależnością i coraz to nowymi żądaniami. Oprócz reklamy pralki marki Tryumf (polecanej jako praktyczny aparat w cenie czterdziestu pięciu złotych) Julian przygotował ogłoszenie dotyczące nowego kremu konserwującego urodę oraz reklamę radia, opatrzoną rysunkiem, na którym przedstawiono udekorowaną choinkę, a na jej tle matkę z dzieckiem. Tekst opracowany przez Juliana głosił: „Wiele miłych niespodzianek oczekuje radiosłuchaczy w okresie świąt Bożego Narodzenia. Przed mikrofonami wystąpią najsłynniejsi artyści świata, najlepsze zespoły chóralne i orkiestry z wielu krajów. Radosne i beztroskie święta całej rodzinie zapewni luksusowy Philips Super 7-38, który dzięki specjalnym, nigdzie niespotykanym urządzeniom technicznym umożliwi czysty, pełnowartościowy odbiór każdej żądanej stacji".

Jedynym drobnym ogłoszeniem, jakie Julian przyjął do jednego z numerów listopadowych, był właściwie anons (bez żadnego rysunku) Zakładu Kosmetyki Leczniczej „Lady" przy ulicy Wilczej w Warszawie. Proponowana treść bardzo go zafrapowała: „Masaże twarzy, manicure i pedicure. Zakład postawiony na stopie zachodnioeuropejskiej jest ostatnim słowem higieny, techniki i postępu. Przy zakładzie ordynuje lekarz chirurg plastyk, który artystycznie wykonuje operacje zniekształconych nosów, piersi, palców nóg itp.".

Informacja o operacjach piersi wzbudziła jego wielkie nadzieje. Zastanawiał się, czy to możliwe, aby jego biust pomniejszyć, a najlepiej zupełnie spłaszczyć. Czy chirurg wykonałby taką operację i zachował dyskrecję? Zapewne koszta byłyby bardzo wysokie, ale mając w perspektywie taki cel, mógłby zacząć zbierać środki. Najpierw jednak czekały go zadania związane z bieżącymi wymaganiami ciotki, która wyraźnie chciała pozbyć się siostrzenicy z domu.

Cyryl przejął zakład w grudniu i bardzo nalegał na szybkie spotkanie z panną Julią jeszcze przed świętami Bożego Narodzenia, przewidując duży ruch klientów w tym okresie. Julian doskonale zdawał sobie sprawę, iż Cyryl jak najszybciej potrzebował pomocy przy prowadzeniu interesu, z czym zresztą wcale się nie krył, wprost pytając, czy Julia miała do czynienia z prowadzeniem ksiąg rozrachunkowych. Ucieszył się, że wie, jak rozmawiać z klientami, taka jest obyta i gdyby włosy miała trochę dłuższe, założyła coś bardziej strojnego, byłaby doskonałą wizytówką jego zakładu jubilerskiego.

W końcu Julian uległ irytującym go namowom ciotki i zgodził się na wizytę na Pradze. Głowę miał zaprzątniętą wyjazdem Lili, która zaczynała czynić konkretne przygotowania w celu przeniesienia się, na początku nowego 1935 roku, na jakiś czas do Paryża. Nieustannie zadręczały go kwestie finansowe, aż w końcu przez myśl przeszło mu, aby wziąć ślub z Cyrylem i zaraz po tym uciec do Paryża, kradnąc kosztowności i pieniądze.

Ten desperacki pomysł był przerażający, ale być może jego realizacja stanowiła dla niego ostatnią szansę, aby dogonić Lili, która – wiedział to – wyjedzie z nim czy bez niego. Pozostanie w mieście bez niej wydawało mu się większym koszmarem niż Cyryl jako mąż na kilkanaście dni.

W sobotę poprzedzającą święta Bożego Narodzenia Julian pojechał tramwajem na Targową, dwukrotnie myląc przystanki w tej nieznanej części miasta. Zakład znalazł bez trudu. Mocne tego dnia słońce odbijało się od świeżo pomalowanych na biało framug drzwi i wystawy, gdzie na czerwonym atłasie, dodatkowo ozdobionym świerkowymi gałązkami, ułożone były, również lśniące w słońcu, pierścionki, obrączki i perły. Główne pomieszczenie, do którego wchodziło się z ulicy, było niewielkie. Za mahoniową ladą siedział subiekt o smutnym wyglądzie. Przywitał się z gościem z wyraźną niechęcią. Cyryl przebywał na zapleczu, skupiony nad rachunkami. Gdy tylko zobaczył Julię, z werwą rzucił się ku niej, wykrzykując: „Całuję rączki panny Julci!", po czym zaczął ją oprowadzać po skromnym – jeśli brać pod uwagę gabaryty – zakładzie. Pokazał jej pomieszczenie, gdzie przy zagraconym warsztacie ślęczał starszy człowiek – złotnik. Z nieskrywaną dumą opowiadał, tłumaczył, pokazywał kolejne pierścionki i obrączki, nieustannie czyniąc aluzje do propozycji matrymonialnej, którą najwyraźniej miał zamiar złożyć. Po męczącej wizycie w zakładzie Julian zgodził się jeszcze zajrzeć na pięterko, gdzie mieściło się należące do Cyryla mieszkanie, które nabył wraz z całym interesem.

– Zobacz, jak wspaniałe gniazdko można by tutaj urządzić! Potrzeba tylko kobiecej ręki, sam nie dam rady – powiedział

Cyryl, zapalając lampę, która oświetliła spory pokój, obecnie niemal pusty. Oprócz okrągłego stołu i starej kozetki nie znajdowało się w nim niemal nic. Pożółkła tapeta w kwiatki była gdzieniegdzie oberwana, podłoga z desek nie była czyszczona od wielu miesięcy.

Cyryl pokazał jej jeszcze inne, równie zaniedbane pomieszczenia, po czym wystawił na stół butelkę gorzałki, szkło i wyłożone na talerz jakieś zakąski. Rozlał bez słowa alkohol i podając kieliszek Julii, sam wychylił swój jednym haustem.

– Nie będę robił ceregieli, to tamto... – zaczął niepewnie. – Powinienem to zrobić przed matką panienki i zrobię, z obrączkami, ze wszystkim, nawet przyklęknę, ale zapytam wpierw teraz, czy zgadza się Julia zostać moją małżonką, urodzić mi dzieci i pomóc mi prowadzić interes?

Julian stał jak zamurowany, nie mogąc wypowiedzieć słowa. Przygotowywał się na ten moment, zamierzał przyjąć go z zimną krwią, ale teraz, gdy te słowa rzeczywiście zostały wypowiedziane, do oczu napływały mu łzy. Chciał krzyczeć. Miał wrażenie, iż jeśli tylko otworzy usta, wydobędzie z siebie przeraźliwy wrzask i uciszą go dopiero w zakładzie dla obłąkanych.

– Niech Julia nie płacze, to wzruszenie takie panienkę ogarnęło? No już, już, zobaczysz, jak będzie ci dobrze, wszystko będziesz miała, czego tylko zapragniesz! – Cyryl zbliżył się i zaczął głaskać włosy Julii, grubymi palcami ocierając jej łzy.

– Wypijmy więc za to, co żeśmy sobie potwierdzili! – zawołał wesoło, nalewając sobie kolejną setkę, którą wychylił równie szybko co poprzednią.

Julian usiadł zrezygnowany na kozetce i również wypił wódkę. Dzięki wieczorom spędzanym w lokalach w towarzystwie mężczyzn picie przychodziło mu z łatwością.

– No, ale mi panna Julia zaimponowała! Tak wypić gorzałkę rzadko która kobita potrafi! – Wyraźnie odprężony Cyryl, śmiejąc się, przysiadł koło narzeczonej, masywnym udem napierając na jej ciało. Niespodziewanie pochylił się ku Julii i nim ta zdążyła zareagować, już jego śliskie, pełne wargi przylgnęły do jej ust.

Na próżno Julian próbował w popłochu się odsunąć, Cyryl zachęcony wręcz przez opór, jaki napotkał, szybkim ruchem położył sześćdziesięciopięciokilogramowe ciało na kozetce, przygniatając je swoim, ważącym co najmniej sto trzydzieści kilo. Sapiąc ciężko, mocno przytrzymywał okładające go ręce, wpychając cuchnący wódką język między zaciśnięte wargi swojej ofiary.

– Uspokój się! Jesteśmy przecież po słowie, a ja nie kupię kota w worku! Muszę sprawdzić, czy wszystko masz jak należy! – sapał, sprawnym ruchem rozpinając rozporek spodni i uwalniając nabrzmiałego penisa. – Krzycz sobie, krzycz! Subiekt już poszedł, nad nami też nikogo nie ma... – powiedział, z trudem forsując dziewiczą błonę, sapiąc i dysząc przy tym strasznie. Wystarczyło, że wepchnął swoje przyrodzenie i dosłownie zaraz zakończył stosunek, jęcząc przeraźliwie, po czym osunął się na bok, niemal spadając na podłogę.

Płacząc i trzęsąc się, Julian zerwał się z kozetki. Czuł, jak coś spływa po wewnętrznej stronie ud. Drżącymi dłońmi z trudem naciągnął na siebie porwane bawełniane majtki i pończochy, które zsunęły się w trakcie szarpaniny. Zszokowany tym, co zaszło, chciał jak najszybciej wydostać się na dwór. Już kierował się do drzwi wyjściowych, kiedy usłyszał chrapanie. Cyryl musiał natychmiast zasnąć po tym wyczerpującym fizycznym akcie.

Przez moment miał chęć chwycić stojącą na parapecie doniczkę z obumarłą paprotką i uderzyć nią z całej siły w głowę rzężącego mężczyzny. Zwalczając jednak tę pokusę, Julian pomyślał o biżuterii. Teraz nie miał już żadnych skrupułów ani nic do stracenia. Po tym, co się wydarzyło, nie byłby w stanie zdzierżyć widoku tego obrzydliwego tłuściocha, który napawał go wstrętem. Hamując wymioty podchodzące mu do gardła, zszedł na dół do warsztatu, w którym paliło się jeszcze niewielkie światło w głównym pomieszczeniu. Subiekt wyszedł, zamknąwszy zewnętrzne drzwi, kładąc towar zdjęty z wystawy na jednej z lad.

Julian zaczął zgarniać, co wpadło mu w ręce, do przyniesionej ze sobą welurowej torebki o zamknięciu przypominającym portmonetkę. Kolczyki, obrączki, perły, pierścionki, zabierał, co mógł, a kiedy opróżnił już wszystkie szuflady szklanych gablot, otworzył wewnętrzną zasuwkę i wyszedł na mroźne powietrze, którego kłująca świeżość przyniosła mu ulgę. Serce galopowało mu z zawrotną szybkością. Krocze bolało przy każdym ruchu.

Ulica była ciemna, niemal opustoszała. Wiedział, że ma bardzo niewiele czasu i nie może już wrócić do domu. Na szczęście Targową jechały ciągnięte przez konia sanie, które przywołał skinieniem dłoni. Opatulił się w leżący na siedzeniu kożuch i poprosił o podwiezienie na Dworzec Wiedeński. Czarna torebka wypełniona kosztownościami wyglądała tak, jakby ktoś wypchał ją setkami drobnych monet. *Gdzie jechać, co robić?* – pytania dudniły mu w głowie. Potrzebował jak najszybciej skorzystać z ustępu, czując wypływającą z krocza wilgoć.

Łzy napływały mu do oczu. Gdyby ciotka wiedziała, w czyje ręce oddała siostrzenicę... Może trzeba było wracać do domu, opowiedzieć o wszystkim? Przynajmniej nikt nie mógłby zmuszać Julii do zamążpójścia... A może przeciwnie? Obawiając się, że mogła zaciążyć, tym bardziej zorganizowano by szybko ślub?

Ciotka nie zobaczy go już prędko... Co z Lili? Przez moment pomyślał, że poprosi woźnicę o dostarczenie listu, ale szybko zrozumiał, że to odkryłoby go zupełnie. Zaraz przecież Cyryl ocknie się i narobi rabanu. Za godzinę będzie go już szukała policja. Przyjdą do domu ciotki, zaczną wypytywać... Andzia na pewno im powie...

O Boże, Boże, co robić? – szeptał bezgłośnie. Przymykał oczy, z których spływały łzy. Na policzkach czuł ostre drobinki padającego śniegu. Kiedy przejeżdżali przez most, ten most, po którym, cały w skowronkach, tyle razy przechodził z Lili, przez moment pomyślał, że gdyby nie fakt, iż Wisła skuta jest lodem, mógłby się rzucić w jej wiry. Zaczynała ogarniać go panika.

– Która godzina? – rzucił w kierunku powożącego. Jego męski zegarek został na szafeczce przy łóżku w mieszkaniu przy Koszykowej.

– A bo ja wiem, droga pani? Około szóstej wieczór.

Po dotarciu na Dworzec Wiedeński Julian poprosił w kasie o bilet na jakikolwiek pociąg, który odjeżdżał jak najszybciej. Starszy mężczyzna spojrzał na niego podejrzliwie, po czym wypisał bilet do Gdyni. Odjazd był na szczęście już za piętnaście minut. Przez moment Julian ucieszył się i uznał wyjazd nad morze, którego nigdy nie widział, za dobry omen. Zdążył jeszcze skorzystać z obskurnego, śmierdzącego fekaliami szaletu, gdzie zdjął zaplamione krwią i nasieniem majtki, ręką zmoczoną zimną wodą przetarł piekące krocze i włożył między nogi wygrzebaną z torebki batystową chustkę z wyhaftowaną w rogu różyczką.

Na peronie czekało już sporo ludzi, jadących gdzieś zapewne na święta. Julianowi zdawało się, iż jest jedynym pasażerem bez żadnego bagażu, jeśli nie liczyć wypchanej kosztownościami torebki. Z duszą na ramieniu czekał na pociąg, co chwila wypatrując idącego w jego kierunku policjanta. *Zapewne mężczyzna sprzedający bilety mnie wyda, bez dwóch zdań* – pomyślał. Na tablicy z rozkładem jazdy przeczytał, że tuż po pociągu do Gdyni odchodził będzie pociąg do Krakowa.

Julian nagle postanowił, że wsiądzie do tego pociągu i będzie udawał pomyłkę albo wymyśli coś na poczekaniu. Zdecydował, że wyjazd na południe będzie lepszym wyborem. Kraków wydał mu się bardziej odpowiedni, aby przeczekać trudne chwile rozstania z Lili przed wyjazdem do Paryża. Nie wsiadł więc do wagonu, który zmierzał do Gdyni, tylko czekał, chodząc po peronie. Z powodu zdenerwowania nie czuł silnego mrozu, który złapał pod wieczór. W sumie – jak się okazało – szczęście w nieszczęściu, ciotka uparła się, aby pożyczył od niej nieużywane od lat, śmierdzące naftaliną futro z norek.

Najbardziej dręczył go jego damski strój, który miał na sobie. Trzeba było jednak w nim przetrzymać jakoś podróż, nie było wyjścia. Gdy pociąg wreszcie ruszył ze stacji i powoli toczył się po torach, opuszczając Warszawę, Julian z trudem zdusił napływające mu do oczu łzy. W myślach widział wciąż Liliannę ubraną w przylegający do ciała kożuszek, zwinnie poruszającą się na łyżwach po ślizgawce w Ogrodzie Saskim. Tam spotkał ją dwa dni wcześniej. Obmyślali swój wspólny pobyt w Paryżu, omawiali konkretne plany wyjazdu, który Lili wyznaczyła na początek stycznia.

Myśl, że być może widział ją ostatni raz, rozdzierała mu serce. Jednak ciepło, które otaczało go w wagonie, sprawiło, że zmęczony i zestresowany, zapadł niemal natychmiast w sen. Kiedy po kilku godzinach ocknął się, od razu pomyślał, że zrobi wszystko, absolutnie wszystko, aby przedostać się do Paryża.

Należało jak najszybciej uspokoić Lili i jakoś wytłumaczyć swoją nieobecność. Wyśle jej list, zatelefonuje, coś wymyśli. Żeby tylko pozbyć się damskich strojów. Kiedy będzie miał już na sobie garnitur, krawat i kapelusz, odzyska pewność siebie. W duchu dziękował Bogu, że kilka tygodni wcześniej, kierowany jakąś przezornością, na Nalewkach, gdzie mieszkał jeden znajomy poeta, kupił sobie fałszywe papiery na nazwisko Julian Szewc.

Kiedy podróż przebiegła bez żadnych problemów i wreszcie we wczesny zimowy poranek wysiadł z pociągu na krakowskim dworcu, poczuł werwę i energię do działania. *Najpierw ubranie, potem śniadanie, papieros i porządna kawa, następnie tymczasowe lokum* – mówił sobie w myślach. Byle przetrzymać kilka dni, może tydzień, spieniężyć trochę złota i ruszać na południe. Jakoś sobie poradzi, jest w końcu mężczyzną.

Rozdział 18

Styczeń 1935
Krakowski spleen

Pierwsze dni w Krakowie uspokoiły Juliana i zrodziły w nim przekonanie, że wszystko dobrze się ułoży. Być może zadziałał wewnętrzny mechanizm wypierania bolesnej prawdy, dzięki któremu mógł przetrwać traumę gwałtu i z nadzieją snuć przypominającą ckliwy film projekcję przyszłości. Gdyby nie drobiazgowo antycypowana czułość i akceptacja, jaką miała dać mu Lili, zapewne nie byłby w stanie trwać w zawieszeniu i przeczekać w miarę spokojnie dni, kiedy z całą pewnością był poszukiwany przez policję.

Zatrzymał się w niewielkim pensjonacie na obrzeżach miasta, skąd codziennie maszerował kilka kilometrów przez ulice i place, zanim doszedł na Rynek Główny. Miasto przykryte śniegiem zachwyciło go swoją starą zabudową, dziesiątkami kościołów, do których Julian wstępował, by odpocząć od mroźnego powietrza, i gdzie – ku jego zdziwieniu – czuł się spokojnie i błogo. Kręcił się po urokliwie przystrojonym świątecznymi ozdobami Starym Mieście, przesiadywał przed ołtarzami albo zachwycał się witrażami Wyspiańskiego (do czego nigdy nie przyznałby się przed swoimi znajomymi poetami, którzy z wielką pogardą traktowali młodopolski symbolizm), stołując się w wyszynkach oddalonych od Rynku i miejsc, gdzie ktoś mógłby go rozpoznać. Pewności dodawał mu fakt, iż nikt oprócz Lili nie dysponował żadną jego fotografią jako mężczyzny, a na zdjęciach, które mogły zostać użyte w liście gończym, nie wyglądał tak jak obecnie. Dopełniając kamuflażu, nosił na krakowskich ulicach kapelusz z szerokim rondem i okulary w okrągłych drucianych oprawkach, przez które wyglądał o dziesięć lat poważniej i bardzo męsko.

Po tych pierwszych kilku dniach, które upłynęły mu na zwiedzaniu miasta, pod wpływem impulsu i właściwie bez zastanowienia napisał list do redakcji „Bluszczu", informujący o niespodziewanym wyjeździe z kraju i rezygnacji z przysługującego mu wynagrodzenia. Nie mógł pozwolić, aby ktoś z redakcji zaczął go szukać.

W ostatni dzień 1934 roku jego tęsknota domagała się jakiegokolwiek ukojenia. Bał się kontaktować z ciotką, wiedział, że nie może absolutnie dać jakiegokolwiek sygnału matce. Zaryzykował więc list do tej, za którą najbardziej tęsknił. Napisał do Lilianny, prosząc o odpowiedź na poste restante 15. Nakreślenie do niej kilku słów niemal natychmiast ukoiło niepokój odczuwany na myśl o tym, jak bardzo jego ukochana musiała denerwować się jego nagłym zniknięciem i milczeniem.

Napisał jej, że musiał niespodziewanie wyjechać i że wytłumaczy jej wszystko, gdy tylko spotkają się w Paryżu, do którego gotów był czym prędzej pojechać. Zapewniał o swoim oddaniu, miłości (papier zniósł ciężar niewypowiedzianych dotąd wprost słów) i tęsknocie. Podpisał się: *Twój Julian*. Wrzucając list do skrzynki, był przekonany, że Lili odpowie mu najszybciej, jak będzie mogła. W sylwestrową noc pił samotnie szampana w swoim ponurym pokoju, modląc się o to, aby nowy rok okazał się pomyślny.

W pierwszy piątek 1935 roku, spacerując po zalanym cytrynowym światłem krakowskim Rynku, Julian kupił kilka gazet oraz oczywiście „Bluszcz". Poczuł ukłucie po lewej stronie klatki piersiowej, gdy zobaczył znajomy mu znak graficzny pisma na stojaku w budce z prasą i papierosami na rogu Floriańskiej. Na okładce widniał rysowany ręką Eugeniusza przekreślony rok 1934, wypisany nowy 1935, a także zegar oraz sędziwy starzec.

Z „Bluszczem", „Przeglądem Sportowym" i „Kuryerem Codziennym" pod pachą Julian udał się do kawiarni w arkadach

Sukiennic, gdzie podawano do herbaty świeże faworki. Udekorowany balonami kontuar przypominał o sezonie karnawałowym.

Zasłaniając „Bluszcz" większą płachtą „Kuryera", Julian z nostalgią przeglądał zawartość pisma. Każdy artykuł, każdy rysunek, każdy tekst wzbudzały w nim emocje. Wstępniak, fotografia Henryka Poddębskiego opatrzona tytułem *Herody* – na zdjęciu trzech chłopców w strojach rodem z szopki, stojących na śniegu przed drewnianą chałupą, dalej rozdział nowej powieści Zofii Nałkowskiej *Granica*. Jednym tchem przeczytał dział *Z retrospekcji* i bilans zeszłorocznych wydarzeń na scenie politycznej nakreślony przez Herminię Naglerową, która patrząc w przyszłość, stwierdzała, że nie ma jeszcze nastroju do wojny. Brak, na ten moment, nastawienia psychicznego, ale – jak prognozowała autorka – za dziesięć lat ludzie będą gotowi i wojna w końcu wybuchnie.

Dziesięć lat, szmat czasu... – pomyślał Julian. *Za dziesięć lat będę już hen daleko, za oceanem, pośród nowojorskich niebotyków.*

Zamówił kolejną herbatę i talerzyk chrustu, aby jeszcze raz, z trudną do pohamowania zachłannością, przerzucić każdą z kartek pisma i przeanalizować jego zawartość pod kątem ogłoszeń reklamowych. Nie licząc ogłoszenia (własnego zresztą autorstwa) od redakcji, opisującego premie dla czytelniczek korzystających z prenumeraty, znalazł tylko jedno dotyczące mydła, które sam przygotowywał jeszcze przed świętami. Zauważył, że obok ogłoszeń nie było charakterystycznych rysunków. Czyżby Eugeniusz odmówił współpracy, a okładka stanowiła jego ostatnią pracę dla „Bluszczu"?

– „Aby wełniane trykotaże nie kurczyły się, aby jedwabna bielizna nie niszczyła się przedwcześnie, należy je prać w MYDLE ŻÓŁCIOWYM M. Malinowskiego" – przeczytał szeptem. Pamiętał dokładnie moment, w którym pisał te słowa. Było to tego dnia, w którym po południu pojechał do zakładu jubilerskiego Cyryla. Nie mógł przypuszczać, iż to banalne ogłoszenie, do którego Eugeniusz miał dorysować damę w uroczym sweterku, miało być ostatnim, jakie stworzył. Nawet nie przeczuwał, iż nigdy już jego noga nie stanie w redakcji, w której czuł się tak potrzebny i lubiany. Na wspomnienie gwarnych i zagraconych pomieszczeń łzy napłynęły mu do oczu.

Z trudem powstrzymując wzruszenie, wyobrażał sobie, jak Eugeniusz klnie na niego i złorzeczy, rozgoryczony tym zniknięciem i fiaskiem wspólnych planów stworzenia komiksu, nad którym mieli na serio zacząć pracować od nowego roku. W myślach widział zatroskaną minę panny Jadzi, zdziwienie i niedowierzanie rysujące się na obliczach redaktorek. Zapewne kwestia jego zniknięcia jest ciągle podnoszona w rozmowach i stanowi asumpt do przeróżnych teorii, z których żadna nawet nie przybliża się do prawdy.

Cenne upominki noworoczne dla prenumeratorek
„Bluszczu"! Każda prenumeratorka wpłacająca
do 15 stycznia 1935 r. roczną prenumeratę
wprost do administracji „Bluszczu"
otrzyma do wyboru:

1) Piękny komplet na toaletę albo garnitur do likieru z kolorowego szkła lub
2) Komplet wyrobów perfumeryjnych Pulsa.

Każda zaś z pań wnoszących półroczną prenumeratę
otrzyma do wyboru:

a) Parę pończoch jedwabnych w dowolnym kolorze
b) Garnitur z kolorowego szkła do kompotu albo do ciast (razem 7 sztuk)
c) Barwny obrus brydżowy
d) Flakon wody kolońskiej albo pudełko mydeł firmy Puls.

Czytając to zajmujące pół strony ogłoszenie, Julian nie mógł opanować szlochu. Zsunął mocno kapelusz, tak aby rondo zasłaniało mu oczy, i rzuciwszy na stół banknot o wartości co najmniej dwukrotnie przewyższającej wartość zamówienia, wyszedł pośpiesznie na rozświetlony o zmroku Rynek, na którego mokrym bruku odbijały się światła latarń i okien. Spojrzał na wieże kościoła Mariackiego, który wyrósł mu przed oczami, i czym prędzej skierował ku niemu swoje kroki. Po raz pierwszy od tragicznej w skutkach wizyty u pana Cyryla pomyślał o modlitwie. W jego sytuacji niewiele mogło już pomóc, jednak łaska Boga – jeśli w ogóle istniał – była mu potrzebna jak nigdy dotąd. Ocierając łzy, wkroczył do mrocznego wnętrza. Usiadł w pustej ławie oddalonej od oświetlonego świecami ołtarza i poczuł ulgę, jakiej nie doświadczył od kilku dni. Łzy swobodnie trysnęły mu z oczu, spływając po policzkach i kapiąc na kołnierz koszuli.

Przed zaśnięciem dwukrotnie przeczytał każdą stronę „Bluszczu". Silne wrażenie zrobił na nim zwłaszcza tekst *Popatrzymy przed siebie...* Zdawało mu się, że autorka kierowała swoje słowa wprost do niego.

Właściwie można by to robić jakiegokolwiek dnia, każdego innego, nie właśnie na 1 stycznia, na Nowy Rok... Po zamknięciu rachunków za ubiegły okres – rzut oka naprzód! Konwenans – oczywiście. Ale ani głupi, ani zbyteczny. Bo wypływa ów zwyczaj i nałóg myślowy z głębokich, psychologicznych pokładów natury ludzkiej...

Jeden rozdział zamknięty. Odeszło, co było. Coś nowego zacznie się, może się zacząć – na pewno będzie coś nowego, innego! Tak jest wprawdzie co dzień, tak jest co kwadrans i co minutę: stare kończy się i odchodzi, mija, a rodzi się coś nowego, zaczyna się inny świat!

Jakże pragnie się zrzucić z ramion ciężar dni i miesięcy! Jak chętnie przekreśla się ubiegłe zdarzenia! Z jakim pośpiechem zamyka się za korowodem trosk żelazne dni minionego czasu! I jak nam spieszno do nowych myśli i obrazów! Jakże niecierpliwie czekamy na nadejście przyszłych dni, jak wiele obiecujemy sobie po tem, co jest przed nami, nieznane, zagadkowe... Ileż pytań ciśnie się do myśli!

O tem wszystkim, co jest jutrem – pomyślmy więc na przełomie roku dla siebie i dla innych, dla najbliższych i dla dalekich... Dla spraw małych i wielkich – osobistych i ogólnych.

Patrząc przed siebie w owo tajemnicze, wyczuwalne i możliwe Jutro, szukajmy w niem swojej drogi – z wiarą i energią, z radosną nadzieją, że właśnie... życie zaczyna się jutro.

Może nie będzie to życie łatwe – ale czyż rzeczy piękne, ważne i wartościowe przychodzą łatwo? Czyż nie w przełamywaniu trudności leży sens istnienia? Czyż nie w walce o rzeczy trudne do zdobycia tkwi największa podnieta, z której może zrodzić się radość i spokój osiągnięcia?

Kobieta, która dziś patrzy przed siebie, prosto w przyszłość, w owo Jutro, czy to będzie kalendarzowe jutro nowego roku, czy też jutro dalszych horyzontów – musi patrzeć z wielką uwagą i powagą. Czasy nie są dla niej łatwe, nie są proste, nie są przychylne.

Oto najświeższe wczoraj, które jest jeszcze dniem dzisiejszym, postawiło ją wobec ogromnych trudności, zagrodziło jej drogę zagadnieniami, co – jak ów legendarny Sfinks – patrzą otwartemi, a martwemi oczyma: zamkniętymi ustami domagają się odpowiedzi, fascynując i hipnotyzując przechodnia... Zgadniesz czy nie zgadniesz? Co dalej? Jaki wybrać kierunek? Z jaką iść gwiazdą? Gdyby to świeciły gwiazdy! Lecz często horyzont jest ciemny i zdaje się pusty, choć grzmią w nim burze i przewalają się chmury...

W tę walkę i w te burze musi kobieta wejść, choćby nie chciała. Nie uda się jej pozostać w bezpiecznem zaciszu ani wymigać się od bezpośredniego udziału w walkach, które wstrząsają światem.

W drugiej połowie stycznia złapał tęgi mróz. Zamiecie uniemożliwiły leniwe spacery po mieście, Julian zaczął więc spędzać czas w kinie. Chodził na dwa, czasem nawet trzy seansy, odrywając swój umysł od rzeczywistości. Zmienił też pensjonat, gdy zauważył, że żona właściciela podejrzanie mu się przypatruje i zaczyna zadawać pytania o cel pobytu w Krakowie.

Niestety, wciąż nie miał żadnych wiadomości od Lili i fakt ten coraz bardziej go niepokoił. Gdy zrobiło się cieplej, zaczął zapuszczać się na Kazimierz, obchodząc żydowskie bazary i uliczki, a gdy wracał do swojego pokoju, zjadał przyniesione z porannych wycieczek ciastka, znajdując niewielką pociechę w słodkościach, coraz bardziej rozsmakowany w strudlach i faworkach. Każdego wieczoru, w nikłym świetle lampy, ślęczał nad tomem poezji Paula Eluarda, starając się przetłumaczyć francuskie strofy na język polski. To żmudne zajęcie uspokajało go i odrywało od coraz bardziej natarczywych myśli o przyszłości. Nadal był silny psychicznie, pełen gotowości czekając na sygnał, by niezwłocznie ruszyć do Paryża. Zniecierpliwienie narastało jednak z każdym dniem.

Pod koniec lutego nadszedł wreszcie długo oczekiwany list. Lilianna przepraszała za milczenie, ale było ono spowodowane bardzo ciężką, nagłą chorobą jej małej córeczki. Przez kilkanaście dni rodzice walczyli o jej życie, przeżywając straszliwe chwile. Najgorsze minęło, ale dziecko nie wróciło jeszcze do zdrowia. W tej sytuacji planowany wyjazd nie jest możliwy. Paryż musi poczekać. *Bądź cierpliwy, mój drogi, odezwę się, kiedy tylko będzie to możliwe* – napisała na zakończenie.

List Lilianny był dla niego ciosem, który sprawił, iż nie mógł pohamować łez. Zdruzgotany znowu zmienił pensjonat na hotel. Poczuł się tam zupełnie anonimowo. Spieniężył kolejną obrączkę i zaczął zaglądać do krakowskich kawiarni, licząc na to, że może spotka jakichś awangardowych poetów, kiedyś tak bardzo podziwianych. Sam nie był w stanie niczego napisać. Próbował, kreślił kilka wersów i poirytowany rzucał w kąt pusty notes. Czekanie zaczynało zmieniać się w udrękę. W dodatku przez jedzone dzień w dzień łakocie przybrał niepokojąco na wadze, zwłaszcza w biodrach i pasie. Z trudem zapinał guzik luźnych wcześniej spodni, a piersi swędziały go pod ściskającym je bandażem tak mocno, że często musiał zdejmować uciskający materiał i pozwalać dziwnie uwrażliwionej skórze oddychać. Z obrzydzeniem obserwował coraz bardziej zaokrąglone pośladki, piersi również wydawały się okazalsze.

Godzinami leżał teraz w zimnym pokoju otulony ciężką pierzyną i z żalem myślał o Liliannie, o ciężkich chwilach i niepokoju, jaki musiała teraz przeżywać. Czytał kupowany co dnia „Kuryer Codzienny" i wydawało mu się, że wszystko, co było tam napisane, nie miało nic wspólnego z jego osobą, jakby przebywał chwilowo w zupełnie obcym mu kraju i zapoznawał się z faktami dotyczącymi miejsca, które wcale go nie obchodziło i które zaraz miał opuścić.

Obawiał się, iż choroba Tosi mogłaby zrodzić w Liliannie przeświadczenie, że ceną ozdrowienia córki jest jej powrót do męża i wyrzeczenie się marzeń o życiu w Paryżu. Niepokój podsycały też narastające wątpliwości co do niego samego. Czy przypadkiem nie chciał być mężczyzną tylko po to, ABY NIE BYĆ KOBIETĄ?

Godzinami, leżąc na łóżku, wpatrywał się tępo w pożółkły, miejscami obdarty fragment tapety w pąsowe róże i sięgał pamięcią wstecz, do czasów dzieciństwa. Pierwsze wspomnienia wiązały się z przykrym uczuciem odrzucenia, jakiego doświadczał ze strony matki. Uważał ją za najpiękniejszą istotę na świecie, wielbił ją i hołubił, często mówiąc jej o swoich uczuciach. Lgnął do jej ciepłego, pachnącego wodą różaną ciała, wypatrywał okazji do przytulenia się, wyżebrania pocałunku jej drobnych, suchych ust. Matka czuła się skrępowana tą wylewnością dziecka i zaczęła unikać nieustannie spragnionej pieszczot istoty. Kiedyś poskarżyła się nawet lekarzowi, że dziecko okazuje przesadną egzaltację, na co lekarstwem miało być jasne określenie zasad kontaktu z matką. Kiedy Julian skończył osiem lat i przystąpił do Pierwszej Komunii Świętej, zaczął być traktowany jak młoda panienka i wymagano od niego adekwatnego stroju oraz zachowania.

Dobrze pamiętał, jak bardzo nie znosił zabaw lalkami i odtwarzania przez dziewczynki przyjęć, jakie urządzali dorośli. Uważał te zajęcia za takie głupie i nudne. Nie pozwalał zapuścić sobie włosów, nienawidził sukienek w marynarskim stylu, które kazała zakładać mu matka. Wyrywał się, kiedy tylko mógł, aby z chłopakami strzelać z procy, łazić po drzewach, biegać gdzieś po polach. Tylko wtedy czuł się na miejscu. Dyrygował innymi dzieciakami, wykazywał się odwagą i zapałem. Nigdy nikt nie wykluczył go z zabawy przez to, że był dziewczyną. Za to matka robiła wszystko, aby podporządkował się jej rozkazom i zachowywał, jak na młodą panienkę przystało.

A później, już w Warszawie, kiedy zapragnął z całej siły być poetą, chciał, by traktowano go równie poważnie jak mężczyzn. Czy nie dlatego odrzucił swoją płeć? Nienawidził swojego rozkwitającego ciała, wszystkich soków, jakie wydzielał jego organizm. Teraz nagle przyszło mu na myśl, że bycie kobietą, do tego poetką walczącą o poważne traktowanie, wymagało większej odwagi niż wyrzeczenie się tego, jakim się urodził. Może to wyparcie się żeńskiej płci dyktowała zemsta na matce za to, że uciekała przed ofiarowywaną jej miłością?

Mijały spędzane w niemal całkowitej samotności dni i Julian zupełnie utracił swoją dotychczasową pewność, że wszystko się jakoś ułoży. Z rozrzewnieniem wspominał atmosferę w redakcji „Bluszczu", ciągły pośpiech, gwar, pokrzykiwania, wieczne niezadowolenie naczelnej, nieustający stukot maszyn do pisania, brzmiący niczym mechaniczna muzyka. Teraz dopiero zrozumiał, jak bardzo lubił swoją pracę, jak to wszystko mu pasowało – rozmowy z klientami, wymyślanie ogłoszeń reklamowych, dobijanie targów, dawanie rabatów, układanie się z rysownikiem. Dla Lilianny poświęcił to wszystko bez chwili wahania.

Spacery po Kazimierzu i szary Kraków wkrótce obrzydły mu zupełnie. Czuł się gorzej z każdym kolejnym dniem upływającym na czekaniu na wiadomość od Lili. Co kilka dni zmieniał hotelowe pokoje. Z uwagi na wszechobecne pchły i wszy unikał już pensjonatów i ich wścibskich gospodyń, które – jak miał wrażenie – przetrząsały w trakcie jego nieobecności jego pokój i dobytek. Dlatego zaszytą w sakiewkach biżuterię Cyryla nosił non stop przy sobie, zawsze w kupionej specjalnie w tym celu teczce, którą kurczowo trzymał w ręce w kinie czy w kawiarniach.

A gdy wracał do hotelu, do swojego pokoiku, wieczór w wieczór robił dwie rzeczy. Najpierw wyjmował z portfela trzymane tam od jesieni zdjęcie zrobione jemu i Lili przez ulicznego fotografa, gdy szli Nowym Światem. Oboje tacy przystojni, ona przepiękna w swoim nowym płaszczyku i zawadiackim kapelusiku, z torebką pod pachą, uśmiechnięta nieco sztucznie i tajemniczo. On elegancki w garniturze i w dopiero co kupionym kapeluszu. W tle, za nimi po lewej stronie, widoczna witryna sklepu Elektromuzyka między numerem dwudziestym ósmym a trzydziestym, z gitarami, skrzypcami i innymi instrumentami wyłożonymi na wystawie. Patrzył na to zdjęcie z taką intensywnością, jakby uwieczniony na nim obrazek miał moc zaczarowania rzeczywistości.

Potem zaś wyjmował z sakiewek całą biżuterię, jaką zabrał Cyrylowi. Wykładał na łóżko wszystkie obrączki, pierścionki, łańcuszki, krzyżyki, naszyjniki. Każdy z przedmiotów opisywał w specjalnym notesiku, oszacowując jego wartość w lombardzie czy ze sprzedaży od ręki. Później podsumowywał sumiennie całą kwotę, którą mógł osiągnąć, ostrożnie spieniężając biżuterię, i zastanawiał się nad przelicznikiem franka do złotego. Godzinami liczył i kalkulował, zajmując tym swój poirytowany czekaniem umysł.

Raz czy dwa przyszło mu do głowy, że może powinien dać sobie spokój z tą miłością. Mógłby za środki uzyskane ze sprzedaży złota kupić bilet na statek i wyjechać do Ameryki. Tam miałby nawet coś na start. Naprawdę mógł to zrobić, zacząć wszystko od nowa. Były chwile, gdy żałował, że wylądował na południu kraju. Gdyby tak jak pierwotnie zamierzał, pojechał do Gdyni, statek zapewne by go skusił.

Potem jednak Lili przypominała o sobie we snach, w których nawiedzała go każdej nocy. Znowu całował jej miękkie, śliskie wargi, wdychał zapach jej skóry, robił z nią wszystko, czego pragnął, i nigdy brak przyrodzenia nie był problemem. Tak było we śnie, lecz na jawie zadręczał się tymi kwestiami. W końcu będzie musiał jej powiedzieć. Czy na pewno jej nowoczesne, bezpruderyjne „ja", w które tak wierzyła, będzie takim w rzeczywistości?

Pewnego dnia, gdy spacerował wieczorem po Plantach, jego uwagę przykuł widok dwóch prostytutek stojących w pobliżu latarni i palących wspólnie jednego papierosa. Kobiety o chytrych oczach i mocno czerwonych ustach podawały sobie skręta z ręki do ręki i bez słowa patrzyły na Juliana. W bladym świetle ich twarze przypominały maski kurtyzan malowanych przez Toulouse-Lautreca. Spłoszony, spuścił głowę, chowając ją w ramionach i postawionym kołnierzu płaszcza, ale było za późno.

– Hej, piękny pan jesteś! – zawołała jedna z nich.

Ruszyły obie tuż za nim. Słyszał stukot ich pantofli na alejce. Poczuł, jak ręka łapie go za łokieć.

– Zrobię, co zechcesz! O czym skrycie marzysz? – szepnęła jedna z kobiet.

Julian odwrócił się i nie zastanawiając się nad własnymi słowami, powiedział:

– Możecie mi pokazać, jak to robicie razem ze sobą? Ja będę tylko patrzył.

Prostytutki przypatrywały mu się w milczeniu.

– Jedna ma się zachowywać, jakby była mężczyzną, tylko bez przyrodzenia – sprecyzował.

– Pięć złotych każda! – rzuciła ładniejsza z kobiet, niska blondynka o przysadzistych kształtach.

Julian przystał na ich warunki i ruszył razem z prostytutkami, które zaprowadziły go do sutereny w budynku przy jednej z ciasnych, ciemnych uliczek. W chłodnej izbie nie było niczego oprócz żelaznego łóżka i szafki ze stojącymi na niej dzbankiem z wodą i miednicą. Ścianę zdobił wiejski kilim w jaskrawych barwach, maskujący częściowo placek odpadającego tynku. Kobiety szybko zdjęły z siebie płaszcze, kapelusze i sukienki, pozostając w podwiązkach i biustonoszach.

Po przekazaniu dziesięciu złotych Julian usiadł na stołku, nie wypuszczając z rąk swojej teczki, i patrzył, jak kobiety, kładąc się jedna na drugiej, zaczęły się całować. Wyższa, brunetka, odgrywała rolę mężczyzny, niejako prowadziła blondynkę, gestami każąc jej przyjmować kolejne pozycje. Ta zaś poruszała się szybko i rytmicznie, zwinnie oplatając nogami udo koleżanki i ocierając się o nie swoim kroczem. Czerpiąc najwyraźniej przyjemność z obcowania ze sobą, coraz bardziej zapamiętywały się w swojej namiętności. Brunetka obróciła blondynkę na brzuch i ugniatała, a potem lizała jej wypięte pośladki, w końcu penetrując ją kciukiem, do którego dołączała kolejne palce, tak iż w waginie kobiety znikała niemal cała jej dłoń.

Julian założył nogę na nogę, czując mrowienie w kroku. Zaciskając co chwilę mięśnie swojej waginy, odczuwał coraz większą ekscytację.

Blondynka jęczała niczym konające zwierzę, przymykając oczy z (być może udawanej) rozkoszy, z rozchylonych ust sączyła się jej strużka śliny. Gdy brunetka nachyliła się ku jej wciąż wypiętym pośladkom i zaczęła lizać kobietę, blondynką nagle wstrząsnęły konwulsje, które przypomniały Julianowi przyjemność, jaką sprawił Liliannie tamtej letniej nocy pod namiotem. Ścisnął jeszcze mocniej nogi i sam poczuł nagłe uwolnienie napięcia i pulsowanie, które było jednocześnie bólem i przyjemnością o sile tak wielkiej, iż na dwie czy trzy sekundy oderwał się całkowicie od swojego „ja" i zapomniał, że istnieje.

Wieczorem wrócił do hotelu, a potem długo marzył wpatrzony w sufit. Wyobrażał sobie siebie, prowadzącego auto z otwartym dachem (od lat pragnął nauczyć się prowadzić i mieć swój własny samochód), mając u swego boku roześmianą Lili, całkowicie mu oddaną w zamian za rozkosz, którą umiał jej dać. Sunęli krętą drogą nad brzegiem lazurowego morza, w kierunku jakiegoś uroczego miasteczka na południu Francji. A wieczorami Lili z ufnością wypinała ku niemu pośladki i pozwalała zatapiać się jego wargom w swojej miękkiej waginie. A on, on posiada naturalnie to coś, czego najbardziej mu brakuje, ma przedłużenie swojego krocza, przyrodzenie, które było ostatnim, brakującym elementem układanki i pełni szczęścia. Dzięki podobnym wizjom był w stanie umilić sobie noce, ucząc się sprawiać samemu sobie przyjemność za pomocą palców.

Gdy tylko dni stały się dłuższe i zima bardzo powoli wycofywała się, ustępując temu, co nowe, a spod śniegu na trawnikach Plant wychylały się krokusy, Julian zaczął planować samotny wyjazd do Paryża. Tam zapewne nadeszła już wiosna, podczas gdy tutaj, mimo połowy kwietnia, było nadal zimno. Będzie czekał na Lili już tam, gdzie zacznie wszystko od nowa, zapomni o gwałcie, o byciu kobietą, o wszystkim, co złe. Wiedział, że zwariuje, jeśli zostanie dłużej w tym mieście.

Wyjechał z Krakowa pociągiem, który docelowo miał dotrzeć do Wiednia, gdzie należało się przesiąść na kolejny pociąg. Jednak po zaledwie kilkudziesięciu minutach podróży Julian poczuł silne zawroty głowy. Zwymiotował kilkakrotnie, a mimo to torsje nie ustawały. Półprzytomny, słaby, biały jak kreda, pomyślał, że właśnie umiera. Działo się z nim coś strasznego, coś, czego nigdy nie doświadczył.

Gdy pociąg zatrzymał się na jakiejś stacji, nie zważając na nic, ostatkiem sił Julian wytoczył się ze swoją teczką oraz niewielką walizką na peron dworca w miejscowości, o której nigdy dotąd nie słyszał. Haust świeżego powietrza odrobinę mu pomógł, choć nadal czuł powracające mdłości i potworne osłabienie.

Usiadł na ławeczce przy drewnianym budynku dworca i siedział tak nie wiadomo jak długo, kurczowo trzymając rączkę walizki, w której sekretnych kieszeniach ulokowane zostały pierścionki, obrączki i naszyjniki ukradzione Cyrylowi. Powoli mdłości i zawroty głowy mijały, choć czuł tak ogromne osłabienie, że nie był w stanie stanąć na nogach. *Co dalej robić?* – myślał, czując, że nadchodzi jego kres. Musiała zaatakować go jakaś potworna choroba. Będzie umierał samotnie, w obskurnej ochronce dla ubogich… Napisze na łożu śmierci do ciotki, do Lili, wszystko wyjaśni i przeprosi, może mu wybaczą, zrozumieją… Ze łzami w oczach w końcu wstał z ławki i zapytał mijającego go dróżnika, gdzie mógłby się zatrzymać na noc.

Wskazano mu jedyny w mieście hotel, tuż przy ratuszu, do którego Julian niezwłocznie się udał. Zapłacił za jedną noc i czym prędzej zniknął w wynajętym pokoju, gdzie umył się nad miską. Położył się na łóżku i natychmiast zasnął. Obudził się, gdy wstawał już kolejny dzień, i mimo pustego żołądka mdłości i wymioty powróciły. Wymęczony i potwornie słaby pomyślał, że zaraz nadejdzie koniec. Nie zdoła nawet odbyć wymarzonej podróży, zresztą po co jechać do Paryża, aby umrzeć na obcej ziemi? Może jedynym wyjściem byłoby rzucić się na tory i zginąć pod kołami pociągu, którym wcześniej miał zamiar dotrzeć do Wiednia?

Kiedy nudności nieco ustały, zadzwonił na recepcję, prosząc o śniadanie do pokoju. Zjadł kromkę chleba z masłem i poczuł się silniejszy. Znowu mógł jasno myśleć. Postanowił poszukać doktora albo felczera.

W hotelu skierowano go do szpitala prowadzonego przez siostry zakonne. Julian udał się we wskazane miejsce, gdzie uprosił lekarza o badanie. Opowiedział o zawrotach głowy i potwornych mdłościach, doprowadzających do silnych wymiotów, od których wydaje mu się, że umiera.

– Proszę się rozebrać od pasa w górę!

Lekarz bez słowa obserwował, jak Julian, zdjąwszy marynarkę, rozpina koszulę i staje przed nim z klatką piersiową obwiniętą bandażem.

– To też! – Władczym gestem mężczyzna wskazał na poszarzałe pasy.

Julian, dygocąc, odwinął bandaż i trzymając go w dłoniach, stanął przed lekarzem ze wzrokiem wbitym w podłogę. Ten obejrzał jego gardło, długo przykładał słuchawkę do pleców i piersi. Później kazał położyć się na kozetce i dokładnie zbadał jego brzuch.

– Czy dlatego nosi pani męski strój? Aby ukryć błogosławiony stan? Jest pani zamężna? Zapewne nie... – powiedział wreszcie nieprzyjemnym tonem.

Julian poczuł, jak cały sztywnieje z przerażenia. Wydawało mu się, że zapada w jakąś najstraszliwszą ciemność, która paraliżuje jego myśli i oddech.

– Proszę odpowiedzieć! Jakie jest pani nazwisko? Skąd pani tu przyjechała? – grzmiał lekarz.

– Ja, ja, ja nie wiedziałam... – jąkał się Julian, nie mogąc wypowiedzieć poprawnie żadnego słowa. Czym prędzej zaczął naciągać na siebie koszulę i trzęsącymi dłońmi zapinać guziki. Bandaż schował bez zastanowienia do kieszeni marynarki, której połami zakrył swój wzdęty brzuch. – Muszę już iść, ja muszę już... – bełkotał, nie patrząc na doktora, po czym otworzył drzwi pomieszczenia i puścił się pędem przez korytarz pełen ludzi chodzących tam i z powrotem. Biegł najszybciej, jak potrafił, potrącając pacjentów szpitala i siostry zakonne pomagające przy chorych.

Kiedy wydostał się z budynku szpitala, dysząc ciężko, opadł na ziemię i oparłszy plecy o pień drzewa, zaczął szlochać z taką mocą, jakby ten płacz był w stanie zapewnić mu sprawiedliwość i zadośćuczynić za wszystko, co mu się przytrafiło. W końcu jednak zebrał siły, aby wstać i jak najszybciej uciekać z tego miasteczka, tym bardziej że doktor będzie opowiadał o dziwnej, obcej kobiecie ukrywającej błogosławiony stan w męskim przebraniu.

Jak mogłem nie wiedzieć? – pytał sam siebie, choć przecież już dawno odrzucił w sobie wszystko, co wiązało się z kobiecością. Nigdy nie dopuszczał do siebie myśli o zajściu w ciążę, a już na pewno nie w wyniku gwałtu. Nawet gdy nie miał miesięcznego krwawienia, nie wydawało mu się to czymś dziwnym. Po tym, jak siłą został zmuszony do obrzydliwego zespolenia z mężczyzną, ustanie okresu wydawało mu się naturalne.

Z trudem wlokąc się boczną drogą, którą – jak mu się zdawało – wyjdzie poza miasto, przypomniał sobie nagle to, o czym wielokrotnie słyszał od ciotki: opowieści o kobietach, które spędzały swój niechciany płód. Parę razy ciotka pomagała kilku dziewczętom znajdującym się w tragicznej sytuacji. Wiele z nich niemal przypłaciło życiem wywołanie poronienia przez niedomytych felczerów, ale były też podobno osoby potrafiące należycie usunąć ciążę.

Wiedział, że należało koniecznie znaleźć kogoś, kto pomógłby mu jak najszybciej pozbyć się z jego ciała tego obcego, tego czegoś, co wbrew jego woli zagnieździło się w jego brzuchu.

Rozdział 19

Styczeń 1935
Szalony karnawał

Kiedy w pierwszy poniedziałek nowego 1935 roku do mieszkania mecenasowej Korczyńskiej wszedł z niezapowiedzianą wizytą jej kuzyn Żorżyk, Lili – ubrana jedynie w złocisty, połyskliwy strój poranny z szerokimi rękawami, z nieułożonymi jeszcze włosami i nieprzyczernionymi brwiami – w pierwszej chwili wpadła w lekki popłoch, z przerażeniem myśląc, że musi wyglądać fatalnie. Powinna go była odprawić, jednak nowa, nierozgarnięta służąca bez pytania wprowadziła Żorżyka do salonu.

Na szczęście Lilianna nie musiała się już martwić negatywnymi odczuciami męża wobec kuzyna. Po aferze z anonimowym listem od żądającej pieniędzy degeneratki podpisanej jako „Szalona Blondyna" Tadeusz nie miał już wiele do powiedzenia. Co prawda zarzekał się, że to szantaż bez podstaw, że ta kobieta nie mówi prawdy, ale w bezczelny sposób próbuje wyciągnąć od niego pieniądze, jednak – jak stwierdziła Lili – mąż musiał mieć coś na sumieniu i dzięki temu w życiu jego żony otwierały się nowe możliwości.

Tadeusz przeraził się wizją skandalu, jakim byłoby wyprowadzenie się Lilianny z córką z domu. W obawie przed nadszarpnięciem swojej nieposzlakowanej opinii, niezbędnej w jego zawodzie, był teraz gotów na wszystko, aby życie rodzinne – przynajmniej na zewnątrz – toczyło się dawnym torem. Godził się na różne pomysły małżonki, zapewne licząc, iż wybije jej z głowy kosztowny i niesłychanie trudny do wytłumaczenia przed rodziną wyjazd do Paryża, na który ciągle nalegała.

Lili obudziła tego dnia dopiero po dziewiątej. Nie zmuszała się już od jakiegoś czasu do porannego wstawania i towarzyszenia mężowi przy śniadaniu. Leżąc jeszcze długo w łóżku, przeglądała aktualne gazety i magazyny, pozwalając córce baraszkować obok niej w pościeli. Mała radośnie szczebiotała, bawiąc się pajacykiem, podczas gdy jej matka podśpiewywała jakąś zapamiętaną z filmu piosenkę i bardzo podekscytowana planowała nowy dzień. Jej szampańskiego humoru nie psuła nawet niesprzyjająca aura i kaszel dziecka, który bagatelizowała, skupiając się na swoich doznaniach.

Od sylwestrowego balu adwokatury mijał tydzień, a wrażenia, jakie po sobie pozostawił, wciąż były żywe. Przyjęcie było nad wyraz wykwintne, a toalety pań bardzo wyszukane i eleganckie. Lili czuła się piękna w takim otoczeniu, mając na sobie śliczną suknię wieczorową w kolorze spłowiałego błękitu (Żorżyk określał go jako paryski) od Elsy Schiaparelli, która została dla niej sprowadzona na specjalne zamówienie prosto z Paryża za pośrednictwem usłużnego kuzyna. Tadeusz bez żadnego wahania zapłacił za kreację gigantyczną sumę.

Mąż był w tę ostatnią grudniową noc pod wyraźnym urokiem żony, widząc reakcję, jaką jej wyjątkowa aparycja robi na obecnych na balu mężczyznach. Lilianna była proszona do walca przez kilku nobliwych członków adwokatury, co wyraźnie schlebiło Tadeuszowi. Całował żonę po rękach, poił szampanem i ze spojrzeniem zbitego psa, który błaga o litość, nadskakiwał jej, ani na moment nie zostawiając samej. Kiedy jednak sędziwy sędzia Sądu Najwyższego zagadnął go o pewną sprawę związaną z pracą, Tadeusza pochłonęła rozmowa, co wykorzystał natychmiast przypatrujący się Liliannie od dłuższego czasu szalenie przystojny, ubrany w galowy mundur oficer.

Widziała jego ogniste spojrzenie śledzące ją, gdy schodziła

z parkietu, natknęła się na jego wzrok, gdy zapalała papierosa, aż wreszcie, gdy tylko nadarzyła się okazja, mężczyzna podszedł do niej i przedstawił się jako podpułkownik Jan Grzegorzewski. Tańczył tylko z nią, a ona czuła aż za dobrze, iż jest pożądana.

Niezwykle szarmancki oficer od pierwszych chwil zawładnął jej emocjami. Był pewny siebie, obdarzony charyzmą i adorował Lili. Myślała tylko o nim, opuszczając nad ranem salę balową.

Już w środę, drugiego stycznia, do jej mieszkania na Moniuszki posłaniec przyniósł piękny bukiet czerwonych róż. Kwiaty potwierdziły jej przypuszczenia, że oficer będzie wszelkimi sposobami zabiegał o jej względy. Powinna była odesłać bukiet, co dałoby mu do zrozumienia, że jako mężatka nie jest zainteresowana kontynuowaniem znajomości, jednak nie zrobiła tego.

Powiedziała Tadeuszowi o różach, co wzbudziło w nim widoczny atak zazdrości i zdenerwowanie, które z trudem pohamował. Siedział milczący, sprawiając wrażenie, jakby ostatkiem sił powstrzymywał się, aby nie wybuchnąć gniewem. W trakcie jedzonej w absolutnej ciszy kolacji Lili oświadczyła, że ma migrenę, po czym udała się do swojego pokoju, rezygnując z deseru. Robiła tak ostatnio coraz częściej, dzięki czemu nie musiała prowadzić nudnych konwersacji z mężem i wysłuchiwać nużących opowieści o jego pracy w kancelarii i problemach prawnych jego klientów. Gdy Tadeusz kładł się spać w swojej sypialni, służąca w sekrecie przynosiła Lili koniak i kawałek kurczęcia na zimno albo odrobinę pasztetu. Pani zjadała te smakołyki, leżąc swobodnie w swoim łóżku w haftowanej pościeli otrzymanej od matki w wyprawie, z otwartym pierwszym tomem Prousta, który postanowiła w końcu przeczytać.

Z determinacją i wielkim trudem oraz z lekkim wsparciem koniaku przebijała się przez zawiłe zdania *W stronę Swanna*, niekiedy zajmujące całe strony. Po kilku dniach tej męki Lili stwierdziła jednak, że ten wysiłek owocuje. Pomijając odświeżenie znajomości francuskiego, największym plusem było to, iż po zgaszeniu lampy leżała jeszcze długo przed zaśnięciem i czerpała przyjemność z zapadania się w sobie. Schodziła głębiej i głębiej we wspomnienia wczesnego dzieciństwa, kiedy, podobnie jak narrator, każdego wieczoru czekała na pocałunek na dobranoc. W jej przypadku chodziło o ukochanego ojca, którego była ulubienicą.

Musiało minąć pięć lat od jego nagłej śmierci, aby odważyła się poddać wspomnieniom o tacie, bez histerii, ale i bez zobojętnienia przemyśleć jego odejście z tego świata. Gdyby nie zmarł nagle na atak serca, może ona nie wyszłaby tak szybko za mąż, może ukończone konserwatorium przydałoby jej się do czegoś. Pozornie miała wszystko, co kobiecie potrzebne do szczęścia, a jednak wciąż tęskniła za nowymi pobudzającymi doznaniami. Chciała czuć mocno i intensywnie, że żyje. Tymczasem długo czuła się niespełniona. Zaledwie rok temu umierała wręcz z nudów i z przerażeniem myślała, że to jest wszystko, co ją czeka w małżeństwie. Nie mogła nikomu zwierzyć się ze swoich rozterek, ani matce, ani siostrom (przecież w ich oczach jej życie było perfekcyjne, z dobrze sytuowanym mężem, któremu powinna jak najszybciej urodzić syna), ani swoim bliskim znajomym, nieustannie rywalizującym między sobą o to, która wygląda szykowniej i której wiedzie się lepiej. Ale teraz Lilianna wreszcie mogła stwierdzić, iż jej zmysły zostały rozbudzone.

– Wszystkiego najlepszego w nowym roku, kuzynko! Obyś była najszczęśliwsza! Ty i cała twoja rodzina, rzecz jasna! – Kuzyn ucałował Lili w oba policzki.

Dotyk jego zimnej jeszcze skóry w połączeniu z zapachem wody toaletowej sprawił, że lekko się zarumieniła. Jej cała istota była teraz szczególnie podatna na zmysłowe wrażenia, jakie od kilku dni opanowywały jej myśli.

– Wzajemnie, proszę, niech kuzyn spocznie i powie, co go do mnie sprowadza o tak wczesnej porze. Jak widzisz, nie spodziewałam się gości. To wręcz niedopuszczalne, abym przyjmowała w takim oto stroju... – Lilianna uśmiechnęła się nieco zalotnie.

– Och, Lili, jesteś taka urocza! Proszę, nie bawmy się w te konwenanse. Uwielbiam ten twój uśmiech i te zmrużone oczy... Kiedy jesteśmy tylko my, etykieta nie powinna nam przeszkadzać! – powiedział kuzyn, uśmiechając się dwuznacznie, co sprawiło, iż Lili poczuła się zmieszana i czym prędzej przywołała służącą, aby ta przyniosła herbatę.

Żorżyk tryskał humorem, był uśmiechnięty i wyglądał dużo zdrowiej niż rok temu, kiedy zjawił się w Warszawie mizerny i udręczony wstydliwym nałogiem. Zniknęło nawet z jego polszczyzny to francuskie „r", które tak irytowało Tadeusza. Teraz sprawiał wrażenie kogoś dobrze zakotwiczonego w życiu i zadowolonego z siebie. Robił jakieś interesy z ludźmi z elit, do których dotarł przez swoje francuskie koneksje. Żył w Warszawie niczym król, nie odmawiając sobie niczego.

– Skoro kuzynka wciąż trzyma w wazonie usychające róże, to znaczy, że ten *grand bouquet* jest dla niej bardzo ważny... – przyglądając się kwiatom, powiedział Jerzy, pozwalając sobie znowu na dwuznaczny uśmieszek. To coraz bardziej swawolne zachowanie nieco ją zirytowało.

– Nie twoja sprawa, drogi Jerzy. Opowiedz lepiej, jak spędziłeś sylwestra i Nowy Rok – zapytała chłodnym tonem, siadając w fotelu i przyjmując władczą pozę. Z nogą założoną na nogę, z tlącym się papierosem umieszczonym w fifce i ręką swobodnie leżącą na oparciu mebla, z zadowoleniem zerkała na odbicie swojej sylwetki w lustrzanej ściance etażerki stojącej w kącie salonu. Prezentowała się naprawdę zachwycająco w swojej japońskiej podomce, spod której filuternie wystawało kolano i część nogi. Zrozumiałe, iż oficer oszalał na jej punkcie i będzie próbował przy najbliższej nadarzającej się okazji zdobyć jej serce, myślała.

Żorżyk zaczął opowiadać o tym, jak goszczono go w majątku pewnej hrabiny, ale jego słowa nie dotarły do Lili, która nagle poczuła bolesne ukłucie, wywołane myślą o Julianie.

Co się z nim dzieje? Nie dawał znaku życia od kilkunastu dni, co nigdy przedtem się nie zdarzyło. Ilekroć w ostatnich dniach wychodziła z domu, wydawało się jej, że zaraz zobaczy gdzieś u wylotu ulicy Moniuszki albo pod jednym z drzew rosnących na placu jego drobną postać w kapeluszu, który zawsze wydawał się jej odrobiny za duży na jego głowę. Był tak szczupłym, niskim mężczyzną. Czasami zastanawiała się, jak to możliwe, iż ktoś tak wątły może pałać namiętnością do kobiety większej od niego... Nieco krępowało ją, gdy zakładała buty na wysokim obcasie, bo wtedy wyraźnie było widać różnicę wzrostu między nimi. W dodatku jej biodra i pośladki były tak bujne, że zdawała się go przytłaczać. Widocznie jednak bardzo kobiece kształty Lilianny po części stanowiły o jej atrakcyjności.

Julian nigdy nie był natarczywy, nigdy się nie narzucał, ale przecież wiedziała, iż kręci się po placu Napoleona ze względu na nią, co więcej, lubiła tę świadomość. Teraz jednak go nie było. Może pojechał do matki, która mieszkała gdzieś poza Warszawą? Nie wspominał o tym, ale być może musiał udać się do niej w pośpiechu, nie mając możliwości przekazania Liliannie wiadomości.

Zajęta świętami Bożego Narodzenia, następnie przygotowaniami do balu sylwestrowego, pod koniec roku Lili nie myślała już o nim wcale. Teraz zaś w marzeniach o romantycznym Paryżu zamiast Juliana pojawiał się umundurowany, wysoki mężczyzna o twarzy przywodzącej na myśl Eugeniusza Bodo.

Jednak zdarzały się chwile, kiedy niepokoiła ją myśl, że może coś się Julianowi stało. Podczas wczorajszej mszy z okazji święta Trzech Króli monotonny ton głosu księdza wygłaszającego kazanie sprawił, iż Lilianna oddała się mimowolnie myślom, tracąc wątek dotyczący biblijnej relacji pokłonu przed Jezusem. Mroczne i piękne wnętrze kościoła Wizytek przy Krakowskim Przedmieściu przypomniało jej jeden ze spacerów w towarzystwie Juliana, kiedy w upalny czerwcowy dzień schronili się w pustym wówczas kościele. Tamtego dnia, gdy światło wieczoru ozłacało barokową fasadę budowli, wydawało jej się, że zobaczyła ten kościół po raz pierwszy w życiu. Mimo iż dorastała w Warszawie i tysiące razy przemierzała Trakt Królewski, przechodząc obok tego gmachu, miała w pamięci jego obraz na płótnie Canaletta, to jednak za sprawą Juliana, który uznał, iż jest to najpiękniejszy kościół w mieście, zobaczyła go wówczas naprawdę.

Uświadomiła sobie, iż nie zna nawet adresu mieszkania, które zajmuje ciotka Juliana, nie ma żadnych danych, dzięki którym mogłaby go odszukać. Obiecywała sobie, że zatelefonuje do redakcji „Bluszczu" i tam spróbuje się czegoś dowiedzieć, ale ciągle działo się coś, co kierowało jej działania ku innym sprawom. I w ten poniedziałek podobnie, Lili zamierzała udać się po sprawunki, po południu zaś odwiedzić matkę, a tymczasem pojawił się Żorżyk.

Siedli do herbaty (kuzyn już nie wzbraniał się przed jej piciem) i przyniesionych przezeń faworków, gdy nagle znowu rozległ się dzwonek do drzwi. Służąca po chwili zaanonsowała Joasię.

– Co za dzień... – westchnęła Lili, po czym uświadomiła sobie, że była w istocie umówiona z siostrzenicą, która chciała pożyczyć od niej kilka książek potrzebnych jej w przygotowaniach do matury. – Zobacz, moja droga, na jakiego nieoczekiwanego gościa trafiłaś – Lilianna przywitała wchodzącą do salonu dziewczynę, która na widok Żorżyka mocno się zaczerwieniła. Schludnie spięty koński ogon odsłaniał drobne, purpurowe uszy. Nieco piegowata, urocza buzia sprawiała wrażenie zmieszanej.

– To ja nie będę cioci przeszkadzać, przyjdę kiedy indziej...

– Ależ skąd! Siadaj, napij się herbaty, skosztuj faworków od Lourse'a, które Jerzy przyniósł. Mamy w końcu karnawał! – zachęcała Lili, nie mogąc odgadnąć, czemu na widok kuzyna taka rezolutna dziewczyna jak Joasia straciła nagle rezon i pewność siebie.

Kuzyn z kurtuazją ukłonił się i przedstawił, rozbawionym wzrokiem lustrując skromnie ubraną licealistkę.

– My z Joasią jesteśmy ogromnymi wielbicielkami kina, prawda? – Lili starała się rozluźnić atmosferę. – Tadeusz nie cierpi filmów, więc chodzimy razem. Ogromnie mądra dziewczyna z tej Joasi. Za kilka miesięcy matura, a później, kto wie, pewnie uniwersytet!

– O! Panienka nie myśli o zamążpójściu, tylko o nauce! To prawdziwa feministka z Joasi! – zaśmiał się nieco filuternie Żorżyk.

– Nauka to w dzisiejszej rzeczywistości konieczność, aby nie być gorszą od mężczyzn – odparła wyniośle dziewczyna, wzrok skupiając na wiszącym na ścianie salonu nowoczesnym obrazie, przedstawiającym trójkąty i kwadraty. – Ciociu, jeśli można, śpieszę się ogromnie, zabrałabym książki, jeśli to możliwe. Taka mnie dzisiaj migrena dopadła, że nie poszłam do szkoły, ale muszę nadrobić lekcje.

– Oczywiście, kochanie, książki mam już dla ciebie naszykowane, chodź. Przepraszam, kuzynie, na moment.

Kiedy Lili i Joasia wyszły do przedpokoju, gdzie czekał przygotowany pakunek, dziewczyna szeptem powiedziała:

– Droga ciociu, chciałam cię prosić o przysługę, ale niezręcznie było mi mówić przy panu Jerzym. Mama moja nalega, abym poszła w jej towarzystwie na pewien bal. Zarzekałam się, że nie chcę, ale mamusia nie uznaje odmowy. Sęk w tym, że nie mam odpowiedniej toalety, bo tak długo opierałam się przed tym wydarzeniem, że teraz krawcowe zarzucone są zamówieniami na sezon karnawałowy i jest już za późno, aby uszyć coś odpowiedniego. Ty jesteś zawsze tak szykownie ubrana, tak doskonale gustowne masz stroje, pomyślałam, że może... może pomogłabyś mi coś wybrać w jakimś sklepie.

– Hmm... pomyślmy... – odparła Lili, mile połechtana komplementem pod swoim adresem. Joasia rzeczywiście nie była dziewczyną, która lubiła się stroić, zawsze przesadnie skromna, obojętna na swój wygląd. – Suknie ze sklepu to ostateczność, nigdy nie leżą idealnie. No cóż, czasu jest mało. Kiedy odbędzie się bal?

– W najbliższą niedzielę – odparła zakłopotana Joasia.

– Och! W takim razie musimy działać szybko! Zaraz odprawię kuzyna i pójdziemy do Domu Towarowego Jabłkowskich. Nie traćmy czasu! Nawet jeśli coś wybierzesz, będzie trzeba zapewne co nieco poprawić! – powiedziała z werwą Lili.

– Dziękuję po stokroć, ja poczekam na dole...

– Ależ skąd, w taką pogodę?! – zaprotestowała Lili, ale Joasia za nic nie chciała wrócić do salonu, w którym czekał Żorżyk. Postanowiły więc, że dziewczyna uda się nieopodal, na ulicę Bracką do Domu Towarowego Braci Jabłkowskich, gdzie czekając na Liliannę, zacznie oglądać suknie.

Wróciwszy do salonu, Lili czym prędzej chciała pożegnać kuzyna, ale ten zadawał jej liczne pytania o Joasię, jej wiek, rodzinę i wiano. W końcu obiecała spotkać się z Jerzym nazajutrz rano na śniadaniu w Bristolu, po czym w ogromnym pośpiechu wyszykowała się do wyjścia.

Oblodzone chodniki i hałdy brudnego śniegu zalegające na ulicach utrudniały jej nieco spacer, ale Lili, otulona w futro ze srebrnych lisów, szybkim krokiem szła ulicą Zgoda ku Brackiej, gdy nagle usłyszała wykrzykiwane za nią słowa: „Szanowna pani, szanowna pani!". Odruchowo obejrzała się i zobaczyła, jak niemal na samym skrzyżowaniu zatrzymuje się wielki ford i z wozu żwawo wyskakuje podpułkownik Grzegorzewski.

– Widzi pani, ryzykuję obciążenie mandatem, ale nie mogłem sobie odmówić chwili rozmowy z panią! – powiedział wyraźnie zadowolony oficer, składając na wyciągniętej ku niemu dłoni pocałunek. Patrzył na Liliannę przenikliwym wzrokiem, jakby samymi oczami chciał przekazać jej siłę trawiącego go pożądania. – Czy spotkam panią jeszcze? – zapytał, trzymając jej rękę. Ford z jego kierowcą zatrzymał się przy ulicy Zgoda i czekał na niego.

– Cóż... Doprawdy nie wiem... – Lili była nieco zakłopotana.

– Może na którymś z balów? Będzie pani w Hotelu Europejskim? Na takim wydarzeniu nie może zabraknąć jednej z najpiękniejszych warszawianek!

– Och, naprawdę nie wiem, jesteśmy z mężem zaproszeni na kilka balów, nie pamiętam już dokładnie jakich...

– Pani Lilianno, naprawdę liczę, że tam się zobaczymy! Muszę niestety uciekać, bo kierowca zaraz dostanie mandat. Proszę mi obiecać, że zatańczy pani ze mną tango!

– Zobaczę – zaśmiała się subtelnie Lili. – Dziękuję za kwiaty! – dodała, ruszając już po bruku Brackiej.

Oficer stał jeszcze moment, patrząc na nią. Wiedząc, iż on wciąż na nią patrzy, szybkim krokiem przeszła kilkaset metrów, aby po chwili minąć witającego ją portiera w liberii i wkroczyć w świat domu towarowego. Wciąż zaaferowana spotkaniem z oficerem, skierowała się bezwiednie na drugie piętro do działu strojów kobiecych. Tam znalazła bez trudu Joasię, która ze zrezygnowaną miną podchodziła do stojaków z wieszakami i spoglądała na wiszące na nich sukienki.

– Och, nigdy niczego nie wybiorę! – jęknęła na widok Lilianny.

– Moja droga, podjedźmy na piąte piętro, tam znajdują się pracownie sukien – odparła Lili i obie udały się do windy, a następnie na górne piętro, gdzie zapytały o suknię balową dla młodej dziewczyny, a sprytna propagandystka zaprezentowała im skromne toalety z zakładu krawieckiego Woronowicza, zachwalając ich jakość oraz prezencję.

Joasi udało się bardzo szybko wybrać jeden z modeli, który trzeba było jedynie trochę skrócić. Zadowolona, czując wyraźną ulgę, pozwoliła Lili zabrać się na herbatę i napoleonki do baru na trzecim piętrze.

Nagle Joasia zaczęła się wypytywać o Żorżyka, jaki jest, dlaczego mieszka we Francji, czym się zajmuje. Ciekawość siostrzenicy rozbawiła Liliannę.

– A wiesz, że kiedy wyszłaś, on pytał o ciebie? Może to miłość od pierwszego wejrzenia? – śmiała się, w duchu planując już małżeństwo kuzyna i siostrzenicy. Byliby jej dozgonnie wdzięczni za szczęście, do którego przyłożyła pomocną rękę. Nie powiedziała tego na głos, ale obserwując zmieszanie i zarumienione policzki Joasi, wywnioskowała, że przystojny Jerzy zrobił na dziewczynie ogromne wrażenie. Ten akurat rozglądał się za żoną, stąd też pytania o jej sytuację. Co prawda kuzyn celował raczej w bogate panny z bardzo dobrych rodzin, więc Joasia nie była aż tak łakomym kąskiem. Jednak czy miłość nie niweczy planów zdobycia fortuny czy koneksji?

– Bylibyście piękną parą! – powiedziała, na co Joasia uroczo się zarumieniła.

Tej nocy Lilianna nie mogła zasnąć, rozemocjonowana perspektywą ponownego spotkania z podpułkownikiem Grzegorzewskim. Dwukrotnie gasiła i znowu zapalała lampę, decydując się w końcu na lekturę nowych numerów magazynów, których do tej pory nie miała okazji gruntownie przejrzeć.

Z umiarkowanym zaciekawieniem czytała miesięcznik „Paryż–Warszawa" z doniesieniami o najnowszych trendach w paryskiej modzie, aby w końcu sięgnąć do pierwszego w nowym roku wydania „Bluszczu". Przekartkowała czasopismo, ale wydało jej się wyjątkowo nudne, znowu góry, zimowe sporty, ankieta z nagrodami *Czy kryzys feminizmu?* Wreszcie jej wzrok przykuło ogłoszenie reklamowe:

Aby się wełniane trykotaże nie kurczyły, aby jedwabna bielizna nie niszczyła się przedwcześnie, należy je prać w mydle żółciowym M. Malinowskiego.

Zapewne było to „dzieło" Juliana... Myśl o nim wzbudzała w niej niezrozumiałą niechęć. Joasia miała rację, mówiąc o nim, że jest dziwny. Było w nim coś niepokojącego, coś tajemniczego, czego nie rozumiała. Tacy zresztą powinni być poeci, ale w tej chwili potrzebny był jej ktoś na miarę przystojnego oficera.

W końcu zgasiła światło i leżała, wpatrując się w cienie kładące się na suficie, gdy niespodziewanie do jej sypialni wszedł Tadeusz. W pierwszym odruchu chciała udawać, że śpi, ale w końcu przyzwoliła na to, aby wsunął się obok niej pod kołdrę. Marzenia o bliskości mężczyzny pachnącego mieszaniną wyprawionej skóry i wody nie mogły zostać w tej chwili zrealizowane, zadowoliła się więc tą namiastką namiętności. Tadeusz, wyraźnie wzruszony dopuszczeniem go do małżeńskiego łoża, z którego został wykluczony kilka miesięcy temu, obsypywał żonę pocałunkami i pieszczotliwymi słówkami, które szybko ją poirytowały. Wolałaby, żeby mówił coś innego, choć nie wiedziała dokładnie co. Czekała na próżno, aż mąż dotknie palcami jej krocza. Chciała być tam pieszczona, ale przecież nie mogła tego powiedzieć. Tadeusz uznałby ją za wyuzdaną. Sam zaś nie chciał czy po prostu nie umiał się domyślić, co sprawiłoby żonie przyjemność. Może zresztą wcale mu na jej przyjemności nie zależało?

Trwała więc w milczeniu, choć czuła się wykorzystana, podczas gdy leżący na niej mąż sapał i wykonywał ruchy, które przypominały jej wysiłek atlety. Żałując, że w ogóle zgodziła się na akt bliskości, czekała, aż będzie po wszystkim, myślami wracając do swojego oficera. Po kilkunastu minutach Tadeusz zsunął się z niej i ciężko oddychając, legł na plecach na łóżku.

– Chciałabym pójść na bal w Hotelu Europejskim. Postaraj się zdobyć zaproszenie – powiedziała, odwracając się do męża plecami. Nie miała już skrupułów. Pomyślała, że skoro ona nie czerpie z małżeńskiego pożycia należnej jej przyjemności, będzie traktowała małżeństwo jako układ, w którym drogą negocjacji oraz nacisków osiąga się wytyczone cele.

– Moja droga, rozumiem, że myśl o Paryżu przestała cię już zadręczać? Proszę, przemyśl to wszystko, chętnie wysłałbym cię z Tosią nawet do Szwajcarii do sanatorium lub na południe Francji. Rozumiem, że chcesz odpocząć, ale ten Paryż... – powiedział, wstając i zapinając guziki koszuli od piżamy.

Lili nie odzywała się. Pocałował żonę w czoło i życząc dobrej nocy, wyszedł z jej sypialni. Zasypiając, Lilianna pomyślała, że wyjazd, którego tak pragnęła, przestał już budzić w niej dawny entuzjazm. Co powiedziałaby matce i siostrom? Jak długo miałaby tam siedzieć? Przecież na zupełne zerwanie małżeństwa nigdy nie mogłaby pozwolić. Wizja dalekiej podróży, konieczność mówienia po francusku, zorganizowania sobie życia, wszystkie te trudy odbierały Paryżowi poetykę i atrakcyjność. I jeszcze Julian, młodszy od niej, biedny, cóż miałaby z nim zrobić? Przedstawiać jako kuzyna? To byłoby podejrzane i dwuznaczne.

Kolejny dzień od samego rana potoczył się fatalnie. Tosia obudziła się z wysoką gorączką, brzydko kaszląc. Lili natychmiast posłała po doktora, który przybył w ciągu godziny i zalecił inhalacje. Dziewczynka potwornie płakała i nie chciała poddać się zabiegom. W południe gorączka wróciła, a kaszel jeszcze się nasilił.

– O mój Boże, o Jezu, o Jezu! Co to będzie, biedne dziecko... Udusi się jeszcze, udusi, tak kaszle – powtarzała, robiąc znak krzyża, służąca.

– Niech Marysia przestanie jojczyć i przyniesie kompresy! – ostro przerwała jej Lilianna, coraz bardziej zdenerwowana pogarszającym się stanem zdrowia dziecka.

W końcu w porze obiadu umęczona kaszlem i temperaturą dziewczynka zasnęła. Lili usiadła w salonie, każąc podać sobie tylko talerz zupy. Przeglądając przyniesioną rano korespondencję, zauważyła skierowany do niej osobiście list, na którym brakowało danych nadawcy. Rozerwała kopertę i zobaczyła pismo Juliana, który w kilku zdaniach informował ją, iż z tylko jemu wiadomych przyczyn, musiał natychmiast opuścić Warszawę i liczył na spotkanie z Lilianną wkrótce w Paryżu. Koperta miała stempel krakowskiej poczty. Lili westchnęła i schowała list pomiędzy kartki *W stronę Swanna* Prousta. Nie miała teraz ani siły, ani ochoty na myśli o wyjeździe.

Nie radząc sobie z obniżaniem nawracającej gorączki, po południu do małej znowu wezwano lekarza, który stwierdził, iż bronchit nasilił się i najbliższe godziny pokażą, czy choroba obejmie płuca. Nawet Tadeusz mocno się zaniepokoił i po powrocie z kancelarii spędził kilka godzin przy łóżku dziecka. Dziewczynka leżała bezwładnie z ukochaną lalką shirleyką u boku, z rzadka otwierając oczy. Lilianna co kilka minut zmieniała kompres na zimny i przykładała go do rozgrzanego czoła dziecka, głaszcząc je po drobnej rączce. Każdy atak kaszlu sprawiał, że odczuwała coraz większy niepokój o zdrowie, a nawet życie Tosi. Strach prawie odbierał jej oddech i gdyby nie opanowanie Tadeusza, na pewno wpadłaby w panikę. Następnego dnia rano, po potwornej nocy, kryzys minął. Dziecko obudziło się, oddychając spokojniej, i zażądało rosołu z lanymi kluskami. Wezwany lekarz potwierdził, iż najgorsze minęło.

Wieczorem Lili z Tadeuszem odczuwali ten rodzaj spokojnego szczęścia, znanego tylko rodzicom, którzy zdołali uchronić dziecko przed najgorszym. Wypili po kilka kieliszków wiśniówki, nawet przez moment tańczyli do nadawanego w radiu tanga *Capri*, które śpiewał Mieczysław Fogg. Lili spojrzała na męża łagodniejszym niż zazwyczaj wzrokiem, a on zrewanżował się upragnionym zaproszeniem na wielki bal w Hotelu Europejskim. Właśnie wtedy, gdy czuwali wspólnie przy chorej Tosi, zdecydowała, że do Paryża w najbliższym czasie nie pojedzie.

Nazajutrz po śniadaniu Lilianna wybrała się po sprawunki, by przy okazji wrzucić do skrzynki list do Juliana, adresowany, tak jak prosił, na poste restante. Żył, był zdrowy, nie wspominał o żadnych kłopotach, ale domyśliła się, że nie bez powodu musiał opuścić Warszawę. List przypomniał jej bolesną rezygnację z marzeń o Paryżu i zawód, jaki czuła, wiedząc, że nadal będzie tak jak dotąd i jej życie wcale się nie zmieni. Znowu poczuła gorycz związaną z fiaskiem swoich marzeń. „Przecież dziecko jest najważniejsze" – powtarzała sobie raz za razem.

Kiedy wróciła do domu z paczkami ciastek na swój fajf i kilkoma upominkami dla czującej się już lepiej córeczki, w mieszkaniu czekała na nią Joasia, która przyszła na chwilę po lekcjach, aby zapytać o zdrowie Tosi. Lili promieniała radością, jaką dało jej wyzdrowienie dziecka, i była podekscytowana perspektywą czekających ją wkrótce wydarzeń. Jej myśli zajmowały teraz kwestie toalety i dodatków, uczesania i perfum, wszystkiego, co powinno pomóc jej lśnić na jednym z najważniejszych balów w sezonie. Swoją radością chciała obdzielić nie tylko ukochane dziecko, ale także Joasię, którą próbowała namówić na spotkanie z Żorżykiem, w jej – rzecz jasna – obecności.

– To nic złego, moja droga, że spodobał ci się przystojny mężczyzna! W dzisiejszych czasach nowoczesne kobiety mogą o tym mówić! – zachęcała Joasię do zwierzeń.

– Droga ciociu, przemyślałam sobie wszystko i tylko utwierdziłam się w swoich zamiarach: chcę studiować, być prokuratorem, może sędzią? Nie mogę być jedną z tych – mam nadzieję, że cię nie urażę – kobiet pozostających w zależności od męża. Ta niewola ekonomiczna kobiet, brak dostępu do wyższych stanowisk, to wszechobecne zacofanie, które ubiera się w płaszczyk tradycji, rugowanie mężatek z pracy, bo w kryzysie jedna pensja w rodzinie powinna starczyć... Ja nie chcę być obojętna na to, co dzieje się w tym kraju. Chcę walczyć o to, co kobietom się należy!

– Podziwiam cię, Joasiu, i wierz mi, cieszę się, że myślisz tak inaczej, tak dojrzale! Kiedy sobie przypominam siebie w wieku osiemnastu lat, widzę, jak bardzo zmienia się świat, i to dobrze! Bardzo dobrze! Ja, będąc młodą dziewczyną, myślałam głównie o spełniających wysokie wymagania kandydatach na męża. W ogóle nie wyobrażałam sobie innej przyszłości niż rodzina. Tak mnie wychowano, tak myślały moje siostry i koleżanki. I teraz mam swoje wymarzone życie... Ale cieszę się, że młode dziewczyny chcą się uczyć i pracować... – westchnęła Lili z goryczą. Skrycie zazdrościła Joasi odwagi wyrażania głośno swoich poglądów, jej nigdy nie było na to stać.

– Ty, ciociu, masz przecież wykształcenie, mogłabyś pracować, grać, komponować, uczyć przede wszystkim, robić tyle pożytecznych rzeczy!

– Och, Joasiu… to nie takie proste. Mam męża, dziecko, muszę dopilnować domu, przecież Tadeusz przy jego pozycji nie pozwoliłby, aby żona dorabiała lekcjami gry na fortepianie! Co do komponowania, to nigdy nie byłam w tym dobra. Owszem, gram, ale nie wybitnie. Nie jestem Różą Etkin! Wiesz, chodziłam z nią do jednej klasy w konserwatorium.

– Nie wiedziałam! Wspaniale gra, wspaniale…

– Może wybierzemy się razem na jej koncert? Chętnie spotkałabym się z nią i pogratulowała kariery! Czasami wyobrażam sobie, że jestem nią… Nie mam rodziny, daję recitale w różnych miastach świata, podróżuję… To musi być bajka! – rozmarzyła się Lili.

Rozdział 20

Kwiecień 1935
Powrót do Warszawy

W miasteczku nie było żadnego wyszynku, gdzie mógłby nabyć coś do jedzenia, więc za złoty krótki łańcuszek (pewnie przeznaczony na prezent z okazji chrzcin) kupił kilo kiełbasy prosto od rzeźnika i siedząc pod rozłożystym dębem, zjadł ją tak łapczywie, że po godzinie zwrócił całą zawartość żołądka.

Kilka razy stukał do drzwi felczera, pukał w szyby, starał się cokolwiek zobaczyć przez zastawione pelargoniami okno, ale nie mógł dostrzec żadnego śladu obecności człowieka. Odpowiadały mu tylko ujadające psy.

Dzień był piękny, chmury beztrosko leniły się gdzieniegdzie na błękitnym niebie. Z nudów wspiął się na wzgórze zamkowe i obszedł ruiny dawnego zamku, z którego pozostały jedynie fragmenty trzech wież. Później zjadł kawałek czerstwego chleba i przespał się, leżąc na łące, jej zielny zapach przypomniał mu pobyt na letnisku, tych kilka dni pod Augustowem spędzonych z Lili, które teraz wydały mu się nierealne niczym sen.

Kiedy wieczorem Julian ponownie pojawił się przed drewnianym domem felczera, tym razem z komina wydobywał się dym. Drzwi otworzył mu postawny, dosyć groźnie wyglądający mężczyzna. Felczer cuchnął czosnkiem i machorką, nosił jakiś brudny kubrak i spodnie, jakie Julian widział u wracających z pola chłopów.

Długo lustrował wzrokiem nachodzącego wątłej postury mężczyznę, zanim zdecydował się wpuścić go do skromnej izby, gdzie Julian wyłożył swoją prośbę. Na felczerze nie zrobiła wrażenia ani informacja o prawdziwej płci ukrytej pod garniturem, ani o ciąży. Żądał za to wysokiej zapłaty za spędzenie płodu.

Julian rozglądał się wokół po niewielkim, niemal pustym, nie licząc metalowego łóżka i półki zapełnionej fiolkami i słojami, pomieszczeniu, gdzie miał być przeprowadzony zabieg. Felczer zapewnił go, że zna się na rzeczy i nieraz już pomagał dziewczętom z miasteczka. Julian miał złe przeczucia i bał się komplikacji, ale nie miał już siły dłużej czekać i jechać gdzie indziej, szukać kolejnego doktora, narażać się na odmowę, pogardę lub złe traktowanie. Dobił więc transakcji z felczerem, przekazując mu płócienny woreczek z trzema złotymi obrączkami, a ten schował go za koszulę.

– Przyjdź nad ranem, przed szóstą! – powiedział, niemal wypychając Juliana za drzwi.

Myśl, że jutro już będzie po wszystkim, natchnęła go takim entuzjazmem, że po raz pierwszy od dłuższego czasu zaczął myśleć o przyszłości. Wreszcie zaczynał etap, o którym dotychczas myślał jak o fantasmagorii, jakie ogląda się w kinie, obserwując znane twarze aktorów, udających coś, o czym wiadomo, że nie jest prawdą.

Przeszedł się na rynek, gdzie w jednym ze sklepików prowadzonym przez starego Żyda kupił tytoń, bibułki do skręcenia papierosów i siedząc na ławce, palił, patrząc, jak zapada zmierzch nad widocznymi na wzgórzu ruinami zamku.

Wieczór był ciepły i przesycony aromatem kwitnących drzew. Gdy zapadł zmrok, Julian wyszedł za teren zwartej zabudowy miasteczka do porastającego niewielkie wzniesienie lasu, gdzie położył się na mchu, pod drzewem i, trzymając kurczowo teczkę, w której tkwiły woreczki z biżuterią, patrzył przez chwilę z tęsknotą w kierunku widocznych w oknach domów świateł, po czym zupełnie wyczerpany spokojnie zasnął.

Nazajutrz ledwie zaczęło świtać, Julian już leżał, z rozchylonymi szeroko udami, trzęsąc się, cały spięty i pełen obaw. Jeszcze nigdy dotąd nie czuł się tak bezbronny, osamotniony i skrzywdzony przez los. Przypomniał sobie mimo woli cuchnący wódką oddech tłustego Cyryla, jego opasłe, szturmujące ciało i grube, łapczywe ręce zdzierające mu majtki. Poczuł, jak łzy płyną po policzkach.

– Trza było myśleć, zanim się zadarło kieckę, a nie tera... – odezwał się felczer, patrząc na Juliana posępnie, po czym podszedł do niego z jakimś niewielkim narzędziem, podsunął sobie stołek i usiadł na nim, mając głowę między rozsuniętymi udami. Bez słowa podwinął Julianowi koszulę i odszukał na przedramieniu żyłę, w którą wbił igłę strzykawki z żółtą substancją, szybko dociskając jej tłok. – Żeby nie bolało – powiedział tylko.

Nagle Julian poczuł w pochwie rozdzierający ból, który szybko rozlał się na całe podbrzusze.

– Nie ruszaj się! – zakomenderował mężczyzna.

W głowie Juliana znienacka zabrzmiała usłyszana gdzieś w Krakowie rzewna piosenka. *Jestem marzycielem, jestem marzycielem* – śpiewał wysokim, smutnym głosem śpiewak, a towarzyszący mu fortepian jak echo powtarzał frazę.

Zamknął mokre oczy i wyobraził sobie, jak idzie przez pachnącą, falującą łąkę, dłońmi pieszcząc czubki kwiatów i źdźbeł trawy. Czuł ten zapach ziemi, roślinności, gdy nagle zaczął tracić świadomość. Nie czuł już nic.

Kiedy się ocknął, było ciepłe, wczesne popołudnie. Leżał w jakimś stęchłym rowie na poboczu gruntowej drogi. Z trudem podciągnął się do góry, na poziom równy polom i nielicznym drzewom rosnącym wzdłuż piaskowego pasa, serpentyną wijącego się między łąkami. Plama radosnego, miodowego światła kładła się na łanach zieleni, przetykanych polnymi kwiatkami. Pejzaż był tak sielski, iż dopiero po dłuższej chwili do Juliana dotarło, w jak tragicznym jest położeniu.

Z początku nie był w stanie zrozumieć, co się z nim działo, i nie wiedział, gdzie się znajduje. Zaraz jednak przypomniał sobie zatęchłą norę felczera, jego oddech cuchnący gorzałą, własny strach i myśl, że wywołanie poronienia przypłaci życiem i nikt nigdy nawet nie dowie się, w jakich okolicznościach zginął. Przypomniał sobie potworny ból w kroczu i w dole brzucha, gdy mężczyzna zaczął wkładać tam jakieś narzędzia, swój płacz i chęć natychmiastowej ucieczki. Krzyczał, że chce odejść, że nie chce już pomocy felczera. I później już nic. Film się urywał.

Teraz zaś leżał porzucony w tym rowie, obolały, bez niczego, zupełnie niczego. Nie było ani walizki, ani teczki! Nie miał nic. Był tylko on, wyrzucony śmieć. Nie wiedział, jak dużo czasu upłynęło od zabiegu. Od gwałtownych emocji, które nim tak nagle wstrząsnęły, zakręciło mu się w głowie.

Legł na wznak na trawie i zawył jak zwierzę, nie mogąc pojąć swojej krzywdy. Wszystko mu zabrano, klejnoty, jego rzeczy, nawet fałszywe dokumenty, portfel, w którym trzymał zdjęcia z Lili. Felczer ograbił go doszczętnie i wyrzucił pewnie spory kawałek za miastem, żeby zdechł. To był koniec.

Zaczął szlochać, wykrzykując z piersi swój ból, którego żałosny jazgot niósł się po łanach kwiecistych łąk. Płakał rozpaczliwie, ale ani delikatnie szeleszczące od porywów ciepłego wiatru drzewa, ani owady latające nad łąką, ani białe obłoki na błękitnym niebie nie reagowały na jego cierpienie.

Był zmaltretowany, brudny, słaby i obficie krwawił. Oddanie moczu sprawiło mu potworny ból promieniujący na całe podbrzusze, wdzierający się aż do wnętrza umęczonego ciała i podchodzący falami gorąca do samego gardła. Kilkakrotnie wymiotował i tracił przytomność. *I tak pewnie tego nie przeżyję* – mówił sam do siebie.

Łzy w końcu przestały płynąć, mdłości i krwawienie ustały, a wówczas Julian instynktownie, resztką sił zaczął się modlić. Szeptem wypowiadał słowa modlitwy: *Ojcze nasz, Zdrowaś Mario*, sam zdziwiony faktem, że je jeszcze pamięta. Przez wiele lat nawet o Bogu nie myślał, a teraz odnalazł go tu w przydrożnym rowie i może mu opowiedzieć o swoim tragicznym położeniu. Recytował modlitwy jedna za drugą, nie wierząc, że zasługuje na wsparcie tego, w którego istnienie przecież zwątpił. Jednak uparcie powtarzał dobrze znane słowa i czuł spokój, jakby śpiewał ulubioną piosenkę z dzieciństwa, którą dawno temu nuciła mu matka.

Słońce przybrało ciemnopomarańczową barwę, a ciało zaczęło domagać się swego. Głód i pragnienie zmusiły go, aby mimo wszystko stanął na nogi i usiadł tuż przy drodze, czekając na jakiś wóz, który wcześniej czy później musiał się tu pojawić. Nie wiedział, ile czasu czekał wstrząsany dreszczami i falami bólu, który prawie odbierał mu rozum. W końcu usłyszał przybliżający się odgłos silnika samochodowego. Zapadał piękny zmierzch. Julian z trudem podniósł się z trawy i zaczął rozpaczliwie machać. Na szczęście samochód dostawczy, który wyłonił się zza zakrętu, zatrzymał się. Kierowca spojrzał na niego podejrzliwie. Musiał wyglądać żałośnie w brudnym, pogniecionym garniturze, bez kapelusza, w zabłoconych butach, dosłownie bez niczego, jeśli nie liczyć sygnetu z asortymentu Cyryla, który felczer mu zostawił.

– Czego? – zapytał go wąsaty mężczyzna.

– Zostałem okradziony, ograbiony, muszę się dostać do Warszawy!

– Na policję pan idź. Mogę podrzucić do Radomia, dalej nie jadę!

Po kilku minutach dobili transakcji. W zamian za sygnet mężczyzna zgodził się podzielić z Julianem jedzeniem i piciem, dowieźć do miasta, kupić mu bilet na pociąg i dać mu jakiś prowiant.

Julian bez żalu zdjął z palca niewielki sygnet, po czym z trudem wsiadł do wozu. Kierowca dał mu pajdę chleba posmarowaną smalcem, kawałek kaszanki i butelkę piwa. Od razu zaczął go wypytywać o okoliczności rzekomego napadu.

– Pan wybaczy, bardzo źle się czuję, tłumaczę, że nic nie pamiętam. Widocznie zostałem huknięty w głowę. Kiedy się ocknąłem, byłem na polu, bez niczego, bez walizki, portfela, niczego... – tłumaczył Julian, łapczywie pochłaniając jedzenie.

– Co za przykra sprawa! Teraz tyle tego łajdactwa się porobiło, panie...

Ale Julian nie słyszał już jego słów. Usnął osłabiony z butelką niedopitego piwa lwowskiego w ręce. Obudził się dopiero, gdy był już ranek, a kierowca potrząsał nim, mówiąc, że dotarli do Radomia. Mężczyzna zachował się zgodnie z umową, wsadził Juliana do pociągu z torebką pączków i butelką mleka. Dał mu jeszcze dwa złote do kieszeni.

– No, żebyś tam pan nie był bez grosza! Musi się panem jakaś kobita porządnie zająć, bo z takiego chuderlawego chłopa żadnego pożytku nie będzie! – powiedział na pożegnanie, poklepał go po plecach i odszedł.

W pociągu Julian ciągle czuł ból w dole brzucha. Włożona do majtek szmatka wciąż nasiąkała krwią. Czuł ogromną słabość, nie tylko ciała, ale i ducha. *Wszystko jedno, wszystko mi jedno* – mówił sobie wciśnięty w kąt telepiącego wagonu. Na myśl, że zobaczy znowu Warszawę, nie mógł pohamować łez. Dopóki nie wysiadł na Dworcu Głównym, nie wiedział nawet, dokąd pokieruje swoje pierwsze kroki.

Kiedy już wyszedł na ulicę w cudowne czerwcowe południe, miasto wydało mu się piękne, a łzy wzruszenia napłynęły mu do oczu. Drzewa i krzewy zieleniły się, kwitły kwiaty, przykuwając wzrok tysiącem kolorów. Nie dostrzegał końskich odchodów, leżących na chodnikach żebraków i obdrapanych fasad niektórych budynków. Ruch, zgiełk, tłumy śpieszących gdzieś przechodniów w letnich już strojach, cała ta gwarna energia miasta, z jego majestatycznymi budowlami i jasnym słońcem zalewającym ulice, sprawiła, iż wstąpiła w niego nadzieja na ratunek.

Wyglądał niestety jak niedomyty żebrak i wstydził się wsiąść w takim stanie do tramwaju. Pomyślał, że ubłaga ciotkę, aby dała mu się odświeżyć, zmienić odzież, że wstąpi na Koszykową tylko na godzinkę. Ciotka będzie zagniewana, ale zlituje się nad nim, może da parę groszy, aby mógł gdzieś się ukryć.

Wiedział, że to szaleństwo, ale skierował swe kroki ku znajomej kamienicy, gdzie kiedyś miał namiastkę rodzinnego domu. Żeby tylko się umyć, zmienić to przepocone i zakrwawione ubranie brudne od piachu i trawy, te całkowicie zniszczone buty…

Szedł Koszykową obok gmachu Wydziału Architektury i już miał przejść przez skrzyżowanie z Lwowską, gdy niespodziewanie stanęła przed nim Andzia.

– Coś podobnego! – krzyknęła na jego widok, nie kryjąc oburzenia.

Przerażony spojrzał na kobietę, z początku ledwo poznając swoją dawną służącą. Teraz wyglądała na dosyć zamożną panią, ubrana w kostium w pasy, biały kapelusz przewiązany wstążką, z elegancką torebką i małym, wystrojonym w marynarskie ubranko dzieckiem prowadzonym za rękę.

– Ależ masz tupet! Nie wierzę!!! Jak śmiesz tu przychodzić po tym, jak wpędziłaś ciotkę do grobu? Ciotkę, która ci pomagała, żywiła cię, gościła w swoim domu?

– Co się stało cioci? – wyszeptał Julian.

– Co się stało? Pytasz się? Serce jej stanęło! Przez to wszystko, co nawyprawiałaś, przez ciebie! Ledwo trzy tygodnie temu ją pochowaliśmy. I po co się pokazujesz? Że też policja jeszcze cię nie złapała, ty oszukanico jedna, ty zdziro jedna! – wykrzykiwała tak głośno, aż przechodzący ludzie oglądali się na nich, a dziecko zaczęło płakać, wystraszone podniesionym tonem jej głosu.

– Wynoś się stąd, widzieć cię nie chcę! Co, przyjechałaś zabrać mi mieszkanie? Myślisz, że coś zdziałasz? O nie! To ci mówię! Opiekowałam się twoją nieszczęsną ciotką w chorobie i ona mi zapisała je w testamencie, przy notariuszu! Nie masz żadnych praw do tego mieszkania, a więc zmiataj stąd, bo zacznę krzyczeć! Ty obdartusie, jak ty wyglądasz? Cuchniesz, jakbyś w chlewie jakim siedziała! Fuj. – Splunęła mu pod nogi, po czym wzięła dziecko na ręce.

Julian, całkowicie wstrząśnięty, nie mógł się ruszyć. Andzia ruszyła żwawo w kierunku bramy kamienicy, nie oglądając się nawet na Juliana.

– Chciałem się tylko umyć, głodny jestem… – rzucił za nią zrezygnowany.

Słysząc jego słowa, Andzia odwróciła się na pięcie i z uśmiechem satysfakcji powiedziała:

– No proszę, jak to się życie potrafi ułożyć… Panienka z dobrego domu, taka wyuczona… – kpiła, lubując się każdym wypowiadanym słowem, które odpowiednio modulowała z szyderczym uśmiechem.

– Masz, kup sobie chleba, wywłoko! I nigdy więcej się tu nie pokazuj! Zresztą to kwestia czasu, jak wylądujesz w więzieniu, gdzie twoje miejsce! – powiedziała, rzucając w jego stronę monetę, po czym zniknęła w bramie.

Julian schylił się i podniósł z bruku jednozłotową monetę. Na myśl o ciotce łzy napłynęły mu do oczu. Szedł Lwowską, powłócząc nogami, wzburzony tym, co zobaczył i czego się dowiedział. Wredna, zachłanna dziewucha musiała sama ciotkę zmusić, aby ta zapisała jej mieszkanie. Pewnie leżała już na łożu śmierci, chora i zależna od pomocy tej wariatki, nie miała wyjścia… A może Andzia sama doprowadziła do jej śmierci, być może fabrykując testament?

Przeszedł Poznańską do Alei Jerozolimskich, następnie skręcił w wypełnioną ludźmi ruchliwą Marszałkowską, kierując się ku ulicy Moniuszki. Jego gorycz narastała, gdy widział tak pięknie ubranych ludzi, kobiety w jasnych strojach i eleganckich mężczyzn siedzących przy stolikach w kawiarnianych ogródkach, które napotykał co krok. Mijał radosne matki prowadzące dzieci za rękę, spieszących gdzieś jegomościów w kapeluszach, nawet mijani żebracy wydawali mu się niesłusznie obdarzeni szczęściem. Ze złością spojrzał na grającego na harmonii mężczyznę z obciętą do kolana nogą. Dźwięk instrumentu przypomniał mu Paryż. Wszystko poszło źle przez marzenia Lili o wyjeździe do tego miasta.

Tylko ona mogła mu teraz pomóc. Nie było wyjścia, musiał się jej pokazać w tak opłakanym stanie, brudny, wręcz cuchnący, pozbawiony wszystkiego, zdany całkowicie na jej łaskę. Nie miał nawet siły myśleć, co jej powie, jak się wytłumaczy. Byle tylko ją zobaczyć... Przyśpieszył kroku. Dotarłszy pod jej kamienicę przy Moniuszki, sterczał jakiś czas blisko wejściowej bramy. Nigdy wcześniej nie odważył się zapukać bezpośrednio do jej drzwi i tym razem też tego nie zrobił, wyobrażając sobie, że służąca otwiera i widzi przed sobą kogoś, kto przypomina obdartego żebraka. *A jeśli Tadeusz jest już w domu?* – pomyślał i wycofał się na ulicę. Czekał jeszcze kilkanaście minut, po czym postanowił zajrzeć do Ziemiańskiej. Zwykle o tej porze Lili najbardziej lubiła zachodzić tam na popołudniową kawę.

Przeszedł przez plac Napoleona, skręcił w Mazowiecką i po kilku minutach dotarł do cukierni. Pchnął obrotowe drzwi i wszedł do zadymionego, wypełnionego gwarem wnętrza. W pierwszej sali było dosyć pusto jak na tę porę dnia, przeszedł więc do tonącego w kwiatach ogródka. Tam ją zobaczył. Cała promieniała w blasku słońca, ubrana w liliową sukienkę i słomkowy kapelusz. Uśmiechnięta, pełna uroku, trzymała w dłoni papierosa i mówiła coś do siedzących przy okrągłym stoliczku osób. Dopiero po chwili Julian zorientował się, iż towarzyszy jej trzech nieznanych mu mężczyzn i jakaś odwrócona do niego plecami kobieta. Siedzący obok Lilianny młody oficer w mundurze poufale szeptał jej coś do ucha, dłonią przesuwając po jej ręce odzianej w sięgającą łokcia rękawiczkę.

Widok ten był wstrząsem, który niemal zwalił go z nóg. Julian poczuł, jak ogarnia go tak gwałtowne poczucie odrzucenia i zdrady, iż niemal krzyknął, widząc, jak Lili zanosi się śmiechem, jak kiedyś przy nim, odrzucając do tyłu głowę, a oficer całuje jej rękę.

Przechodzący kelner zmierzył go od stóp do głów i nieprzyjemnym tonem powiedział:

– Pan raczy coś zamówić?

Julian pokręcił tylko głową i czym prędzej wyszedł z lokalu. Wypadł na ulicę, czując druzgocącą krzywdę. Widział wciąż przed oczami roześmianą, brylującą w towarzystwie JEGO Liliannę. Tak nagle obcą, budzącą wielką złość i gorycz.

Znowu ruszył przed siebie. Co mógł teraz zrobić? Nikomu nie był potrzebny, nikt nawet nie był w stanie zlitować się nad nim. Szedł jak ślepiec, skupiony na swoim wielkim żalu i szoku, jaki spowodował widok ukochanej i mężczyzny, który zapewne był jej kochankiem.

Ale czy mógł ją winić? Przecież tak nagle zniknął z jej życia. Niby gdzieś tam czekał, ale nie był obok niej. Gdyby widywali się jak dawniej, na pewno byłoby inaczej... Jak mógł się dziwić? Tak piękna, do tego szukająca przygód kobieta jak Lili... Jak mógł się łudzić, że będzie tylko jego?

Szedł przed siebie, nie wiedząc dokąd, ostatecznie pokonany, całkowicie zdruzgotany. Był wrakiem. Czuł, że ten rozpierający go natłok emocji ukoiłoby teraz tylko zmęczenie ciała, fizyczne wycieńczenie, jak po zawodach wioślarskich albo pływaniu kraulem. Bardzo tego potrzebował, ciężkiego oddechu, poczucia, że bezruch będzie nagrodą i ulgą dla ciała, które dosięgło granic wytrzymałości. Co mógł zrobić? Przez myśl przeszedł mu skok z mostu. Z bijącym sercem, nie mogąc się uspokoić, szedł, przepychając się między zadziwiająco powolnymi ludźmi, przeciął ponownie plac Napoleona i Bracką dotarł do Alei Jerozolimskich. Szedł, a właściwie biegł ile sił w nogach. Poszturchiwani, mijani przez niego ludzi pokrzykiwali, aż w końcu musiał zwolnić.

– Panie, to jest ulica! Co pan tak biegniesz? Goni cię narzeczona, a może policja? – Potrząsnął jego ramieniem grubszy jegomość z wąsem.

Powstrzymując pobudzone ciało, powściągał ruchy, przechodząc przez skrzyżowanie Nowego Światu z Alejami Jerozolimskimi, skąd skierował się w stronę mostu Poniatowskiego. Gorączkowo pragnął czegoś, co zatrzymałoby go w tym pędzie nie wiadomo dokąd i po co. *Skoczyć?* – myślał, idąc ku rzece. Może to było jedyne rozwiązanie tej sytuacji. Jego galopujące serce uspokoiłoby się wreszcie, jego męka minęłaby bezpowrotnie. Wyłowiliby go z wody, przemoczonego, poddali autopsji, zidentyfikowali i ubrali zapewne do trumny w sukienkę... Ta myśl sprawiła, że poczuł wewnętrzny opór i niechęć. Nawet śmierć nie mogła dać mu wolności, pomyślał z goryczą, szukając w panice jakiegokolwiek wyjścia z sytuacji. Nie miał dokąd iść, nie miał co ze sobą zrobić.

Przez myśl przeszła mu matka. Ona nawet patrzeć nie chciałaby na niego, wyrzekła się dziecka – może z ulgą zapomniała o hańbie i wstydzie, jaki przyniosła jej córka.

To koniec, to koniec – grzmiało mu w głowie.

Nie miał już siły, aby dalej uciekać i ukrywać się. Gdyby mógł chociaż biec, po prostu biec przed siebie... Miał wrażenie, że biegłby tak godzinami, bez końca, do utraty sił. Ale kto to widział, aby biegać po mieście, musiał więc hamować swą potrzebę ruchu. Strużki potu płynęły mu po plecach, czuł mokre pachy, spoconą skórę między udami.

Nie wiedział już, kim jest. Może nawet nigdy nie stworzył siebie choćby we własnym umyśle. Zawsze określał się wyłącznie przez stwierdzenie, kim nie jest. Dotarł do granic swoich możliwości. Nie miał już żadnej nadziei.

Stanął przy zatkniętej na słupie tabliczce z napisem „Przejście dla pieszych" i wraz z grupą innych przechodniów czekał, aż przejedzie czerwony tramwaj, aby przejść na drugą stronę Alei Jerozolimskich. Szedł bez celu, przed siebie. Popatrzył na ten chaotyczny ruch na ulicach, ludzi kluczących między samochodami, trąbiące pojazdy, wozy ciągnione przez konie, które co rusz smagano batem, na mężczyzn na rowerach niezwracających w ogóle uwagi na przechodniów, na tych, którzy nie mieli cierpliwości, aby czekać na swoją kolej, i wchodzili na jezdnię, zmuszając pojazdy do zatrzymania się. Jego wzrok padł na parę policjantów stojących na chodniku.

Nagle jakiś impuls sprawił, iż Julian, słaniając się na nogach, podszedł do umundurowanych mężczyzn i powiedział, iż jest poszukiwaną Julią Szewcówną, złodziejką, która okradła zakład jubilerski przy Targowej. Policjanci patrzyli na niego w osłupieniu, po czym spojrzeli jeden na drugiego i obaj ciężko westchnęli.

– Chory pan jesteś? Kto pana poszukuje? – zapytał jeden z policjantów.

– Jestem kobietą przebraną za mężczyznę. Jestem złodziejką, ukrywałem się przez ostatnie miesiące poza Warszawą, ale dłużej już nie mogę, nie jestem w stanie... Oddaję się w ręce organów prawa. Proszę, błagam was, zabierzcie mnie stąd – mówił słabym głosem Julian, czując, że zaraz straci przytomność.

– Chodź pan – powiedział starszy jegomość z wąsem, patrząc na Juliana jak na wariata, po czym mężczyźni wzięli go pod ramiona i ruszyli z nim na posterunek.

Mijani na chodniku ludzie spoglądali na niego zaciekawieni, niektórzy oglądali się za prowadzonym przez policjantów wątłym, zaniedbanym mężczyzną. Mimo palącego słońca, które tego dnia złociło Warszawę, Julian cały dygotał i w pewnym momencie zemdlał, osuwając się na chodnik.

Kiedy odzyskał świadomość, znajdował się w ponurym, cuchnącym metalem i potem pomieszczeniu o obdrapanych ścianach. Jakiś mężczyzna klepał go po policzkach, podtykając wodę do wypicia. Podszedł do niego lekarz w długim kitlu i łapiąc go palcami za brodę, zaczął oglądać jego twarz z obydwu stron i rozszerzać palcami powieki.

– Rozbierz się – powiedział w końcu.

Julian trzęsącymi rękami zaczął rozwiązywać węzeł krawata.

– Jeszcze zdjęcia do kartoteki – szepnął przypatrujący się badaniu policjant.

Zabrano więc Juliana do sąsiadującej izby, posadzono go na stołku, nałożono mu na głowę sfatygowany kapelusz, który miał na sobie w chwili zatrzymania. Nawet błysk lampy fotograficznej nie wytrącił go z odrętwienia, w jakie popadł. Trwał, niemal nie istniejąc. Nie myślał już o niczym, nie czuł niczego. Nie zwracał nawet uwagi na stojących za plecami fotografa policjantów, którzy wymieniali się komentarzami i patrząc na nieszczęsnego Juliana, co chwila parskali śmiechem.

Zrobiono mu kilka ujęć w kapeluszu i bez niego, po czym kazano mu przebrać się w przypominającą worek sukienkę. Wszyscy obecni w pomieszczeniu mężczyźni patrzyli bezczelnie na drobnego, umęczonego człowieka, który wpatrzony w napięciu w wiszącą na ścianie mapę Warszawy zdejmował z siebie części męskiej garderoby, na końcu zdejmując z piersi poszarzały, postrzępiony bandaż. Przez ułamek sekundy, gdy stał tam, trzęsąc się, jedynie w majtkach, z nagimi piersiami, usłyszał głośne chrząknięcie jednego z policjantów, który wesołkowato skomentował ten widok:

– Popatrzcie, no rzeczywiście to kobita jest! A niech mnie!

Julian zignorował te słowa i czym prędzej nałożył na swoje wychudzone ciało za dużą sukienkę o kroju worka. Na nogach wciąż miał skarpetki i zabłocone buty o podziurawionych podeszwach. Tak przebranego Juliana posadzono ponownie na stołku i znowu kilkukrotnie sfotografowano. Jak skomentował jeden z policjantów, z takimi potarganymi i krótkimi włosami wygląda teraz jak mężczyzna przebrany w starą sukienkę.

– Szkoda, że cycki nie odstają pod tą szmatą – skwitował to drugi policjant.

– A teraz lekarz dokończy badanie i jeśli będzie... obywatelka do tego zdolna, spiszemy zeznanie – oświadczył.

Kiedy tego dnia późnym wieczorem, po kilkugodzinnym przesłuchaniu, pozwolono Julianowi położyć się spać, leżąc na pryczy w celi aresztu, wsłuchany w chrapliwy oddech starej, otyłej prostytutki, która spała tuż obok, pomyślał nagle o Marii Komornickiej. Przypomniał sobie kilka zapamiętanych strof z jej wiersza, którego tytułu nie znał. Słowa genialnej poetki, która ogłosiła się podobno mężczyzną, niosły nikłe pocieszenie. Szeptał je niczym mantrę. Niektórzy twierdzili, że Komornicka już nie żyła, inni mówili, że trzymana jest w ośrodkach dla psychicznie chorych. Tak kończą ci, którzy nie zważając na wszystko, obwieszczają światu prawdę o sobie...

Zdawał sobie sprawę, że być może on też skończy w domu wariatów. Czekał go proces, więzienie. Nie mógł zdobyć się na to, aby poprosić matkę o pomoc. Dla niej lepiej byłoby, gdyby na zawsze słuch o nim zaginął. Nie miał właściwie nikogo, kto mógłby teraz zrozumieć jego sytuację.

Rozdział 21

Luty 1936

Odwiedziny w więzieniu

Lilianna wkroczyła pewnym krokiem do sali widzeń w więzieniu karnym we Wronkach, gdzie było ciemno i ponuro, momentalnie skupiając na sobie wzrok nie tylko strażników, ale też większości siedzących przy stołach więźniarek oraz osób je odwiedzających. Jej strój – nowy kostium z zielonej wełny z kołnierzem obszytym srebrnym lisem oraz szykowny kapelusik w myśliwskim stylu, trzymana pod pachą torebka z wężowej skóry, śliwkowe rękawiczki (których nie zdjęła) – wszystko to jednoznacznie określało jej status „warszawskiej damy". Czekała kilkanaście minut, aż w końcu przyprowadzono skutego kajdankami, wyglądającego mizernie więźnia.

– Staram się wybaczyć ci... – powiedziała Lilianna po dłuższej chwili ciszy, kiedy Julian spuścił głowę, gdy zobaczył w jej oczach to, czego tak bardzo się obawiał. Patrzyła na niego, jakby podano jej na talerzu cuchnące mięso... Na jej twarzy malowało się obrzydzenie i niesmak. Przywitała go jedynie cierpkim „Dzień dobry".

– Ach tak, jesteś wspaniałomyślna – szepnął. Serce waliło mu jak oszalałe, szorstkie, zaczerwienione dłonie trzęsły się. – Niczego nie mogę ci już ofiarować poza prawdą...

– Gdyby nie ja... – zaczęła gniewnym tonem Lili, ale ostatecznie zamilkła. Nie było sensu tłumaczyć, jak wiele nieszczęsny Julian czy Julia – ten ktoś – jej zawdzięczał.

To ona, dowiedziawszy się o jego sprawie z rozpaczliwego listu, zaangażowała w sprawę dyskretnego adwokata, bardzo jej przychylnego aplikanta, którego patronem był Tadeusz. Prawnik zadziałał na tyle szybko, iż udało się jej za łapówkę wykupić zdjęcia z aresztu policyjnego, do którego prosto z ulicy trafił Julian. Policjanci kazali mu wówczas pozostać w stroju mężczyzny i zrobili mu kompromitujące fotografie. Siedzi na tych zdjęciach osowiały, przegrany, niczym wrak w brudnym, poszarpanym garniturze, z tłustym kosmykiem włosów opadających na czoło.

Być może przez ostrość światła, jakie nań skierowano, na zdjęciach tych sprawiał wrażenie czterdziestoletniego chorego żebraka, nie zaś dwudziestodziewięcioletniej kobiety, którą naprawdę był. W jego aktach zebrano też fotografie Julii, zrobione już po jej przebraniu w więzienny drelich. Oba wcielenia były przerażające, ani trochę nieprzypominające osoby, którą Lili znała, a nawet darzyła pewnym sentymentem. Gdyby nie wykupiła tych zdjęć, w trakcie procesu dostałyby się w ręce prasy i zrobiono by z całej sprawy kolejną sensację dla mas. Na skutek zabiegów prawnika wyciszono kwestie obyczajowe, dzięki czemu Julia Szewcówna była sądzona wyłącznie za kradzież. Co prawda jej zeznania o gwałcie nie zostały potwierdzone żadnymi dowodami, jednak ostatecznie wymiar zasądzonej kary wynosił tylko trzy lata pozbawienia wolności.

Ale nie było sensu o tym mówić. Zrobiła to dla niego, z wielkim sentymentem wspominając ich niewinne spacery i swoje marzenia z tamtego okresu.

Zapadła między nimi niezręczna cisza. Julian, zawstydzony świadomością tego, jak potwornie musi wyglądać w więziennym drelichu, wychudzony, z ogoloną głową, nieustannie wbijał wzrok w podłogę.

– Sposób, w jaki zostałam oszukana, wciąż mnie boli, pracuję nad sobą, aby ukoić ten ból, ale na razie jest ciężko. – Lili nadawała swojemu głosowi wyniosły ton, w którym wyraźnie pobrzmiewał wyrzut. – W zasadzie dzięki tobie zainteresowałam się psychoanalizą. Poddaję się obecnie wnikliwym studiom, sesje prowadzi wybitny psychiatra, profesor Schwartz, który współpracował z uczniem samego Junga! Wcześniej coś oczywiście czytałam o Freudzie, ale dopiero przez ten przypadek z tobą zaczęłam się zastanawiać, wnikać w siebie. Zrozumiałam, że świat zewnętrzny to tylko odbicie mojego ja i to moja jaźń jest dla mnie najważniejsza. Pewne pytanie od dawna nie dawało mi spokoju: czy twoja atencja dlatego mi schlebiała, ponieważ naprawdę byłeś kobietą, a ja podświadomie musiałam zdawać sobie z tego sprawę?

– Nie czuję się kobietą, nie jestem kobietą, moje ciało mnie zdradziło, to pomyłka natury – szepnął cicho Julian.

– Natury nie oszukasz! Ciała nie jesteś w stanie zmienić tak, aby przeistoczyć się w mężczyznę, przecież to obiektywnie niemożliwe!

– Może jestem po prostu czymś pomiędzy płciami, zarówno kobietą, jak i mężczyzną, czymś obojnaczym. – Julian wzruszył ramionami.

Lili westchnęła, poprawiając futrzany kołnierz płaszcza, którego nie zdjęła, siadając na krześle w sali widzeń. Z odrazą zerkała dookoła na obskurne ściany, liche stoły i umęczone twarze mizernych więźniarek.

Julian chciał jak najszybciej wrócić do celi. Nie czuł ze strony Lili żadnej życzliwości ani współczucia. Przyszła może tylko po to, aby naocznie przekonać się, jak bardzo się pomyliła? Może z czystej ciekawości chciała zobaczyć go upokorzonego, traktowanego jak zbrodniarka? Zmarniała, szara twarz o mocno zarysowanych bruzdach nosowych, więzienny drelich i spojrzenie zranionej zwierzyny sprawiały, iż zapewne jego wygląd odstręczał i nie był w stanie wzbudzić w niej ani żalu, ani przywołać dawnej więzi.

Julian nerwowo przeczesywał dłonią swoje króciutkie, ledwo odstające od czaszki, posiwiałe już włosy – obecnie jedyny wizualny element jego męskości. Chustkę, którą kazano mu wiązać na głowie, uparcie odrzucał, podobnie jak ostentacyjnie

nie reagował, gdy zwracano się do niego w żeńskiej formie imienia. Kobiety, z którymi przebywał w celi, przestały mu już nawet dokuczać, traktując jako stukniętą, niewadzącą nikomu wariatkę. Klawisze wypowiadali tylko jego nazwisko Szewc, co przylgnęło do niego jako ksywka, którą sam zaczął się posługiwać, chcąc, aby w ten sposób go identyfikowano. Imię Julia w zderzeniu z jego wyglądem wywoływało sarkastyczne skojarzenia, „Julian" wywoływało kpiny albo w najlepszym razie pogardliwe uśmieszki. Jako Szewc był obojnakiem, nikim, ani kobietą, ani mężczyzną, i takim chciał od teraz pozostać.

Czując, że Lili przyszła tu z pretensjami i wyrzutami, które na razie jeszcze powściągała, Julian zakończył wizytę, mówiąc, że musi wracać do celi. Spojrzał smutno na kobietę, kiedyś uosabiającą w jego oczach słodycz i radość, nie chcąc czuć do niej niechęci ani żalu. Powiedział „Żegnaj", odwrócił się na pięcie i wyszedł z sali. Lili siedziała nadal za stołem, nie ruszając się dłuższą chwilę. W końcu westchnęła i wstała, mówiąc tonem pełnym zniechęcenia:

– Widzenie skończone, proszę mnie wypuścić.

Przed więzienną bramą czekał już na nią Żorżyk w szewrolecie, wtajemniczony w niektóre elementy historii z Julianem. Jechali razem do Krynicy, aby zainaugurować sezon narciarski. Tadeusz i Tosia z nianią mieli dołączyć do nich wkrótce.

– Niepotrzebnie traciłam czas... Odjeżdżajmy stąd jak najszybciej! – rzuciła w stronę kuzyna, wsiadając czym prędzej do samochodu. Czuła, że musi wymazać z pamięci samego Juliana i trwającą przez ubiegły rok historię ich znajomości. Wyglądał w tym więzieniu jak zniszczony czterdziestoletni robotnik, a w rzeczywistości był kobietą, której w nim nigdy nie widziała. Zawsze stanowczy, wyzbyty sentymentalizmu, powściągliwy w mówieniu komplementów (sam Żorżyk całował jej dłoń i prawił miłe słowa bez porównania częściej niż niby zakochana w niej osoba), nigdy nie zachowywał się przy niej w sposób typowo kobiecy.

Nie uronił żadnej łzy, nie wzdychał ani nie zachwycał się tak jak Lili kwitnącymi krzewami czy pięknem zachodzącego słońca. To, że miał filigranową jak na mężczyznę posturę, nigdy nie przeczyło w jej mniemaniu męskości, podobnie jak wąskie, choć pięknie wykrojone usta, jasnoszare oczy okolone długimi rzęsami... Mężczyźni też miewają takie. Nie dawało jej spokoju wspomnienie gładkiej, pozbawionej męskiego zarostu skóry. Jak mogła się nie zorientować? Widocznie nie chciała... Ignorowała wysyłane przed podświadomość sygnały – to musiało być jedyne wytłumaczenie. W końcu całując się z kobietą, a myśląc, że ma się do czynienia z mężczyzną, nie sposób odkryć różnicy.

Nawet podczas tych szczególnych kilku nocy, w trakcie spływu kajakowego, kiedy siedzieli do późna w nocy przy ognisku, obserwując gwiazdy, aż doszło do bliższego zespolenia, nawet wtedy nie miała żadnych wątpliwości.

Ostatnio często myślała o tym, że była dotykana i pieszczona de facto przez kobietę, a kontakt ten przyniósł jej bez porównania więcej rozkoszy niż pożycie z mężczyzną. Czy świadczyło to o jej skłonnościach safońskich?

Swoje wątpliwości odważyła się powierzyć doktorowi Schwartzowi, który przez dwie kolejne sesje drążył te informacje, chcąc dociec źródła prawdziwych doznań, a na koniec stwierdził, iż jednorazowy incydent o niczym jeszcze nie świadczy. Wedle opinii specjalisty Lili byłą osobą, która potrzebowała męskiej atencji i traktowania jej potrzeb jako nadrzędnych, mężczyźni zaś z reguły prawią komplementy, obsypują kwiatami i prezentami, jednak gdy dochodzi do intymnego pożycia, zwykle „konsumują" kobiety, nie dbając o ich zadowolenie, skupiają się na tym, by brać. Julian zaś był inny. Potrafił dać więcej czułości i tkliwości, a zarazem zaspokoić jej potrzeby bez porównania lepiej niż mąż, a jak się później okazało, także jej kochankowie.

Po tym, jak kłamstwo Juliana wyszło na jaw, Lili wyjechała uspokoić swoje nerwy do kliniki w Szwajcarii, gdzie doktor szczegółowo zgłębiał jej przypadek. Sam tłumaczył jej, że nauka już opisała przypadki ludzi, którzy rodzą się naznaczeni niedoskonałością, w swej psychice utożsamiając się z płcią inną niż ta, z jaką przyszli na świat. To była choroba, którą nowoczesne nauki medyczne próbowały już leczyć, podając takim ludziom hormony i dokonując szeregu operacji, które miały na celu zmodyfikowanie narządów płciowych. Lili była prawdziwie zszokowana, słysząc o jakimś duńskim malarzu, którego operowano kilka lat temu w klinice w Dreźnie, starając się uczynić z niego kobietę. Niestety na skutek komplikacji po zabiegach człowiek ten zmarł, choć sam cel zmiany organizmu został właściwie osiągnięty i w efekcie mężczyzna ten został pochowany jako osoba płci żeńskiej. Jak twierdził profesor, zapewne będą kolejni pacjenci poddawani tego typu transformacjom, aż w końcu uda się zmienić mężczyznę w kobietę i odwrotnie.

Gdy Lilianna myślała o tym przedziwnym przypadku, cała ta transformacja kojarzyła jej się z dziełem Frankensteina. Ale może trzeba było powiedzieć o tym Julianowi? Zapewne nie wiedział o podobnych eksperymentach, może to dałoby mu nadzieję, miałby po co żyć? Jednak myśl o powrocie do cuchnącego pomieszczenia i o ponownym spotkaniu z nim, a raczej z nią, była nie do zniesienia. *Napiszę do niego list* – postanowiła.

– Och, kuzynie, wcale już nie znam siebie – westchnęła, wpatrując się w mijane górskie krajobrazy. W jednej z walizek wiozła wydaną właśnie w Polsce książkę *Wstęp do psychoanalizy* profesora Freuda, która, tak czuła, mogła zmienić jej życie.

Może dzięki tej lekturze zrozumie siebie, swoje pragnienie zasklepienia pustki, którą nie wiedzieć czemu odczuwała w momentach, gdy powinna czuć wdzięczność i zadowolenie.

– A kto zna? Trzeba korzystać z życia, póki można, na starość będziemy rozmyślać, co było z nami nie tak – zaśmiał się kuzyn, podekscytowany czekającym go pobytem w Krynicy, gdzie zamierzał zacieśnić stosunki z kilkoma ważnymi osobami i zbliżyć się do jednej damy, dziedziczki fortuny fabrykanta części rolniczych, która była niebrzydka, a co najważniejsze, na wydaniu. Bliskość uroczej kuzynki, świadomość, iż będą nocować niemal drzwi w drzwi, nowy frak oraz zapasy morfiny, które miał w walizce, wszystko to usposabiało go bardzo optymistycznie.

– Pada śnieg, będziemy mieć pyszną zabawę! – dodał, zapalając papierosa.

Lili również wyciągnęła swoją papierośnicę z myślą, iż musi ją jak najszybciej wymienić. Ta stanowiąca podarunek od Juliana boleśnie jej o nim przypominała. Mniej więcej rok temu szykowała się do wyjazdu do Paryża, planowała nowe życie, w którym było też miejsce dla jej zniewieściałego poety. Cóż, rzeczywistość zniweczyła wszystkie te zamierzenia, co może wyszło jej na dobre. Stosunki z Tadeuszem finalnie udało się ułożyć w sposób dla niej nader korzystny, ma więcej swobody i więcej funduszy na podróże i stroje, przeżyła prawdziwe romanse z mężczyznami z krwi i kości, a przede wszystkim Tosia dobrze się chowa i przynajmniej jest blisko ojca.

Wszystko ostatecznie jakoś się ułożyło, a nieszczęsny Julian – on czy raczej ona – być może niedługo wyjdzie z więzienia i przestanie bujać w obłokach.

W końcu każdy jest tylko i wyłącznie samym sobą.

EPILOG

Korzystając z pierwszego upalnego czerwcowego dnia 1961 roku, Lilianna usadowiła się wygodnie na krześle w swoim niewielkim ogródku, należącym do parterowego mieszkania na warszawskim Mokotowie. Stawiając obok na turystycznym stoliczku szklankę z herbatą i talerz z samodzielnie upieczonym biszkoptem z truskawkami, rozkoszując się słońcem i atmosferą leniwego popołudnia, zaczęła czytać najnowszą książkę Iwaszkiewicza *Kochankowie z Marony*.

Lektura od pierwszych akapitów wciągnęła ją bez reszty. Cóż to była za rozkosz mieć czas na swobodne zatopienie się w czytaniu, nie musieć się nigdzie spieszyć ani niczym zamartwiać. Pszczoły beztrosko brzęczały, krążąc wokół kwitnących kwiatów.

Minęło wiele lat, zanim wreszcie wyszła w swoim życiu na prostą. Operacja, którą przeszła, przywróciła sprawność jej nogi, córka uporała się w końcu ze swoimi osobistymi problemami i ułożyła sobie życie. Pieniędzy było zawsze mało, ale starczało bez problemu do pierwszego kolejnego miesiąca. Lilianna mogła cieszyć się wnukami odwiedzającymi ją co niedziela, przyrządzać im ulubione dania i zabierać ich do kina na poranki. Mogła do woli chodzić do kina, czasami sama, czasami z sąsiadką.

Ogromnie podobał się jej niemal powszechnie krytykowany *Nóż w wodzie* Polańskiego, który niedawno obejrzała w kinie. Podobnie jak filmy *Do widzenia, do jutra* czy *Niewinni czarodzieje*. Miała też jazz, który fascynował ją od czasów przedwojennych. Była wielbicielką muzyki Komedy i amerykańskich jazzmanów, miała w domu pokaźną kolekcję płyt kupowanych na czarnym rynku albo przywożonych jej przez znajomych z zagranicy. Nie potrzebowała już niczego więcej ponad to, co miała teraz.

Po godzinie czytania podniosła na moment wzrok znad książki. Przepięknie kwitła mocno już rozrośnięta azalia, a dzikie wino pokrywające parkan tej wiosny rosło z taką intensywnością, iż jej ukochany skrawek ziemi stał się odizolowaną enklawą, zupełnie niewidoczną od strony ulicy. Lilianna planowała zmiany w ogródku zaraz po zakończeniu pracy w Instytucie Psychologii Społecznej i przejściu na wcześniejszą emeryturę w pięćdziesiątym trzecim roku życia. Chciała zająć się swoimi różami, spokojnie dokończyć pisanie książki o teoriach osobowości, może wyjechać za granicę, do NRD albo Leningradu, który bardzo chciała zwiedzić.

Żyła w swoim misternie skonstruowanym świecie, ze swoimi książkami, płytami, różami i trzema tajemniczymi kotami angorskimi. Jak na swój wiek wyglądała wciąż całkiem dobrze, zachowując widoczne ślady wielkiej urody. Chciała kiedyś od życia zbyt wiele, dostała namiastkę, a to i tak wystarczało...

Zamiast jednak wybiegać myślami w przyszłość, dzięki Iwaszkiewiczowi powróciła do przeszłości. *Kochanków z Marony* czytała w ogromnym napięciu, choć nigdy nie przepadała za prozą tego autora – zdecydowanie wolała jego poezję, do której zresztą od lat już nie sięgała. Przypomniało jej się, jak wielkie wrażenie wywarł na niej tomik *Lato 1932*, o którym rozmawiała w trakcie jednego z pierwszych spacerów z Julianem.

Iwaszkiewicz sprawił, że przed oczami stanęła jej od dawna nieprzywoływana w myślach postać tej dziwnej osoby – filigranowej postaci w garniturze, o jasnych oczach i włosach. Widziała jego charakterystyczny uśmiech, z uniesionym ku górze jednym kącikiem ust. Czas wyparł z jej pamięci przykry widok zniszczonego, złamanego człowieka, którego spotkała w więzieniu.

Miała wciąż jedyną fotografię Juliana, która przetrwała pożar kamienicy przy Moniuszki w trakcie powstania. Zdjęcie było przy niej, gdy mieszkała u siostry na Kruczej, a później zabrała je ze sobą, gdy wraz z innymi cywilami opuszczała miasto, idąc do obozu przejściowego.

Pożółkła, niewielkich rozmiarów fotografia o nierównych brzegach: oto Julian kroczy obok niej Nowym Światem. Są niemal równi wzrostem, oboje podobnej postury: on ubrany w prążkowany garnitur, w czarnym kapeluszu, ona w kostiumie z delikatnej, jasnej wełny i letnim nakryciu głowy. Idą ulicą, po lewej stronie mijając sklep z szyldem „Elektromuzyka". Uśmiechają się powściągliwie, tacy są młodzi, piękni. Wyglądają jak para! Patrząc na nich, nikt nie powiedziałby, że przystojny mężczyzna w dobrze skrojonym garniturze jest w rzeczywistości kobietą! Zdjęcie zrobił im fotograf uliczny podczas jednego z ich długich spacerów. Później Julian odkupił odbitki w zakładzie fotograficznym i przyniósł Lili w prezencie wraz z bukietem jej ulubionych herbacianych róż.

Patrzyła na tę fotografię sprzed trzydziestu lat i niemal nie rozpoznawała kobiety w eleganckim ubraniu. Siłą rzeczy pamiętała tamtą siebie – młodą, chcącą się podobać kobietę, której nic nie przerażało tak bardzo jak perspektywa dalszych lat spędzonych jedynie jako żona Tadeusza. Dzisiaj wydawało się jej, że to zdjęcie jest dowodem duchowej ewolucji, którą przeszła na przestrzeni kilku kluczowych lat, jakie nastąpiły po zerwaniu kontaktu z Julianem. Najpierw jego uwięzienie, szok wywołany wydarzeniami, jakie wiązały się z zatrzymaniem i później z samym procesem, zainteresowanie naukowymi teoriami Freuda, potem Junga, poszukiwania odpowiedzi na mnożące się pytania...

Przypominała sobie tamtą żyjącą marzeniami Lili, tak jakby wspominała kogoś, kogo kiedyś znała i kto już od dawna nie żyje. Po wojnie nikt nigdy nie nazywał jej już Lili. Stała się Lilianną – wdową, matką, przez wiele trudnych lat rozpaczającą po utracie męża i ukochanego synka. Lili na zawsze odeszła i przez wiele lat wywoływała jedynie niesmak. Budziła niechęć i gniew. Jak mogła być tak próżna, tak niepohamowana w swoich szalonych pragnieniach... Z upływem lat niesmak i pogardę zastąpiła nostalgia. Tamte przedwojenne lata wydawały się teraz przypominać nierealny, uroczy film z pięknymi aktorami i wspaniałą scenografią. Główną rolę grała w nim kobieta, która nie umiała docenić swojego dobrego życia, bujała w obłokach, chciała zaznać wrażeń, porywów serca, namiętności, jakie były niemożliwe do przeżycia u boku szanowanego, znanego adwokata.

Tadeusz był porządnym, uczciwym człowiekiem. Nudnym i pozbawionym wiedzy o tym, jak zadowolić żonę, ale mimo wszystko przyzwoitym i opiekuńczym. Ona zaś marzyła o nieznanym, o poetach i literatach, nie mając świadomości podstawowych potrzeb swojego ciała. Pragnęła bliskości, a jej nieszczęsny mąż, niezbyt doświadczony w kwestiach seksu, zachowawczy i nieobyty, nie umiał zadowolić własnej żony. Cóż, takie były czasy. Małżeństwo, urządzanie wieczorków brydżowych, herbatek dla znajomych, wydawanie dyspozycji gosposi i niani, rodzenie dzieci i zajmowanie się nimi, godne reprezentowanie męża, to były wyżyny, na jakie mogła się wznieść kobieta. Lili to jednak nie wystarczało.

Świat wydawał się pełen niezliczonych szans, pełen możliwości, które uosabiała atakująca zewsząd „nowoczesność". Za tym hasłem nie kryło się nic, co mogło stanowić prawdziwy budulec dla realnego życia, ale ona – tamta Lili – była zbyt głupia, by to dostrzec. Nie znała wówczas siebie, zanim sytuacja z Julianem jej do tego nie zmusiła, nie zagłębiała się dostatecznie w swoje „ja". A kiedy już to zrobiła, kiedy dzięki psychoanalizie zaczęła rozumieć pewne sprawy, jak to zwykle bywa, było za późno, aby cokolwiek zmienić. I wówczas przyszła wojna.

W jej wspomnieniach bardzo wyraźnie zarysował się pewien dzień w maju trzydziestego dziewiątego, kiedy zdarzyło się coś niezwykłego, co sprawiło, iż miała ostatnią szansę, aby docenić wartość, jaką w jej życiu stanowiła znajomość z Julianem. Doskonale pamiętała pogodne popołudnie, gdy wraz z mężem zmierzała na garden party do Królikarni, gdzie ceniona filantropka hrabina Krasińska organizowała przyjęcie połączone z aukcją charytatywną na rzecz sierot.

Perspektywa picia herbaty, wymiany uprzejmości i uszczypliwych komplementów z małżonkami szacownych panów nie była zachęcająca. Tadeusz jednak nalegał, aby żona mu towarzyszyła. Chciał koniecznie odgrywać doskonałe małżeństwo przed gośćmi, bo wielu z nich było klientami jego niedawno otwartej kancelarii.

Lilianna postanowiła wówczas uprzyjemnić sobie ten dzień, wkładając po raz pierwszy niedawno uszytą, białą sukienkę o luźnej, sięgającej połowy łydki spódnicy i zupełnie prostym przodzie, na którym okazale prezentował się nowatorski, według Tadeusza wręcz ekscentryczny, naszyjnik. Z całej kolekcji modernistycznej biżuterii o geometrycznych kształtach i orientalnym wzornictwie ten niezwykły wisior z mrożonego kryształu górskiego ze zwisającymi pręcikami ze sznurków zakończonych diamentami był zdecydowanie najcenniejszy i najbardziej awangardowy.

Kiedy znaleźli się już w pałacyku, garden party trwało w najlepsze. Tadeusza zaraz pochłonęła dyskusja ze znajomymi panami, którzy paląc cygara, rozmawiali o wygłoszonym przed paroma dniami w Sejmie przemówieniu Józefa Becka. Lilianna dołączyła zaś do pań, z którymi wymieniła uwagi o cudownej pogodzie i odpowiadała na pytania o „oryginalny" naszyjnik. Za namową gospodyni towarzystwo krążyło po otwartych dla gości salach pałacyku, w których wyeksponowane były przedmioty, głównie obrazy i rzeźby, wystawione na aukcję na rzecz domu sierot, której patronowała sama hrabina. Wśród prac przekazanych na cele charytatywne przez artystów wspieranych przez Martę Krasińską był nawet kobiecy portret pędzla Olgi Boznańskiej, który zresztą sprzedano jako pierwszy.

Lili wraz z innymi paniami przechadzała się powoli, przypatrując się wyeksponowanym płótnom, które namalowane były w różnych stylach i prezentowały niejednorodny poziom – niektóre były bardziej nowoczesne, inne klasyczne, wzorowane na Kossaku.

Tamtego dnia, chcąc jak najszybciej opuścić nudne przyjęcie, Lili zaczęła wypatrywać wśród gości Tadeusza, gdy nagle kątem oka dostrzegła obraz, który natychmiast przyciągnął jej wzrok. Podeszła kilka kroków i stanęła przed niewielkim płótnem, które wystawiono w kącie sali.

To był portret Juliana. Uświadamiając to sobie, odczuła zaskoczenie noszące wręcz znamiona szoku. Poczuła się tak, jakby nagle zobaczyła kogoś, kogo z wielkim trudem i determinacją usunęła ze swojej pamięci, niczym bolesny epizod, o którym za wszelką cenę chce się zapomnieć. Obraz nosił tytuł *Mój mężczyna,* a podpisany był nazwiskiem Pawłowska. Przedstawiony na płótnie mężczyzna siedział na ziemi, niedbale oparty o mur, z jedną nogą zgiętą w kolanie. W ręce trzymał tlącego się papierosa. Zmęczony wyraz pociągłej, wychudzonej twarzy sprawiał, iż wyglądał na zrezygnowanego. Jego przeraźliwie smutne, szare oczy patrzyły niemal prosto w oczy oglądającego. Blada cera i krótkie, jasne włosy kontrastowały z ciemnym, obszarpanym ubraniem i czernią zniszczonych butów. Ale na jego ustach błąkał się uśmiech. Może był przeznaczony dla osoby, na którą spoglądał. Dla malarki? Czyżby spotkał na swojej drodze kobietę dużo bardziej odważną niż ona? Artystkę, która go rozumiała i akceptowała? Mimo ukłucia zazdrości odczuła na tę myśl rodzaj ulgi.

To była bez wątpienia JEGO twarz – boleśnie smutna i zniszczona. Nigdy wcześniej o tym nie pomyślała, ale teraz widziała to dokładnie – Julian tylko poprzez swój strój był z założenia identyfikowany jako mężczyzna, ale gdyby zdjąć z niego ten zniszczony garnitur, nałożyć perukę, czy nie przypominałby kobiety? Jego niecodzienny wygląd – to było tak wyraźne – sprawiał, że można było go postrzegać zarówno jako osobę płci żeńskiej, jak i męskiej.

Nagle przestraszył ją gest Tadeusza, który stanął niespodziewanie obok żony i zuchwale objął ręką jej kibić. Wyczuła od niego silny zapach koniaku i cygar.

– Kupmy ten obraz, proszę! To przecież na szczytny cel! – powiedziała łagodnym tonem, którego Tadeusz od dawna nie słyszał z ust małżonki.

– Dlaczego właśnie ten? – zapytał podejrzliwie.

Lili pożałowała swojej spontanicznej prośby, której nie umiała racjonalnie wytłumaczyć. Wzruszyła tylko ramionami, mówiąc, że obraz ma w sobie „coś", a poza tym słyszała, jak mówiono o tej malarce Pawłowskiej, która za chwilę zrobi się bardzo popularna.

– Jest tu więcej o wiele lepszych obrazów, choćby ten wazon z makami. Co zrobimy z portretem włóczęgi? Do niczego nie pasuje. Przecież nie powiesisz czegoś takiego w salonie naszego nowego domu? – powiedział.

– Tadeusz! Po prostu podoba mi się ten obraz, jest niedrogi i chcę go kupić! – przymilnym głosem prosiła Lilianna.

– Moja droga, jak chcesz... Przepraszam cię... – Mąż machnął ręką i widząc w rogu sali znajomego, odszedł w jego kierunku.

Poruszona nagle falą wspomnień i uśpionych wiele lat temu emocji, które teraz odżyły za sprawą obrazu, Lili miała potrzebę bycia przez moment sama. Pod pretekstem bólu głowy oddaliła się dyskretnie od towarzystwa, opuszczając zaadaptowany na potrzeby garden party teren wokół pałacyku. Szła w kierunku strzelistych, gęstych drzew parku. Zostawiła za sobą grupki rozmawiających, panie i panów zasiadających na bielonych wiklinowych fotelach wokół stolików, na które kelnerzy donosili coraz to nowe smakołyki. Zrezygnowała z kieliszka tokaju i deseru ze świeżymi poziomkami i uprzejmie odmówiła kobiecie, która zapytała ją, czy zagra z grupką pań w serso.

Taka tu cisza, park wręcz dziki, nieujarzmiony, rozrasta się swobodnie, zupełnie jakby nie znajdował się w mieście! – myślała, spacerując. A przecież dosłownie kilkaset metrów stąd, w pobliżu Puławskiej, powstawały nowoczesne budynki i domy, w tym ich nowe lokum. Wreszcie, tak jak od dawna marzyła, Tadeusz budował dla nich modernistyczną willę z zewnętrznymi schodami w kształcie spirali sięgającej tarasu piętra. Zamierzała założyć w ogrodzie rosarium i prowadzić dom otwarty dla gości. Już we wrześniu, najdalej w październiku, będą mogli tam zamieszkać, chyba że sprawdzą się coraz częściej słyszane złowieszcze przepowiednie o wojnie, które teraz słychać było dosłownie wszędzie.

Przechadzając się wśród drzew, nie powstrzymywała przypływu wspomnień o Julianie. Kiedy go widziała po raz ostatni cztery lata temu, obiecała sobie, że wyrzuci go z pamięci, i znajomość z nim uznała za niefortunny i przykry epizod. Ale wraz z upływem czasu coraz wyraźniej widziała, jak dawne marzenia okazywały się tylko przynoszącymi gorycz złudzeniami. Ważne i prawdziwe okazały się te chwile, do których kiedyś w ogóle nie przywiązywała wielkiej wagi.

Po powrocie do domu Lili ucałowała na dobranoc rozbrykaną, niechcącą położyć się spać córeczkę, po czym uprzejmie, choć chłodno życzyła dobrej nocy mężowi i odetchnęła z ulgą, gdy znalazła się wreszcie sama w sypialni. Przez uchylone okno docierał zapach wilgotnej nocy.

Siedząc przed toaletką, długo wpatrywała się w skromnie oprawiony portret. Była przekonana, że modelem uwiecznionym na obrazie był Julian. Widocznie zdołał odzyskać wolność, może udało mu się odpłynąć statkiem gdzieś do Ameryki...

Przypomniało jej się, jak ledwie kilka tygodni temu w jeden z pierwszych ciepłych dni, siedząc w ogródku Hotelu Europejskiego, patrzyła na plac Piłsudskiego i kolumnadę Pałacu Saskiego i wydawało się jej, że wśród przechodniów rozpoznała Juliana. Serce zabiło jej gwałtownie, nawet zerwała się z fotela i ku zdziwieniu towarzyszącej jej siostry zaczęła machać do nieznajomego mężczyzny, który przeszedł, nie spoglądając nawet w jej stronę. Stwierdziła wówczas, iż musiała mylnie rozpoznać w przechodniu Juliana – to przecież nie mógł być on. A dzisiaj ten obraz... Może podświadomie tak bardzo dążyła do tego, aby przynajmniej dowiedzieć się, jak potoczyły się jego losy, że zobaczyła to, co chciała zobaczyć...

W wazonie stały – tak jak rano prosiła służącą – świeżo ścięte gałęzie bzu z bujnymi kiściami fioletowych kwiatów. Ich upajający zapach oraz stojący jej przed oczami obraz twarzy Juliana spowodowały, iż Lilianna rozpłakała się. Spływające po policzkach łzy sprawiły jej bolesną przyjemność, podobnie jak wspomnienia, w których się zanurzyła. Przypomniała sobie ich wielogodzinne spacery, w trakcie których przemierzali miasto wzdłuż i wszerz. To nieśmiałość i powściągliwość gestów Juliana sprawiły, iż czuła się bezpieczna, długo tkwiąc u jego boku niczym w przedsionku prawdziwego, wytwornego życia, jakie zamierzała prowadzić. Kim dla niej był? Przecież nie kochankiem w pełnym znaczeniu tego słowa...

Oprócz kwiatów, które rzeczywiście często jej dawał, nie obsypywał jej podarunkami, niczego nie obiecywał, co więcej, nawet nie prawił jej zbyt wielu komplementów. I nie chodziło tu o jego nieśmiałość. Durzył się w niej okrutnie, ale nigdy o tym nie mówił, nie czarował gładkimi słówkami, nie chciał – czy może nie umiał – zachowywać się w konwencjonalny sposób, w jaki zachowują się mężczyźni wobec kobiet. Lilianna była przyzwyczajona do pustych gestów, całowania dłoni, westchnień i peanów nad jej urodą, których wiele razy – a ostatnio przesadnie często – miała okazję doświadczyć ze strony przeróżnych adoratorów.

Julian od początku wielbił ją uczciwie, nie uciekając się do nic nieznaczących słów. Czy nie doceniała tej postawy? Chyba nigdy po prostu jej nie analizowała. Nie myślała o znajomości z tym dziwnym poetą w kategoriach romansu, który wpasowałby się w jej wizję wytwornego życia. Bo przecież tego właśnie pragnęła i o tym marzyła – o nietuzinkowym, wytwornym życiu, pełnych emocji przygodach wśród bohemy artystycznej.

W maju tysiąc dziewięćset trzydziestego dziewiątego roku wydawało jej się, że żyje właśnie takim życiem, jakie planowała kilka lat temu, jako młoda i żądna wrażeń kobieta, uwięziona w pułapce małżeństwa i towarzystwie nudnego mężczyzny i mało ekscytującej egzystencji. Miała za sobą gorące noce paryskie, sentymentalne wyznania, dramatyczne gesty i niecierpliwe żądania. Któryś z kolei męczący kochanek, zachowujący dystans mąż, nudne i irytujące życie towarzyskie, wszystkie te stosunki i koneksje, które z uwagi na Tadeusza musiała podtrzymywać, gorycz niespełnienia – wytworne życie nie przynosiło takich wrażeń, na jakie liczyła.

Tamtego wieczoru zamknęła oczy, obiecując sobie solennie, że zrobi, co tylko będzie w jej mocy, aby odszukać Juliana, a przynajmniej dowiedzieć się, jak potoczyły się jego losy. Spróbuje choćby dotrzeć do autora oglądanego dzisiaj obrazu, a jeśli okaże się, że portretowanym jednak nie był Julian – co było w zasadzie niemożliwe – sprawdzi przez zaufanego prawnika, młodego aplikanta z kancelarii męża, z którym miała romans, czy Julian przebywa na wolności, a przede wszystkim czy nadal używa imienia, pod którym kiedyś go znała. Zasypiając, przyrzekła sobie, że jak tylko wróci z Sopotu, do którego wybierała się z dziećmi na lato, zrobi wszystko, co w jej mocy, aby odnaleźć nieszczęsnego Juliana.

Wszystko było lepsze, każdy zmuszający do działania pomysł, aby tylko nie myśleć o tym, o czym wciąż rozmawiano w towarzystwie i co sprawiało, że Lili odczuwała coraz częstsze napady lęku. Była już na granicy snu, gdy zanotowała w swoim umyśle, iż to, co wypełnia jej myśli, jest tylko snem. *Nie bój się, wojny nie będzie* – mówił Julian, a jego jasne, wpatrzone w nią oczy wydawały się potwierdzać prawdziwość wypowiadanych słów.

Wówczas jeszcze mogła spróbować go odszukać. Chciała to zrobić i czuła, że powinna. Nie pospieszyła się, a gdy wracała do Warszawy w sierpniu, jej myśli skupione już były na czymś innym. Gdyby nie wybuch wojny, wszystko potoczyłoby się inaczej...

Później wielokrotnie żałowała, że go nie odnalazła, tak jak żałowała przebiegu swojej wizyty w więzieniu, gdzie widziała go po raz ostatni. Słowa, które wówczas wypowiedziała, podszyte były żalem. Została tak okrutnie oszukana. Nie liczyło się dla niej wtedy, że ta cała maskarada była wyrazem jego beznadziejnej miłości do niej i musiała go wiele kosztować.

Z czasem zrozumiała, iż wszystko robił z miłości do niej. Za to właśnie była na niego wściekła, kiedy dowiedziała się prawdy o jego płci. Najbardziej wówczas poirytowało ją to, że zadurzyła się w kimś, kto był tylko kobietą, prezentował jedynie złudzenie mężczyzny, czyli wabił ją czymś, co w rzeczywistości nie istniało. Tak patrzyła na to wówczas, dowiedziawszy się prawdy o fizjologii Juliana – zawstydzona swoim zaangażowaniem w tę znajomość i przerażona widmem skandalu, jaki mógł wiązać się z ujawnieniem tej ponurej historii. Bała się utraty reputacji, konsekwencji, jakie mógł ponieść Tadeusz i jego kancelaria. Obawiała się, że będzie przedmiotem plotek i drwin, iż dała się oszukać w taki sposób.

Nigdy się nie dowiedziała, czy Julian otrzymał jej list wysłany w sierpniu, tuż przed wybuchem wojny, z informacjami o mężczyźnie, który poddał się serii operacji, aby stać się kobietą. Nie otrzymała odpowiedzi... A przecież doktor Schwartz, jej mentor z zakresu psychologii, miał rację. Kilka lat po wojnie z sukcesem przeprowadzono całą terapię i zabiegi zmiany płci. Czytała o tych transformacjach w fachowej prasie zagranicznej, którą gromadzono w instytucie. Przypadki transgresji płciowej stały się faktem, ale czy Julian miał szansę się o tym dowiedzieć? Może nie było tak, jak uważała przez wszystkie te lata, pielęgnując w sobie przekonanie, iż cała ta mistyfikacja prawdziwej płci była tylko sposobem na zbliżenie się do niej. Może on naprawdę w swej psychice czuł się mężczyzną?

Po raz pierwszy od lat sięgnęła pamięcią do tamtych czasów. Pozwoliła sobie na wspominanie siebie sprzed wojny. Tamta młoda kobieta miała z nią niewiele wspólnego. Postać z fotografii była znikającym widmem, pięknym odbiciem przeszłości. Pozostała już na zawsze w tamtej Warszawie, z jej eleganckimi lokalami, ze sklepami, których witryny osłaniały kolorowe markizy, elegancją, z majestatem budowli i kamienic, które potem wojna bezpowrotnie obróciła w niebyt. Tak jak plac Napoleona – obecnie przemianowany na plac Powstańców Warszawy – który utracił dawny splendor. Ocalały budynek Prudentialu kojarzył się jej z bolesnymi wydarzeniami z czasów okupacji. Wciąż pamiętała widok płonącego już na początku wojny niebotyku. Pamiętała popołudnie pierwszego sierpnia 1944 roku, kiedy powstańcy zajmowali ten najwyższy z budynków miasta. A jednak przetrwał to całe piekło. Podziurawiony przez bomby szkielet, przez którego wyrwy widać było niebo, jednak ocalał.

Często, idąc gdzieś ulicą Świętokrzyską, przystawała na moment, aby spojrzeć w górę na sześćdziesięciosześciometrowy, kiedyś strzelisty budynek, myśląc o tym, że to niebywałe, iż ten podziurawiony, przeszyty pociskami gmach trwał nadal, mimo iż otaczające go kamienice, budynek poczty, pomnik Napoleona, wszystko to przeminęło. Spoglądając na tego modernistycznego kolosa, myślała z nadzieją o Julianie. Może on też zdołał przetrwać? Marzył kiedyś o zamieszkaniu z nią w jednym z pięknie urządzonych apartamentów, tam wysoko, wśród chmur, gdzie mogliby prawie dotykać nieba i żyć, delektując się sobą. Teraz ruiny niebotyku były jak wyrzut sumienia i nie pozwalały jej zapomnieć o Julianie.

Wspominała siebie sprzed wojny z pobłażliwością, z jaką traktuje się dzieci, które nie mają świadomości, co czeka je w przyszłości i jak naprawdę wygląda prawdziwe życie. Tamta Lilianna, przerażona rzeczywistością małżeńskiej nudy, złaknioną doznań, poezji, miłości i piękna, miotała się, marząc o innym życiu.

Kim byłaby dzisiaj, gdyby nie on? Gdyby nie ta znajomość, która w pewnym momencie nie spełniała jej oczekiwań, Lilianna nigdy nie zainteresowałaby się psychologizmem (jak się kiedyś mówiło) i nie odnalazłaby swojego miejsca w świecie. Nie mając żadnych zainteresowań ani zawodu, nie byłaby w stanie odbudować swojego życia.

Zanim wybuchła wojna, Lilianna była już zainteresowana dużo bardziej meandrami ludzkiej psychiki niż polityką i nadciągającym widmem katastrofy, w którą do końca nie wierzyła. Przekonywała siebie, że ludzie, pamiętając bezsens i okropieństwa niedawno zakończonej wielkiej wojny, nie mogą być tak bezrozumni, aby rozpętać kolejną. Była tak naiwna, skupiona na sobie, zachłanna na dobra, jakie przynosi życie, jakby nie wiedziała, że każdemu z nas w trakcie istnienia na ziemi przydzielona zostaje tylko określona, reglamentowana ilość tego, co najlepsze. Ona, goniąc za złudzeniami, przegapiła moment, gdy szczęście się do niej szeroko uśmiechało. W tamtych przedwojennych latach nieustannie miała wrażenie, że prawdziwe życie jest jeszcze przed nią. Wciąż kiełkowały w niej nowe pragnienia, które miała zrealizować w przyszłości. Aż nadszedł pierwszy września trzydziestego dziewiątego roku i niemal w ciągu jednego dnia jej świat runął w gruzach.

Wojna była niczym przysłowiowa kropka nad i. Wojna nieodwracalnie zmieniła wszystko. Z nieco zepsutej, znudzonej życiem kobiety, która żyła w dostatku, stała się kimś, kto samotnie musi walczyć o przetrwanie, o życie swoich dzieci. A kiedy los zabrał jej Julka, ukochanego chłopczyka o błękitnych oczach i nieustannie roześmianej buzi, wówczas fatalizm rzeczywistości ostatecznie zatriumfował. Nie było w niej już marzeń o miłości i namiętności, nie było żadnych pragnień. Gdyby tylko mogła targować się z Bogiem czy z diabłem, wyrzekłaby się wszelkich przyjemności, tej gorączki namiętności, o której tak kiedyś marzyła, sławiłaby nudne małżeństwo albo wdowi stan, byle tylko żył jej ukochany chłopczyk.

Cóż za ironia losu, że w trakcie wojny częściowo spadły na nią podobne nieszczęścia jak na Irenę Krzywicką, której tak zazdrościła szczęśliwego życia, rozgłosu i splendoru. Chciała się na niej wzorować, przeżyć to, co ona. W końcu w przewrotny i okrutny sposób jej pragnienie się spełniło…

We wrześniu trzydziestego dziewiątego chciała uciekać razem z kuzynem, który jeszcze przed klęską kampanii wrześniowej wyjechał do Paryża. Ale Tadeusz nie zgodził się na wyjazd. Uważał, że jego obowiązkiem jest walka za kraj. Tymczasem Jerzy przeżył wojnę, chociaż oskarżony o kolaborację z nazistami był teraz wrakiem człowieka, prowadzącym sklep w jakiejś małej mieścinie na południu Francji.

Tadeusz zginął w pierwszych tygodniach wojny, nie doczekawszy wkroczenia hitlerowców do stolicy, a ona w październiku, już jako wdowa, przedwcześnie urodziła ich drugie dziecko. Zrozpaczona po śmierci męża, samotna i przerażona, przytulała do siebie małą, całkiem bezbronną istotę, ostatni podarunek od losu, ostatnią nić wiążącą ją z dawną Lili. Dała synkowi na imię Julian, chcąc zatrzymać w nim cząstkę tego, co bezpowrotnie utraciła. Naiwność, marzenia, miłość, które los tak bezpardonowo chciał jej wydrzeć. Mały Julian był jej ostatnim promykiem radości, napędzał ją do życia i motywował do działania. Po raz pierwszy nie myślała w ogóle o sobie. Jej wszystkie myśli koncentrowały się na tym, by nic się nie stało dzieciom. Imała się każdej pracy, odejmowała sobie jedzenie od ust, jeżeli było trzeba, aby one nie głodowały. A wieczorami, gdy wtulała się w ich ciepłe od snu ciałka, z trudem łapała oddech z rozpaczy. Bała się, że coś im się stanie. Nie przeżyłaby kolejnej straty. Bała się, że jej coś się stanie. Wtedy dzieci zostałyby sierotami.

Okazało się, że miała więcej sił, niż kiedykolwiek przypuszczała. Synek zmarł w czterdziestym pierwszym roku na zapalenie płuc. Patrzyła, jak odchodzi, i nie mogła nic zrobić. Zastanawiała się, czy tak samo czuł się Julian, gdy zostawiła go w więzieniu, a on nie mógł jej zatrzymać. Część jej duszy i serca odeszła wraz z małym Juliankiem. Ostatecznie pożegnała z jego śmiercią Tadeusza, którego powinna była bardziej kochać i doceniać. Pożegnała również Juliana, którego niegdyś potraktowała jak zabawkę, a powinna była ofiarować mu swoją przyjaźń i pomoc. Chociaż tyle należało mu się od niej za miłość, którą jej bezwarunkowo ofiarował.

W czasie powstania niewiele brakowało, a bomba zabiłaby ją i Tosię. Pocisk trafił w ich kamienicę, niszcząc ją doszczętnie. Od tej chwili obsesyjnie wręcz bała się o córkę, co nie wpłynęło korzystnie na ich późniejsze relacje, gdy dziewczynka zaczęła dojrzewać, a ona nie mogła wyjść z narzuconej sobie roli nadopiekuńczej matki. Pomyśleć, że przed wojną pozostawiała Tosię na całe dnie pod opieką niani i czasem nawet zapominała, że ma dziecko. Jakże obca była jej tamta Lilianna!

Przez okres okupacji i przez pierwszy rok po wojnie utrzymywała się głównie z lekcji gry na fortepianie. Nie wyszła po raz drugi za mąż ani z nikim nie związała się na dłużej. Nigdy nie zdołała się też dowiedzieć, czy Julian przeżył wojnę, jak potoczyły się jego losy. Choć prawdopodobnie odzyskał wolność dzięki poprzedzającej wrzesień trzydziestego dziewiątego amnestii, nie wiadomo było, czy zdołał przetrwać. Chciała wierzyć, że mu się udało.

Po wojnie przyszły bardzo ciężkie lata walki o urządzenie sobie życia, o odbudowanie miasta, o to, aby jej córka mogła w miarę normalnie żyć. Wojna w dużej mierze zgasiła jej urodę, nawet nie zauważyła, kiedy zaczęła się starzeć. W tym procesie najwspanialsze było to, iż jej wygląd stawał się coraz mniej i mniej znaczący. Ważne stało się to, jakim była człowiekiem. Mogła tylko zanucić popularną piosenkę, którą często słyszała w radiu: *Tych lat nie odda nikt*. Zapewne gdyby ktoś powiedział tej kroczącej obok Juliana, eleganckiej pani ze zdjęcia o przyszłości, jaka ją czeka, Lili byłaby przerażona i przekonana, iż jej życie będzie całkowitą klęską. A jednak dzisiaj, nauczona żyć w zgodzie z samą sobą, bogata w wiedzę i doświadczenia, rozumiała, że jej los był wspaniały, bo przecież wszystko, czego zaznała, doprowadziło ją do punktu, w którym mogła czytać Juliana jak księgę, a jednocześnie wierzyć w to, że on gdzieś daleko stąd wciąż żyje i może czasem o niej myśli.

Musiało minąć wiele lat, zanim Lili zrozumiała, że żaden inny mężczyzna nie będzie w stanie dać jej tak wielkiego szczęścia, jakie dał jej Julian. Mimo że nie posiadał naturalnych atrybutów męskiego kochanka, jego delikatny i przepojony czułością dotyk nie tylko zapewniał jej poczucie pełnej wolności wyrażenia swoich pragnień, ale sprawiał, że czuła się hołubiona i kochana. W jego ramionach była najpiękniejszą, najwspanialszą z istot. Nikt inny nie był w stanie potraktować jej z taką atencją, wynieść na piedestał, postawić jej potrzeby ponad swoimi. Jego zwinne palce, męska w swej brawurze namiętność, jego język, który potrafił sprawić, że niemal traciła świadomość i rozpływała się w rozkoszy, ta miłość, którą jej dawał, nie była czymś, na co mogli zdobyć się mężczyźni. Jak miała się przekonać później, zarówno Tadeusz, jak i jej kochankowie traktowali ją jako źródło własnej przyjemności, nie potrafiąc czy nie chcąc odgadnąć jej pragnień i skupić się na jej doznaniach.

Po krótkotrwałych, jeszcze przedwojennych romansach z kuzynem Jerzym i podpułkownikiem już wiedziała, że nawet najprzystojniejszy mężczyzna nie zapewni jej subtelnych eksplozji, jakie umiał dać jej Julian. Ilekroć tkwił w niej męski członek, starała się ze wszystkich sił osiągnąć zadowolenie, ale ani razu nie doprowadzono jej do tego dziwnego stanu, który fachowo, jak przeczytała później, nazywano orgazmem. Nawet gdy później miała intymne kontakty już jako dojrzała kobieta, każdy z jej mężczyzn rozczarowywał ją swoim egoizmem i brakiem wrażliwości. Wówczas z rozrzewnieniem wspominała zakochanego w niej Juliana, dla którego jej przyjemność i szczęście były ważniejsze niż własne spełnienie.

Dowiedziawszy się o tym, że Julian pod względem fizycznym w istocie był kobietą, przeanalizowała szczegółowo ich namiętne spotkania w trakcie parnych nocy na letnisku i ze zdziwieniem zdała sobie sprawę, że nigdy nie doszło między nimi do pełnego stosunku. Zajmował się nią i koncentrował na jej potrzebach, nie chcąc niczego w zamian. Pocierał tylko swoje intymne miejsca dłonią, ale nigdy nie obnażał się przed nią, co ją nawet chwilami zastanawiało. Skrycie podejrzewała, że jego ciało ma jakiś defekt czy też blizny, których jeszcze nie chce przed nią odkryć.

Po latach, gdy tęskniła za przyjemnościami ciała, przeszło jej przez myśl, że sama ma przecież palce pianistki, sprawne, wyrobione i mogłaby dać rozkosz jakiejś osobie, nawet Julianowi... Oburzona własną śmiałością, szybko wyparła tego typu tęsknoty, rozumiejąc, że jest już za późno na doszukiwanie się szczęścia w fizycznych kontaktach. Postanowiła ukarać się za swoją ignorancję i nie chciała więcej eksplorować własnych potrzeb oraz możliwości.

Gdyby w trzydziestym dziewiątym z większą determinacją próbowała go odnaleźć... Z biegiem lat stłumiła nękające ją niekiedy wyrzuty sumienia. Lubiła myśleć, że podobnie jak Gombrowicz, o którym kiedyś słuchała audycji w Radiu Wolna Europa, Julian przed wybuchem wojny wsiadł na statek do Argentyny i wciąż żyje gdzieś tam, w Buenos Aires czy na Pampie. Wreszcie może być tym, kim zawsze chciał, mając nowe życie, nowe rozdanie, na które zasłużył bardziej niż ktokolwiek.

Często wspominała Juliana właśnie w ten sposób, a gdy tylko słyszała gdzieś tango, od razu przypominała sobie dotyk jego delikatnych dłoni, niezwykłą umiejętność ofiarowania jej przyjemności, jakiej nigdy więcej nie miała już szansy zaznać. To była jej osobista pokuta i kara, do której nie mogła przed nikim się przyznać. Po wojnie, nie licząc kilku nocy spędzonych z żonatymi kolegami z instytutu przy okazji wyjazdów w delegacje, nie utrzymywała bliższych relacji z mężczyznami.

Pogrążona we wspomnieniach, poczuła nagle potrzebę włączenia płyty – jej nostalgiczny nastrój wymagał muzyki. Dźwięki grane przez Komedę po kilku minutach niosły się już po ogrodzie. Jazz jak zawsze dawał jej siłę. Był niezbędny po to, aby ukoić ból nigdy niezasklepionej rany. Pomyślała, że ma tylko muzykę, rośliny, lody śmietankowe kupowane z wnukami, kino – i to musi wystarczyć.

Oboje, i ona, i Julian, byli zbyt pazerni na życie, zachłanni i zuchwali w swoich pragnieniach. Chcieli oboje zbyt wiele w stosunku do tego, co oferowało im życie. Z tego, co mieli do dyspozycji, nie dało się wybudować pałacu nad brzegiem lazurowego morza. Starczało ledwie na wynajęty skromny, murowany domek. A oni stracili zdolność trzeźwej oceny sytuacji i nie zważając na nic, brnęli wbrew rozsądkowi po złote runo…

Teraz, po wielu latach, wiedząc bez porównania więcej o życiu i skłonnościach człowieka niż w wieku dwudziestu pięciu lat, przypominając sobie niedosyt, jaki czuła po każdej nocy spędzonej z mężczyzną, pozostał jej jedynie żal, iż historia z Julianem nie potoczyła się w inny sposób. Ze wszystkich sił przywoływała w myślach jego twarz, która była obliczem zarówno kobiety, jak i mężczyzny. W jej pamięci Julian stał się kimś, kto przekroczył granice płci, sprawiając, iż kobieta taka jak ona mogła czuć się przez chwilę boginią zasługującą na miłość.

KONIEC